interactive cities

anomalie
digital_arts #6

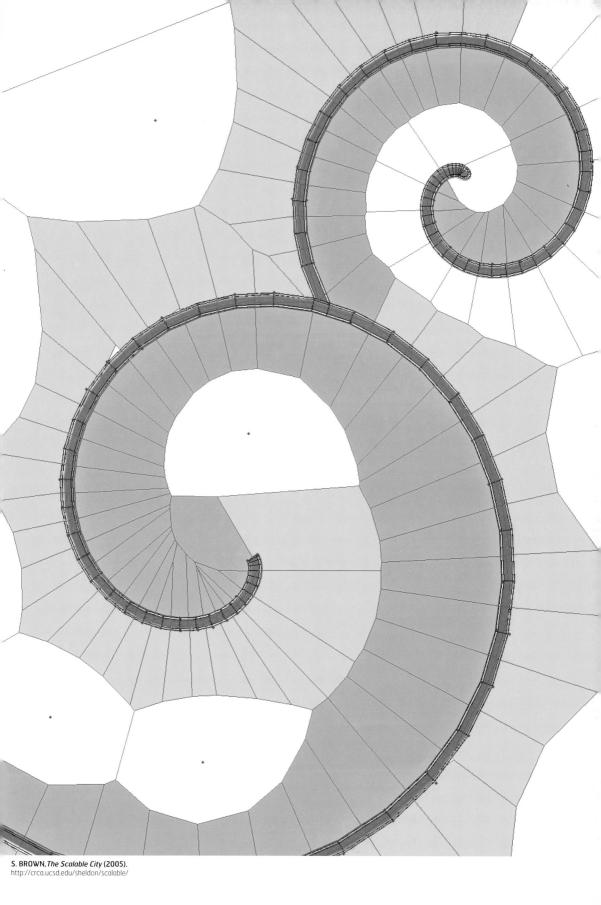

S. BROWN, *The Scalable City* (2005).
http://crca.ucsd.edu/sheldon/scalable/

Sommaire | Table of Content

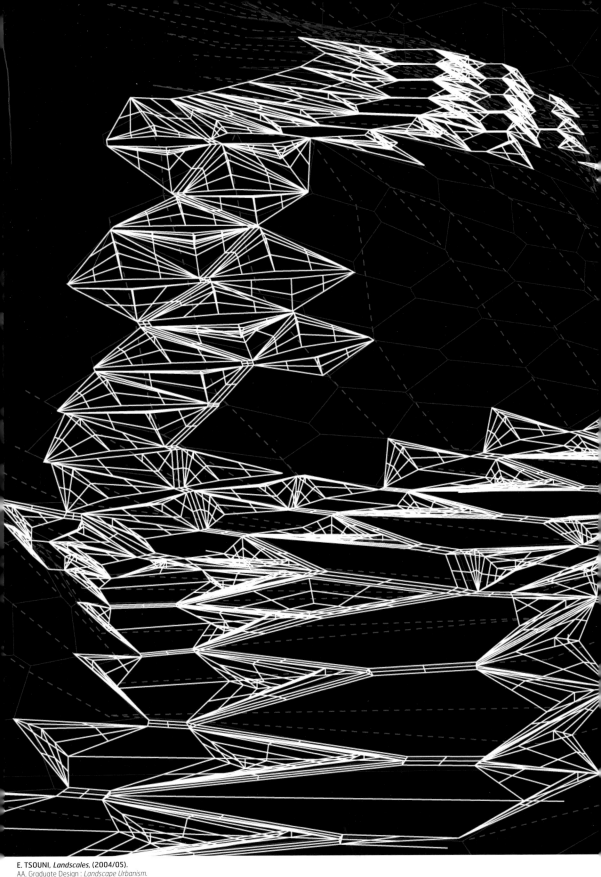

E. TSOUNI, *Landscales,* (2004/05).
AA, Graduate Design : *Landscape Urbanism.*
Tutors : E. CASTRO, E. RICO, L. ASENSIO, D. MAH
http://www.aaschool.ac.uk/graduate/lu.shtm

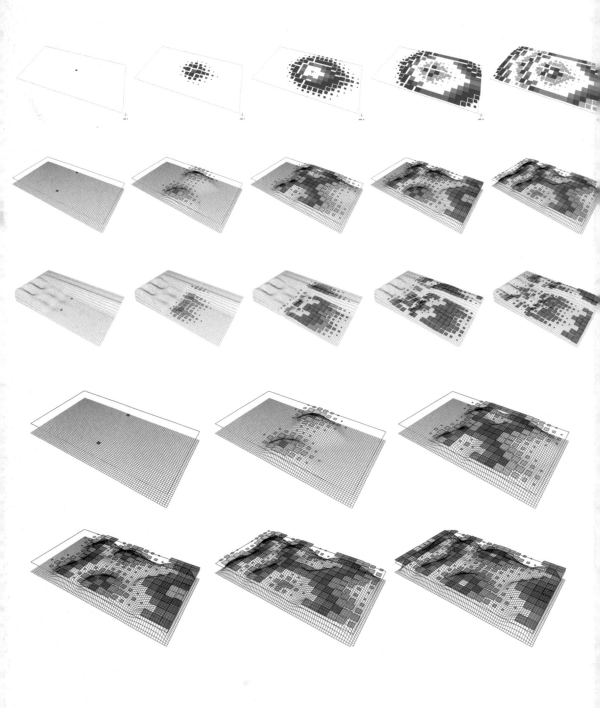

J. HON, *Organizing Disorder*, (2003/04).
AA, Diploma Unit 1
Tutors : C. TASHIMA, M. BECKER
http://www.aaschool.ac.uk/exhibitions/pr0304tabloid.pdf

« Organizing Disorders » s'inspire des caractéristiques de l'urbanisation spontanée des favelas de la périphérie de Quito, Equateur. L'objectif de ce projet est de conjuguer l'auto organisation et un certain ordre au niveau urbain. La stratégie retenue développe par la simulation une série de réponses en fonction des comportements. Dans la pratique, ces réponses sont communiquées aux nouveaux arrivants des favelas par le voisinage.

'Organising Disorder' makes use of the characteristics of chaotic settlement patterns in favelas at the peripheries of Quito, Ecuador as a strategy for urban development. Such form of planning allows for a high level of 'self organizing' while maintaining order at the urban level. It focuses on developing behavior triggered responses. As new inhabitants move into the favelas, neighbors watch and instruct newcomers of applied 'rules'.

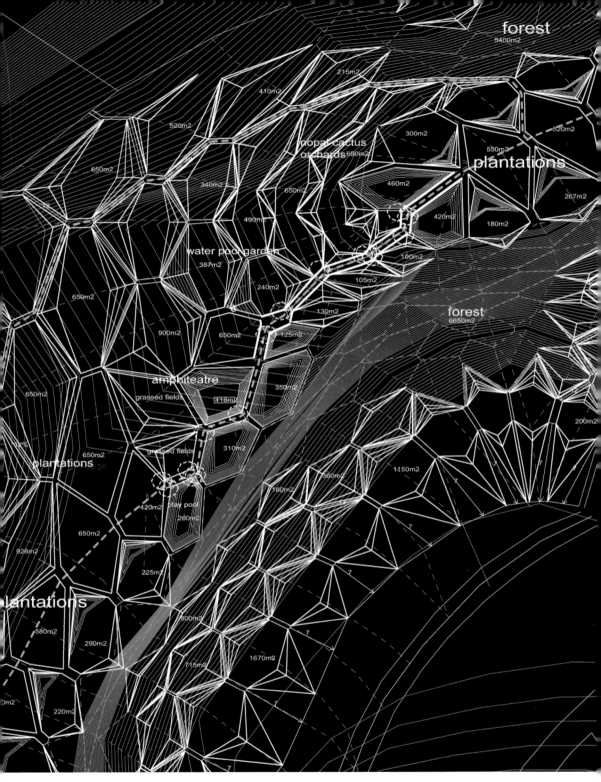

E. TSOUNI, *Landscales*, (2004/05).

Landscales est un paysage artificiel constitué par des structures de rétention de la terre qui dérivent du contexte géomorphologique et hydraulique pour un site écologique dans Santa Fe, Mexique. La géométrie de ce paysage urbain est construite par le système traditionnel des terrasses alors que l'agriculture urbaine structure et maintient le paysage garantissant sa gestion et la stabilité du sol.

Landscales is an artificial landscape of earth retention structures that derives from the geomorphological and hydrological conditions of an ecologically preserved site in Santa Fe, Mexico City. The proposed urban landscape acquires its geometry from the traditional terracing system. While the terracing system functions as a tool for constructing the urban landscape, urban agriculture serves as a means of structuring and sustaining the urban landscape by securing its land tenure stability and management.

Éditorial
Editorial

Valérie Châtelet
Anomos_Skylab

Alors que les villes sont reconnues comme moteur du développement, qu'elles accueillent aujourd'hui la majorité de la population mondiale et que les prévisions n'envisagent quasiment pas de limite à l'urbanisation du cadre de vie, les pratiques de leur organisation évoluent. La ville n'est plus seulement conçue comme environnement physique et spatial mais aussi comme un système complexe de relations. Des dimensions physiques, de la spatialité, l'attention s'est déplacée vers l'intégration des données environnementales, économiques et sociales. A cette perspective, deux autres dimensions s'ajoutent : d'abord une dimension temporelle dans laquelle s'inscrit l'évolution des facteurs que l'on cherche à maîtriser ; ensuite une dimension humaine qui pose la question de la légitimité des décisions en tenant compte non seulement de leurs objets mais aussi de leurs origines et de leurs processus. La convergence de ces deux dimensions relève du paradoxe : si d'un côté l'intégration des données complexes et hétérogènes implique un contrôle et une maîtrise de plus en plus précise et dynamique, de l'autre l'intervention et la participation de nouveaux acteurs dans le processus de conception urbaine ouvre sur des zones d'indétermination et d'autonomie.

D'autre part les technologies ont aujourd'hui infiltré nos villes. Des « caméras de surveillance ont été installées à tous les coins de rue, dans les magasins et les bureaux, des capteurs ouvrent automatiquement les portes des magasins, des câbles à fibres optiques ont été posés sous nos rues, et l'espace est parcouru par les ondes du réseau sans fil » (Huang et Waldvogel). Les équipements *wireless*, reconfigurent nos modes de vie. Les distinctions entre la vie quotidienne, le travail et les loisirs s'estompent et de nouvelles pratiques de l'espace se définissent dont la gestion est de plus en plus proche du temps réel (Schmitt ; Ratti et Berry). Les téléphones cellulaires, les équipements portables permettent par ailleurs l'émergence de nouveaux modes de collaboration et d'organisation pour l'élaboration et la maintenance des biens publics (Huang et Waldvogel ; Châtelet).
L'augmentation des capacités de calcul et la numérisation croissante des données nous permettent désormais de « traiter des données spatialisées incluant des interactions spatiales nombreuses et diversifiées », de simuler

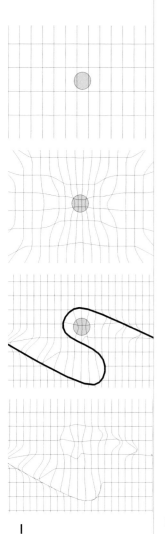

ONL, *New Canal Town*, (2004).
Zhujiajiao, China
Pour la ville nouvelle de Zhujiajiao, au sud de la Chine, l'équipe d'ONL utilise un outil flexible qui génère un tracé à partir des caractéristiques du terrain et du contexte existant ou projeté, de la configuration des canaux et de la localisation des éléments attractifs. The ONL's team approach for Zhujiajiao, a New Canal Town in South China, is based on a flexible tool for development : a Pattern Generating System. The system yields a unique town plan when applied to any plot of land with existing or proposed canals configurations and site specific development attractors.

Whilst cities are recognised as a force for development, now hosting the majority of the world's population, and forecasts envisage practically no limits to the urbanisation of the environment, the way in which these cities are organised is changing. A town is no longer understood as being just a physical and spatial environment, but also a complex system of relationships. Attention has moved away from physical dimensions and spatiality towards the integration of environmental, economic and social data. In this light, two other dimensions come into play – firstly the temporal dimension of those elements we are aiming to control, and secondly a human dimension which questions the legitimacy of the decisions making process, taking into account not only the objects of these decisions but also their origins and the processes used to reach them. The convergence of these two dimensions creates a paradox: if, on the one hand, the integration of complex and heterogenous data implies an increasingly precise and dynamic level of control and command, on the other hand the intervention and participation of new players in the process of urban design opens up areas of uncertainty and autonomy.

Moreover, technology has now seeped into our towns. "It is everywhere : security cameras around the corners, in stores and offices, sensors and actuators that automatically open doors of department stores, the fiberoptical lines underneath our streets, and the wireless network in the air" (Huang and Waldvogel). Wireless technology is reconfiguring our way of life. Distinctions between daily life, work and leisure are blurred through the use of such technology. New ways of using space are emerging and moving towards real time management (Schmitt; Ratti and Berry). In addition to this, mobile phones and portable technology are facilitating the emergence of new methods of co-operation and organisation for the creation and maintenance of public commons (Huang and Waldvogel; Châtelet). Enhanced calculation capacity and the increasing digitalisation of data now enables us to "contemplate processing spatial data including a large number of diverse spatial interactions", to simulate "the spatial evolution of a town", and "to explore possible futures" (Pumain). Finally, the development of design tools (e.g. CAD/CAM), improved geographic information systems (GIS) and

« l'évolution spatiale d'une ville », « d'explorer des futurs possibles » (Pumain). Enfin l'évolution des outils de conception (CAO/CFAO), l'amélioration des systèmes d'information géographique (SIG) mais aussi de nouvelles stratégies de développement des projets restructurent les pratiques (Perrin ; Gerber ; Schmitt).

Quelles sont les implications de cette nouvelle condition urbaine ? Comment les stratégies de planification tirent-elles partie de ces technologies ? Leur utilisation permet-elle une simple amélioration des projets ou bien entraîne t-elle des modifications plus profondes ? Quelle est la pertinence et l'impact des structures d'organisation et des modèles économiques et sociaux liés à l'essor de ces technologies ?
Et plus en profondeur : comment adapter les stratégies de planification à l'accélération du métabolisme des villes ? Comment faire face à l'incertitude fondamentale du développement urbain ? Quels sont les principes d'organisation des systèmes de ville ? Comment permettre aux citoyens de se réapproprier l'espace public ? Comment les perspectives d'auto-organisations sociales renouvellent-elles la conception de la ville ?
Autant de questions que posent les auteurs d'*Interactive Cities* dont certaines apparaissaient déjà dans les débats sur l'urbanisme de l'après-guerre.

Dans un parcours historique, Dominique Rouillard met en évidence trois catégories d'intégration des technologies de l'information et de la communication (TIC) pour l'urbanisation :
- comme outils de régulation et de communication, ces technologies participent désormais au fonctionnement même des villes (Ratti et Berry ; Schmitt ; Huang et Waldvogel) ;
- comme outils de mesure, de connaissance de la ville pour lesquels la disponibilité des données, l'augmentation des capacités de calcul et les progrès de la programmation permettent désormais d'étudier l'échelle d'un quartier autant que celle des systèmes de villes (Ratti et Berry; Pumain ; Perrin) ;
- comme outils de conception, l'utilisation des technologies du numérique permet de prendre en compte l'intervention d'autres acteurs, les changements, les flux de données sans cesse actualisés (Gerber ; Châtelet ; Ngai et Morel).

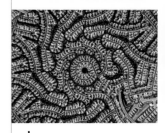

S. BROWN,
The Scalable City (work in progress).
http://crca.ucsd.edu/sheldon/scalable/

Cependant si la continuité des enjeux et des questionnements est une évidence, un certain nombre de spécificités distinguent la période contemporaine. D'abord parce que ces trois types d'intégration fusionnent de plus en plus souvent (Châtelet ; Ratti et Berry ; Schmitt). D'autre part, si les ordinateurs semblaient préfigurer l'avènement d'un urbanisme « enfin » scientifique, les progrès de la programmation et de la modélisation ont mis en évidence les dimensions non linéaires et imprédictives du développement des villes (Pumain). Si les simulations permettent d'informer les décideurs mais aussi le public (Perrin ; Schmitt), ces outils sont utilisés désormais pour faire émerger un consensus plutôt que pour prédire les conséquences d'une intervention et tenter d'orienter la trajectoire du développement urbain. Enfin, si l'attention des urbanistes et des architectes semble avoir un temps abandonné les questions de composition spatiale pour considérer la ville comme un système de relations, le développement des logiciels autorisent désormais de réintégrer la forme grâce à la dimension paramétrique ou relationnelle des projets (Gerber).

project development strategies are all restructuring practices (Perrin; Gerber; Schmitt).

What are the implications of this new urban condition ? How do planning strategies make use of this technology ? Does the use of such technology simply enable people to improve projects or does it entail deeper changes ? What are the relevance and impact of organisational structures and the economic and social models linked to the growth of such technology ?

To go even deeper, how can planning strategies be adapted to the accelerating metabolism of towns ? How can we confront the fundamental uncertainty of urban development ? What are the organisational principles of town systems ? How can we enable citizens to reclaim public space ? How do the perspectives of social self-organisational phenomena renew the development of cities ?

These are all questions posed by the authors of *Interactive Cities*. Some of them were already appearing in the post-war debates on town planning.

In a historical exploration, Dominique Rouillard highlights the integration of three kinds of information and communication technology (ICT) for town planning purposes :

- as a tool for regulation and communication, this technology is now involved in the very functioning of towns (Ratti and Berry; Schmitt; Huang and Waldvogel).

- as a tool for measuring and examining a town. In this respect the availability of data, increased calculation capacity and advances in programming now mean that the scale of a district can be studied to the same extent as that of a town system (Ratti and Berry; Pumain; Perrin).

- as a design tool, the use of digital technology means that the intervention of other players can be taken into account, along with changes and a constantly updated flow of data (Gerber; Châtelet; Ngai and Morel).

Nevertheless, whilst the continued challenges and questioning are self-evident, a certain number of specific features mark out the contemporary period. Firstly, these three kinds of integration are merging (Châtelet; Ratti and Berry; Schmitt). Secondly, whilst computers seemed to foreshadow the advent of town planning that was "at last" scientific, advances made in programming and modelling have highlighted the non-linear, unpredictable dimensions of town development (Pumain). Whilst simulations can inform both decision-makers and the public, (Perrin; Schmitt), such tools are now used to bring about a consensus rather than to predict the consequences of an attempt to direct the path of urban development. Finally, although the attention of town planners and architects seems to have abandoned issues of spatial composition for a while to consider the town as a system of relationships, the development of software now permits us to reconsider form thanks to the parametric or relational dimension of projects (Gerber).

Let us take, for example, the *Science City* project (Schmitt), won by the teams of Kees Cristiaanse and Kaisersrot : technology is used both as equipment in the functioning of the university, understood as a hybrid knowledge space which is both physical and virtual, and as a tool for integrating a very large number of constrains as well as a complex programme into the design

Prenons par exemple le projet *Science City* (Schmitt), dont le concours a été remporté par les équipes de Kees Cristiaanse et de Kaisersrot : les technologies sont utilisées à la fois comme équipement pour le fonctionnement de l'université comprise comme un espace de savoir hybride dont l'étendue est à la fois physique et virtuelle, mais aussi comme outils d'intégration d'un très grand nombre de contraintes et d'un programme complexe dans la conception du projet. Citons encore l'usage des technologies comme outils d'analyse mais aussi comme infrastructure des villes par les recherches du SENSEable Citylab du MIT (Ratti et Berry). Et aussi, les dispositifs d'expression publique décrits par Jeffrey Huang et Muriel Waldvogel qui préfigurent la fusion des dimensions de la participation et du fonctionnement urbain.

C'est dans ce contexte qu'*Interactive Cities*, numéro 6 d'*Anomalie digital_arts*, questionne les apports des technologies de l'information et de la communication pour la conception des villes. Nous avions abordé quelques une de ces questions dans le cadre du symposium sur les arts électroniques ISEA2000 qui s'est déroulé à Paris. Luca Marchetti et moi-même avions organisé deux tables rondes, au Forum des images et à l'Institut Français d'Architecture, intitulées « Programmation numérique et conception de la ville ». *Interactive Cities*, est à la fois le prolongement des débats mis à jour par ces tables rondes et un état des lieux critiques des pratiques et des recherches dans ce domaine éminemment interdisciplinaire.

Le débat sur les apports des technologies dans les domaines de l'architecture, de l'urbanisme et du design est omniprésent, cependant nous avons cherché à définir une nouvelle approche. A la présentation des projets et des logiciels, l'état des lieux de l'impact des technologies sur la conception urbaine s'ajoute l'exploration de nouveaux modèles d'urbanisme qui prennent en compte l'intégration de données complexes temporelles et spatiales, de l'intervention de nouveaux acteurs et de nouveaux modes de conception et de collaboration. Dans cette perspective, nous posons avec insistance la question du contrôle de l'organisation des villes. S'il ne s'agit pas d'oblitérer les approches formelles, nous questionnons ici la responsabilité des équipes de conception, pour demander si l'enjeu des technologies ne serait pas d'introduire plus de liberté et la continuité de la conception plutôt que de permettre une meilleure maîtrise des formes et des prises de décision.

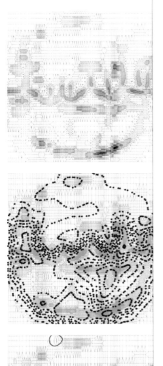

of a project. Let us also mention the use of technology as a tool for analysis, and as the infrastructure of a town through the research of MIT's SENSEable City Lab (Ratti and Berry). In addition to this we have the facilities for public expression described by Jeffrey Huang and Muriel Waldvogel, which anticipate the combination of dimensions of participation and of urban functioning.

This is the context in which *Interactive Cities*, the 6th issue of *Anomalie digital_ arts*, questions the contribution of information and communication technology to the urban design. We had already touched on some of these issues as part of the ISEA2000 electronic arts symposium, which took place in Paris. Luca Marchetti and I organised two round tables at the Forum des images and the Institut Français d'Architecture, entitled "Digital Programming and Urban Design". *Interactive Cities* is both a continuation of the discussions thrown up by these round tables and a critical inventory of practices and research in this eminently interdisciplinary field.

The debate on the contribution made by technology in the fields of architecture, town planning and design is omnipresent, however we have sought to define a new approach. In addition to presenting projects and software, and assessing the impact of technology on urban design, we have explored new models of planning. These take into account the integration of complex temporal and spatial data, as well as the intervention of new players and new design and collaboration methods. In this light, we have insisted on the issue of town organisation and control. Whilst we are not suggesting the obliteration of formal approaches, we question here the responsibility of design teams, and ask whether the challenge for technology is not to introduce more freedom and continous design rather than to facilitate an enhanced control and decision making.

Translation from French by Emma Chambers.

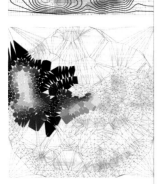

E. TSOUNI, *Landscales*, (2004-2005).
AA, Graduate Design :
Landscape Urbanism, 2004/05
Tutors : E. CASTRO, E. RICO, L. ASENSIO,
D. MAH
http://www.aaschool.ac.uk/graduate/
lu.shtm

L'invention de l'interactivité urbaine
The Invention of Urban Interactivity

Interview avec Dominique Rouillard
ArchitectureAction, GRAI

En lisant votre dernier ouvrage, Superarchitecture. Le futur de l'architecture 1950-1970[1], *on remarque d'abord que la question de la ville est omniprésente au sein des débats et des projets des avant-gardes des années 1950-1970. D'autre part, on s'aperçoit que l'introduction des technologies de l'information apparaît très tôt en particulier pour les projets qui ont une dimension urbaine. Comment expliquez-vous cet intérêt pour les technologies de l'information alors même qu'elles étaient très difficiles d'accès et assez peu développées ?*

L'introduction des technologies de l'information est très évidente avec le projet *Plug-In City* de Peter Cook, élaboré entre 1962 et 1964. Mais pour en comprendre l'émergence, on est obligé de se reporter une dizaine d'années en arrière puisque le vocabulaire qui qualifie les nouvelles potentialités de l'informatique - à part les mots caractéristiques de *software* et de *hardware* - est déjà à l'œuvre dans le discours architectural. Depuis le début des années 1950, on trouve, dans les déclarations d'un certain nombre d'architectes qui formeront le Team Ten, les notions de *relation*, de *lien*, de *lieu*, d'*échange*, de *hasard*, d'*indétermination*, d'*ouverture*, de *contact*, de *connexion*, et même d'*esthétique de la connexion* ; autrement dit, une focalisation sur les flux plutôt que sur les formes architectoniques, un intérêt pour la relation de l'objet (l'architecture) à son environnement, plutôt qu'à l'objet lui-même, dans une pensée systémique qui touche tous les domaines de la création, les sciences et les arts. Il y a recherche de communication, mais sans langage ou message (ce sera le propos post-moderne). Ce vocabulaire, qui émaille le discours actuel de l'architecture « connectée », existe alors en dehors de toute référence à l'informatique, et même sans relation à la cybernétique qui va pénétrer le milieu de l'architecture à la fin des années 1950.

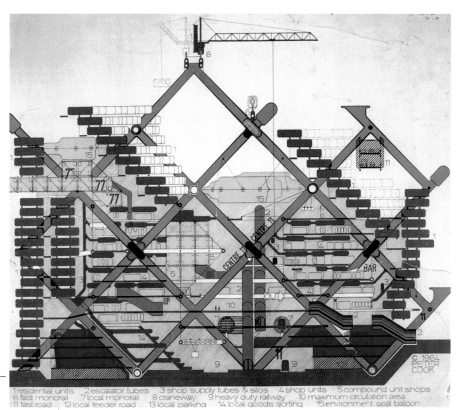

1 residential units   2 escalator tubes   3 shop supply tubes & silos   4 shop units   5 compound unit shops
6 fast monorail   7 local monorail   8 craneway   9 heavy duty railway   10 maximum circulation area
11 fast road   12 local feeder road   13 local parking   14 local goods sorting   15 environment seal balloon

Reading your latest work, Superarchitecture, the future of architecture
1950-1970[1], *the first thing you notice is that the issue of urbanity is
omnipresent in the discussions and projects of the avant-gardists from
1950-1970. In addition, you recognise that information technology was
introduced very early on, particularly for projects with a urban dimension.
How do you explain this early interest in information technology when it
was still not very developed and access to it was very restricted ?*

The introduction of information technology was evident with Peter Cook's
Plug-In City project, which was created between 1962 and 1964. In order to
understand how it emerged, however we have to go back about ten years,
since the vocabulary that marked out the new potential of computer science
– apart from the typical words software and hardware – was already being
used in architectural thought. Since the beginning of the 1950s, we find, in
statements made by a certain number of architects who would later make up
Team Ten, notions of relationship, links, place, exchange, chance, randomness, openness, contact, connection, and even the aesthetics of connection;
in other words, there was a focus on flow rather than on architectonic forms,
an interest in the relationship of the object (i.e. architecture) with its environment, rather than in the object itself, forming part of a systemic thought
process that affected all areas involving creation, science and the arts.
There was a search for communication but without the use of language or
messages (this would eventually be the intention of the post-modernists).
This vocabulary, which peppers current "connected" architectural discussion, existed then independently of any reference to computer science, and
was around even before it had any link to the cybernetics that would pene-
trate the field of architecture at the end of the 1950s.

Ce vocabulaire du Team Ten s'énonce en réaction et dans une critique ouverte de la ville fonctionnaliste considérée comme figée dans un urbanisme formel, de composition, statique, totalement incapable de s'adapter aux évolutions d'une société qu'on imagine alors changeante et aux aspirations imprévisibles ; un urbanisme et une architecture qui pourraient faire advenir ce que Alison et Peter Smithson, les premiers, appellent le plaisir, les incertitudes, le relâchement (avec le mot très expressif de *looseness*), le désordre même. La cohésion sociale tient à « l'aisance du mouvement ». Les Smithson essayent de penser une ville qui n'a pas de forme, qui ne serait définie que par les liens entre les individus d'une communauté retrouvée, dont les déplacements et les échanges seraient facilités, voire suscités grâce à des superstructures offrant des circulations surélevées par rapport au sol, et donc libres de tout empêchement (c'est le sens du projet *Golden Lane* de 1952). C'est pourquoi dans leur projet titré *The City* en 1952, l'architecture a exactement la forme d'un réseau, qui se superpose à un autre, autoroutier. Ce qui est important pour eux c'est de concevoir une architecture et un urbanisme qui permettent (et conséquemment figurent) cette liberté de déplacement des individus, qu'ils soient piétons, ou automobilistes. D'où leur critique de ce qu'ils appellent le « cul-de-sac planning » (l'urbanisme en raquettes) prôné en Angleterre par le London County Council après guerre. Ils insistent d'abord sur l'échange entre voisins, les lieux de rencontre, aux points de croisement, sur le *deck*, etc., puis se sera dans les supermarchés (le « shopping, écrivent-ils en 1957, rapproche les hommes volontairement, ils se rencontrent face à face »...). C'est un échange très humain, très physique, que l'architecture moderne aurait rompu. En écartant les bâtiments, en écartant les gens, la ville radieuse aurait détruit l'idée nostalgique de ville comme communauté. Autrement dit, ce vocabulaire qui connote aujourd'hui l'utilisation de l'outil informatique, émerge alors pour modéliser des liens, pour définir la forme des flux, à la fois structure d'organisation d'une communauté retrouvée et représentation de ses mouvements et échanges. Dans la *Ville relationnelle* proposée, le déplacement physique des individus est encore primordial, loin des échanges virtuels (ou immobiles) qu'établiront les internautes dès les projets de la décennie suivante.

Pour l'architecture, ce que va réaliser l'informatique, puis l'Internet, c'est l'accomplissement de ce que les architectes ont déjà en partie imaginé et formulé sur les aspirations et demandes de la société. L'organisation spatiale des lieux y aura encore moins de place que dans les projets des Smithson.

Avec une série de notions, qui apparaissent avant le développement et l'introduction de technologies de l'information qui sont croisées ensuite avec des termes typiques mais sans application directe, sans utilisation concrète de l'informatique dans les projets, on se demande si la co-présence des problématiques urbaines et de l'introduction des technologies est fortuite ?

:
:

The Team Ten vocabulary came about as a reaction to and an open criticism of the functionalist city, which was seen as being stuck in a formal, composed, static kind of plan that was totally incapable of adapting to the developments of a society thought to be changing, with unforeseeable aspirations. Alison and Peter Smithson, founding members of the Team Ten, were the first to seek a kind of town planning and architecture that could bring about pleasure, uncertainty, relaxation (using the very expressive term "looseness"), and even disorder. Social cohesion would result from "ease of movement". The Smithsons tried to imagine an urban centre without form, which would be defined only by the links between individuals from a rediscovered community, where movement and exchange would be facilitated, and even incited, by superstructures providing pathways raised off the ground, and therefore free from any impediments (this is the idea behind the 1952 *Golden Lane* project). This is why, in their 1952 project called *The City*, the architecture takes the form of a network, which is superimposed above another motorway network. It was important to them to design a form of architecture and urban planning that would enable (and consequently give form to) this freedom of movement for individuals, whether they were pedestrians or drivers. This explains their criticism of what they call "cul de sac planning" which is essentially town planning in tennis-racket shapes with dead-ends. The London County Council advocated this type of plan in England after the war. Initially, they emphasised exchange between neighbours, meeting places, at intersections, on the deck, etc., then in supermarkets ("shopping, they wrote in 1957, brings people together voluntarily, they meet face to face"…). Modern architecture would destroy a very human, very physical exchange. By distancing buildings and distancing people, the *Ville radieuse* (radiant city) would destroy the nostalgic notion of the town as a community. In other words, the vocabulary that nowadays implies the use of computerised tools, was already emerging at that time to qualify connections and to define the form of flows, which make up both the organisational structure of

On trouve ce qu'on cherche, ou ce que l'on est disposé à entendre, il n'y a pas de hasard, et de toute façon l'architecture aurait rencontré tôt ou tard l'informatique. Mais cette rencontre se fait d'autant plus tôt (au tout début des années 1960, je veux dire l'informatique considérée au-delà d'un « simple » outil technique d'aide à la conception) qu'il existe préalablement dans l'architecture un discours en quelque sorte homologue, déjà porteur de ce que l'informatique contient comme potentialités « d'ouverture » des systèmes. L'idéologie du lien interpersonnel, de la connexion, des relations multiples structure la pensée et les projets des architectes du Team Ten - elle est particulièrement nette dans le croquis *Brubeck* des Smithson de 1958 qui représente le réseau des relations humaines entre de multiples pôles. Cet « idéogramme », comme ils le nomment, pourrait être un développement du schéma de Chombart de Lauwe de 1952 figurant l'ensemble des déplacements d'une étudiante du XVIe arrondissement de Paris, mais qui avait alors un point focal majeur, son domicile. Cette pensée du réseau relationnel sera également celle de leurs héritiers avoués ou involontaires, les architectes de la mégastructure[2] aussi bien que les étudiants de l'école londonienne de l'Architectural Association, et les premiers d'entre eux, Archigram. D'une autre génération, ils aborderont l'architecture dans le contexte du développement des sciences, celui de la robotique et de l'informatique, et grâce aux ouvrages de vulgarisation ou aux récits de science-fiction (les mêmes auteurs rédigeant parfois les deux genres). La science-fiction, en particulier, développe le potentiel des nouvelles technologies de l'information, non encore exploré et a fortiori non exploité. S'imaginent alors les technologies « appliquées » à la société, ouvrant à tout un monde recréé, réinventé. Banham considèrera le roman *Les cavernes d'acier* d'Isaac Asimov (1953) comme devant rejoindre les « textes sacrés » des architectes. La question, toujours la même, est celle de l'intégration de nouveaux référents dans l'architecture : comment passe-t-on d'une anticipation narrative improbable au royaume de l'architecture fondé sur des projets concrets, par un architecte responsable ? Le passage est loin d'être immédiat. Le Team Ten, par son idéologie de la relation, mais à son corps défendant (car il n'aura par lui-même jamais entrevu un quelconque lien entre son urbanisme sociologique et l'informatique), a préparé le terrain des architectes pour entendre et intégrer autant la technologie de l'informatique que la narration de la science fiction.

Ne l'oublions pas néanmoins, ils seront peu nombreux à comprendre ce qui est en train de se passer pour l'architecture. Il y a un écart énorme entre la très grande majorité de la profession occupée à reconstruire l'Europe et à participer à l'énergie des Trente Glorieuses, et des jeunes architectes comme ceux du groupe Archigram, et davantage encore avec ceux porteurs de projets « négatifs », comme les jeunes diplômés de la faculté d'architecture de Florence : ils ne seront pas crédibles (au moins dans l'histoire de l'architecture) avant 20, 30, 40 ans - ce qui laisse penser que s'invente aujourd'hui la

a rediscovered community and the representation of its movements and exchanges. In the proposed *Relational City* the physical movement of individuals from place to place was still essential, a far cry from the virtual (or immobile) exchanges that Internet users would start to make in the following decade.

For architecture, what computer science, and later the Internet, would accomplish, was what architects had already partly imagined and expressed with regard to the aspirations and laws of society. The spatial organisation of places would be even less relevant here than in the Smithons' projects.

From a series of ideas that appeared before the development and introduction of information technology, which were then combined with computer related terminology, but had no concrete use in projects, one could ask whether the simultaneous existence of urban problems and the introduction of information technology was fortuitous ?

You find what you are looking for, or what you want to hear, there are no coincidences, and in any case architecture would have come across computer science sooner or later. However; this encounter actually came about earlier (at the very beginning of the 1960s, when computing was seen as being more than "just" a technical design aid) in that architecture had, in a sense, already been talking about a similar kind of idea, and was already bearing signs of the potential of computer science for "opening up" systems. The ideology of interpersonal links, of connection and of multiple relationships, is what structured the thought and projects of the Team Ten architects. This ideology is particularly clear in the Smithons' 1958 *Brubeck* sketch, which shows the network of human relationships between various focal points. This "ideogram", as they called it, could be an elaboration on Chombart de Lauwe's 1952 diagram showing all the movements of a female student in the 16th *arrondissement* of Paris, although that diagram had a major focal point, namely her home. This idea of the relational network would also become inherited by their acknowledged or involuntary heirs, architects of megastructures as much as students from London's Architectural Association School of Architecture, and foremost amongst the heirs, Archigram. Coming as they did from a new generation, they approached architecture from a different angle, namely that of scientific development, robotics and computers, with the help from scientific works written in layman's terms and science fiction stories (the same authors sometimes writing in both genres). Science fiction in particular helped to develop the potential of as-yet unexplored and even less used information technology. Architectural historian Reyner Banham would later consider *The Caves of Steel,* Isaac Asimov's novel (1953), as being one of the "sacred texts" of architects. How to integrate new referents into architecture remains the question. How does one apply an improbable science fiction narrative to the world of architecture, with actual projects and mundane issues with which to contend ? The transition was not instantaneous. Team Ten, through its

rencontre entre TIC et architecture... Entre Archigram et le réel de l'architecture de l'époque, il n'y a pratiquement aucun lien, ni commande, ni opportunité donnée pour réaliser - mais les projets, très élaborés, sont pourtant bien là. Le Team Ten lui-même ne sera guère plus entendu (qu'on pense à l'amertume des Smithson depuis longtemps sans commande dans les années 1980, avec à leur actif si peu de constructions et si présents pourtant dans les références des architectes...). Ce qui s'est construit en France et ailleurs jusqu'au début des années 1970 (pour ne rien dire du retour à l'urbanisme composé de la *forme urbaine*, qui séduit jusqu'à aujourd'hui tous les édiles) se situait plutôt dans la continuité des CIAM que dans le courant de pensée innovante du Team Ten. Et j'y inclus le ratage de Toulouse le Mirail qui concentrait toutes les aspirations du Team Ten mais pour lequel on n'a pas donné les moyens de réaliser le projet initial : une architecture et un urbanisme de connexion immédiate, entre tous, et avec le supermarché... !

Sous quelles formes l'introduction de l'informatique a-elle été élaborée et présentée ? S'agissait-il plutôt de références métaphoriques, de projets théoriques, ou d'applications concrètes ?

Cela n'a jamais été des références métaphoriques et peu de projets ont trouvé des applications concrètes. L'informatique était à l'œuvre dans la conception même du projet, voire à son origine - peut-être parce qu'elle ne pouvait encore opérer effectivement dans les agences comme outil d'assistance à la conception... La fabrication la plus artisanale a présidé aux projets les plus ouverts aux nouvelles technologies. En fait, les architectes ont été suffisamment tôt sur la question informatique, quand elle n'existe pas réellement dans la société ; mais quand elle commence à envahir le domaine public (et privé), quand elle est dans la rue, avec les GPS, les systèmes d'info guidage, etc., alors ils n'y ont plus leur place...

Les premiers architectes des mégastructures, vers 1958-1960 (Yona Friedman, Constant, les métabolistes japonais), apportent leur part dans cette généalogie de la rencontre entre architecture et informatique. On trouve dans leurs textes les mots *ordinateur, computateur électronique, automation, robotique, calculateur*, avec des explications sur ce que ces nouveaux outils de contrôle, d'organisation, de gestion de tâches complexes, de calculs exacts, dépassant les facultés humaines, peuvent effectuer. L'ordinateur de la mégastructure s'imagine comme permettant *l'organisation du changement* (tel que l'évoque Schulze-Fielitz en 1960), mais sans entraîner une expression architecturale nouvelle - la structure tridimensionnelle qu'adopte toute mégastructure apparaît comme un réseau à la complexité suffisante... Les thèses de Norbert Wiener, dont on retient le principe de liaisons pluralistes, sélectives, spontanées, énergétiques, etc... seront explicitement mentionnées chez les métabolistes à partir du milieu des années 1960. Mais, là encore, les architectes japonais, parce qu'ils inscrivent leur discours dans une lecture biologique et traditionaliste de l'infrastructu-

ideology of relationships, paved the way for architects to understand and incorporate information technology as much as the science fiction narrative did, albeit reluctantly (since by oneself one would never have foreseen the slightest link between its sociological town planning and computer technology).

We should not forget, however; that there were very few who actually understood what was going on in the world of architecture. There was a huge gap between the vast majority of the profession who were busy reconstructing Europe and being a part of the *Trente Glorieuses* – the thirty "glorious" years between 1945 and 1973 – and young architects such as the Archigram group. This gap was even wider for architects with "negative" projects, like the young graduates from Florence University architecture department, they would not be credible (in the history of architecture, at least) for another 20, 30, or 40 years which is why people think that combining communication and information technology with architecture is something that has only recently been thought of.

Between Archigram and the reality of the architecture of the time, there were practically no links, no orders, and no opportunities to create. Nevertheless the projects were there, and they were very sophisticated. Team Ten itself was barely heard from anymore (think of the Smithsons' bitterness in the 1980s, when they had not had any realised projects for a long time but a strong presence as architectural innovators). In the early 1970s, construction in France and elsewhere related to the goals of the CIAM - International Congress of Modern Architecture (to say nothing of the return to urban form town planning, which still appeals to town councillors today), and had very little to do with the innovative ideas of Team Ten. I am including the unfortunate project of Toulouse Le Mirail in this, which united all the aspirations of Team Ten, but for which the initial project funding was not granted – architecture and town planning with direct connections between everything, and it even had a supermarket... !

How was the introduction of computer science developed and presented ? Did it have more to do with metaphorical references and theoretical projects or were there concrete applications ?

It never involved metaphorical references, and few projects were actually applied. Computer science was at work in the very design of projects, and even at their origin – maybe because it was not yet able to function efficiently in agencies as an aid to design... The homespun level of production was presiding over projects that were in fact open to new technology. Architects reacted early to the issue of computer technology even though it did not actually exist in society, but now that it has began to invade the public (and private) domains, when it is in the street, with GPS, computerised guidance systems and so on, they are no longer finding their place...

:
:

re, et sous la forte stimulation de Kenzo Tange représentant des CIAM au Japon, ne peuvent imaginer à cette date l'ordinateur comme une technique d'individualisation de la décision, qui permettrait à tout un chacun d'intervenir sur l'évolution de la ville. Jusque tard dans les années 1960, l'informatique et la micro informatique sont au cœur de projets d'environnements cybernétiques limités à la maison (la *maison réceptive* d'Isozaki), pour des effets essentiellement sonores, visuels, ou sous forme robotique - c'est encore la démonstration faite dans le hall du Festival Plaza de l'exposition d'Osaka en 1970 : l'ordinateur sert à actionner tout ce qui est mobile sur le vaste plateau.

Il appartient à Archigram, avec notamment le projet *Computer City* de Dennis Crompton en 1964, d'avoir fait de l'ordinateur non plus seulement un instrument de contrôle et de gestion de la mégastructure, mais aussi un dispositif d'écoute, de réception et d'échanges entre les habitants et la ville. Archigram invente l'interaction urbaine - à défaut d'avoir forgé le terme récent « d'interactivité » - ce qui annonce la disparition imminente de la méga-infrastructure elle-même. Quand les mégastructuralistes vont comprendre cette dimension individualiste de l'informatique (par exemple quand Friedman en 1970 à l'exposition d'Osaka met le *Flatwriter* à disposition des visiteurs-habitants, un ordinateur qui leur permet de décider de la localisation, des volumes, du mobilier, des équipements, du coût de l'appartement, mais aussi du choix et du changement du rapport au voisinage, tout en étant informé en continu des possibilités d'usage de la structure), l'ordinateur est à cette date une technologie généralisée pour les architectes radicaux, à disposition de chacun par simple branchement. La miniaturisation de l'informatique dans les projets (de simples prises aux capacités décuplées...) la rend d'autant plus accessible à tous, discrète dans le paysage, invisible, enfouie, secondaire même. Elle « agit », sans ostentation, sans figuration, sans méga-structure, sur tous les points du territoire : c'est la *forêt cybernétique* insoupçonnable du groupe 9999, qui développe l'incroyable projet *Rokplug-Logplug* de David Greene (1968), ou les projets successifs de Superstudio : du *Monument Continu* de 1969 à la *Supersurface*, qui, trois ans plus tard, ramène l'architecture à une surface entièrement informatisée, reliée par satellite à l'espace interplanétaire...

Pouvez vous développer l'originalité des projets d'Archigram dans cette histoire ?

Archigram a été très inventif pendant une dizaine d'années. Ils sont les premiers à déplacer une opposition traditionnelle de l'architecture, celle de la structure et du remplissage, dans un autre domaine de références que celui du corps, des os et de la chair, opposition que Serlio avait perfectionnée à la Renaissance en ajoutant la *peau*. A ce binôme, Archigram substitue l'opposition *hardware* / *software*, emportant toute l'architecture dans le monde

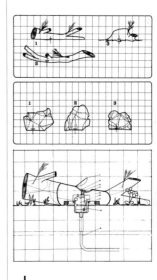

DAVID GREENE,
Rokplug, Logplug (1968).
Photos Archives Archigram

SUPERSTUDIO,
Monument continu (1969).

Around 1958-1960, the first megastructure[2] architects (i.e. Yona Friedman, Constant, and the Japanese metabolists), made their contribution to the genealogy of this encounter between architecture and computer technology. Their texts contain the words *computer*, *electronic computing device*, *automation*, *robotic*, and *calculator*, with explanations on what could be achieved with these new tools for control, organisation, complex task management and precise calculation, which exceeded human capacity. The megastructure computer believed it could facilitate the organisation of change (as described by Shulze-Fielitz in 1960), without leading to a new form of architectural expression - the three-dimensional structure adopted by all megastructures seemed to be a sufficiently complex network.... The theories of Norbert Wiener, from which the architects retained the principle of relationships that were pluralistic, selective, spontaneous, energetic and so on, would be explicitly mentioned by the Metabolists from the middle of the 1960s onwards. However, their ideas were part of an organic and traditional reading of infrastructure, and because they were strongly encouraged by Kenzo Tange, CIAM's representative in Japan, Japanese architects at that time could not imagine a computer as a way of adapting decision-making to individual requirements, which would enable everybody to participate in the city's development. Until the late 1960s, computer technology and micro computing lay at the heart of cybernetic environment projects limited to the home (e.g. Isozaki's *Aida House*, a receptive house) providing effects that were essentially linked to sound, vision or robotics. This was the essence of the demonstration given in the Festival Plaza hall at Expo '70 in Osaka - the computer was used to activate all the mobile objects on the vast set.

It was Archigram, notably with Dennis Crompton's *Computer City* project in 1964 that made the computer into a device for listening, receiving and exchanging with the inhabitants of a town. It was no longer just an instrument for controlling and managing megastructures. Archigram invented urban interaction - without actually coining the recent term "interactivity" - which heralded the imminent disappearance of mega-infrastructure itself. By the time the megastructuralists finally understood this "individualist" dimension to computer technology, computers were already widely used technology for radical architects, and available to everyone by means of a simple connection. An example of this is the 1970 Osaka exhibition when Friedman gave visiting inhabitants the opportunity to use the *Flatwriter*, a

récemment découvert de l'informatique. Mais là encore, le groupe anglais ne peut opérer ce passage que parce qu'il hérite d'une pensée de la mégastructure où, à une structure pérenne et stable, s'oppose un remplissage mobile et éphémère. Cette opposition fondée sur la durabilité de l'architecture avait elle-même été proposée par les Smithson, suggérant l'installation d'infrastructure à échelle territoriale, qui seraient occupés par des constructions dont la permanence serait réglée sur la durée de renouvellement d'un produit de consommation - une cinquantaine d'années pour les premiers, de 4 à 5 ans pour les seconds... La mégastructure était la réponse par un projet unique à ce que les Smithson imaginaient comme deux interventions distinctes (les autoroutes d'un côté, les bâtiments transitoires et jetables de l'autre). Dans les mégastructures, les grues installées au sommet de la structure déplacent ou changent aisément les unités (c'est le projet de Kikutake de 1958-1959) ; mais informatiser le changement, et surtout le signifier par un vocabulaire explicite et le donner à voir (le réseau prime sur la forme architectonique), c'est vraiment l'invention d'Archigram. Le mobile et le jetable deviennent le *soft*, c'est à dire à la fois ce qui est souple (par rapport à la structure dure), mais aussi ce qui touche à la programmation, à l'idée du changement en temps réel, à l'ensemble des possibles. Avec le *soft* architectural, il ne sera plus seulement question de mobilité ou même de consommation physique d'unités de remplissage, mais de l'évolution des unités et de la structure elles-mêmes au regard d'une infinité de programmes de changement. La peau de Serlio se gonfle automatiquement, mais elle ne recouvre plus la structure, elle enveloppe des activités. Au début des années 1960, Archigram entend la révolution technologique en cours, et imagine sa portée bouleversante pour l'architecture.

Vous considérez que le projet Computer City *de Crompton est un pas de plus franchi dans l'exploration informatique de l'architecture. Pourriez-vous préciser cette évolution ?*

Dennis Crompton invente *Computer City*, la *Ville réactive*, en 1964. C'est une « métropole synthétisée avec de la variation électronique ». Si *Plug-In City* est faite de branchements à un réseau, *Computer City* se constitue en soi comme réseau - sans structure, ni architecture. C'est totalement déroutant : où est l'architecture, et surtout l'architecte ? Est-il devenu un super programmateur ?

Encore un retour en arrière. Les architectes n'ont pas vu la grande introduction culturelle que représentait la popularisation du transistor radio ou du *Pick up*, dans l'Amérique des années 1950 tout du moins, vers laquelle tous les regards de la jeunesse sont braqués. Cette portabilité de la technologie domestique n'avait rien à faire dans l'architecture, elle-même encore pensée pour durer ou disparaître (il faudrait bien sûr nuancer le propos au regard des positions de Fuller, le premier à promouvoir le nomadisme, et grand maître d'Archigram). Les architectes ont alors retenu l'automation, la robotique,

computer that enabled them to decide on the location, volume, furnishings, equipment and cost of an apartment, as well as giving them a choice and an opportunity to change things regarding their relationships with the neighbourhood. The miniaturisation of computer technology in projects made it all the more accessible to everyone, blending into the scenery, invisible, buried, and even of secondary importance. It acted unostentatiously, at all points of the territory. It was the invisible *Cybernetic Forest* of the 9999 Group, who developed David Greene's unbelievable *Rokplug-Logplug* (1968), or the successive Superstudio projects - from *Continuous Monument* in 1969 to *Supersurface* three years later, that would bring architecture into an entirely computerised area, connected to interplanetary space by satellite...

Can you expand on the originality of the Archigram projects in this context ?

Archigram was very inventive for about ten years. They were the first to move the traditional couple of architecture, namely structure and filler element, to a different field of reference to that of the body, flesh and blood, a contrast that Serlio had improved upon in the Renaissance by adding *skin*. Archigram replaced this duo with the hardware/software contrast, thereby taking the whole of architecture into the recently discovered world of computer technology. Once again, however, the English group could only achieve this transition because it had inherited an idea from megastructures whereby a mobile and ephemeral filler element contrasted with the existence of a perennial and stable structure. This contrast based on the durability of architecture had itself been suggested by the Smithsons, who proposed installing infrastructure on a territorial scale, which would be occupied by constructions whose the turnover period would relate to that of a consumer product - around fifty years for the first ones, 4 to 5 years for the second. The megastructure was the response of a global project to what the Smithsons saw as two separate operations, namely motorways on the one hand and transitory, disposable buildings on the other. In megastructures, cranes installed on top of the structure could move or change items with ease (this was the essence of Kikutake's 1958-1959 project); however it was really Archigram who invented the idea of computerising change, and above all of expressing it with an explicit vocabulary and presenting it (the network took precedence over the architectonic form). Everything that was mobile and disposable became software, meaning both things that were "supple" (with regard to the hardware structure) as well as programming, change in real time and all of its possibilities. With architectural software, the issue was no longer simply one of mobility or even the physical consumability of filler units, but of the development of the units and the structures themselves from the point of view of an infinite number of programmes for change. Serlio's skin stretched automatically, it enveloped activity. At the beginning of the 1960s, Archigram

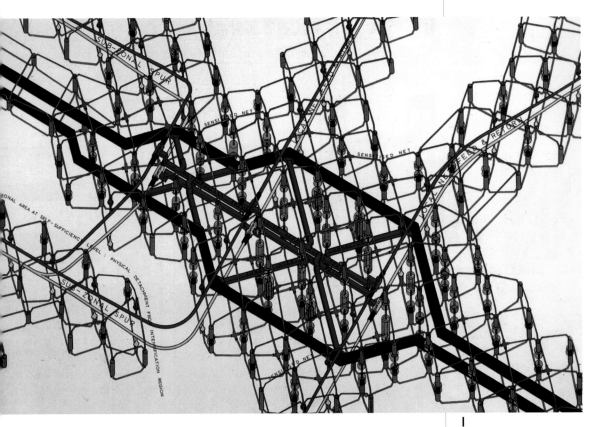

DENNIS CROMPTON,
Computer City (1964).
Coll. Centre George Pompidou,
photo Jean-Claude Planchet

beaucoup plus fascinante qu'un simple poste de radio et surtout qui renvoyait toujours à un pouvoir supérieur où l'architecte avait sa place…
Ils ne pouvaient pas imaginer l'ordinateur comme un outil donnant à chacun la possibilité d'agir directement sur l'infrastructure (ville et architecture), au risque d'y perdre leur nécessité - de fait, Friedman finira par déclarer l'inutilité de l'architecte !
Le projet de Dennis Crompton déplace l'architecture (et l'éventuel architecte) entièrement sur la programmation. Crompton appelle *Computer City, l'ombre de la ville,* c'est à dire qu'elle peut être à la fois le décalque informatique de l'infrastructure (par exemple le système qui permet le fonctionnement optimal de *Plug-In City*), mais également un système qui fonctionnerait dans n'importe quelle architecture. C'est le réseau informatique qui donne la performance. Le bâti, l'infrastructure ne sont même plus représentés.
Computer City se propose comme un système de réseaux, à trois échelles, qui enregistre par des capteurs (*sensors*) les demandes de changements formulées par les habitants, et qui s'expriment en terme de besoins très précis, loin des besoins primaires du fonctionnalisme : réduire la température de quelques degrés, agrandir telle unité de quelques mètres carrés, gonfler une poche environnementale ici… Traduits par des relais informatiques, ils sont

understood the technological revolution that was underway, and pictured the profound impact it would have on Architecture.

You view Crompton's Computer City *project as one more step achieved in the exploration of architectural computing. Could you explain this evolution ?*

Dennis Crompton invented *Computer City,* a responsive town in 1964. This was a "metropolis combined with electronic changeability". Whereas *Plug-In City* was made up of connections to a network, *Computer City* was as a network, without structure or architecture. This was totally disconcerting - where was the architecture, and above all where was the architect ? Had he become a superprogrammer ?

In addition, architects did not foresee the huge impact of the transistor radio or pick up, in 1950s America, on which the gaze of youth as a whole was fixed. This portability of domestic technology had nothing to do with architecture, which itself was still conceived as being made to last or disappear (we must of course qualify the issue in view of Fuller's standpoint, since he was the first to promote nomadism and was the grand master of Archigram). The architects retained the ideas of automation and robotics, which were far more fascinating than a simple radio set and above all put them on the level of a higher power... They could not imagine the computer as a tool that would give everyone the chance to act directly on infrastructure (town and architecture), at the risk of losing their own necessity - in fact, Friedman would end up claiming that architects were pointless!

Dennis Crompton's project moved architecture (and possibly the architect) entirely to the field of programming. Crompton called *Computer City*: the town's shadow, meaning that it could be both a computerised projection of the infrastructure (e.g. the system that would facilitates the optimum operation of *Plug-In City*) and a system that would function with any kind of architecture. The computer network provided the performance, so that buildings and infrastructure were no longer represented.
Computer City put itself forward as a system of networks on three levels: the first level recorded inhabitants' requests for changes by means of sensors, and expressed itself in terms of very precise needs, a long way away from the functional needs (i.e. reducing the temperature by a few degrees, expanding such and such a unit by a few square metres, inflating an environmental pocket, and so on). On the second level, these requests were immediately transmitted, in the form of computerised messages, to electronic brains that reacted and responded to them – this is the idea of responsiveness, i.e. the reactivity and receptiveness that form the dual sensitivity and flexibility of the system. On the third level, the networks would keep people informed of everything that could happen in the town, which was seen as constantly

alors immédiatement transmis à des cerveaux électroniques qui réagissent et répondent aux demandes - c'est la notion de *responsiveness* (réactivité, réceptivité, à la fois nervosité et souplesse du système). Inversement, les réseaux informent de tout ce qui peut arriver dans la ville, perçue comme une condition permanente d'opportunités. On a bien ici l'idée d'une ville qui se modifie en temps réel, qui n'est plus subie mais qui est à l'écoute des individus, sans prédétermination quelconque d'une forme urbaine ou architecturale. Seul importe l'échange, ou la communication, quel que soit d'ailleurs son contenu. La participation des usagers, qu'ignore la majorité des architectes occupés à construire, ou qui suscite encore la méfiance, mais qui perce régulièrement dans la doctrine architecturale comme un bien (ou un mal ?) nécessaire, cette participation ne s'appuie plus sur aucun des modèles où s'expriment la pluralité et l'organisation de communautés constituées - taudis, favelas et autres *slums* chers aux Smithson, à De Carlo, à Crosby[3] (bientôt Safdie, Hertzberger, Kroll, etc.) ; la participation par l'outil informatique n'a plus de forme collective, elle est action et interaction individuelle.

L'interaction est par ailleurs au centre du livre que publie Melvin Webber en 1964, *The Urban Place and the Nonplace Urban Realm*[4]. La conclusion, où Webber déclare que « c'est l'interaction, et non pas le lieu qui est l'essence de la ville et de la vie en ville » est exactement rapportée dans la revue Archigram par Cedric Price, un des mentors du groupe londonien. Il faut la conjonction de nombreuses rencontres pour produire un projet aussi radical que *Computer City*. Il ne s'agit encore pour Webber que d'une interaction dans le sens des Smithson, loin de la dimension informatique. S'y trouve à la fois l'idée de mobilité des personnes et des réseaux d'échanges. L'interaction fait jouer un autre facteur, celui de la durée de ces échanges (déplacement physique ou temps de communication téléphonique par exemple), affaiblissant le paramètre des distances géographiques[5]. Mais ce qui est capital c'est de rendre la présence physique de la ville, ou du centre, totalement secondaire dans la définition du royaume de l'urbain (ce qui ne signifie pas leur disparition d'ailleurs). Nous y sommes.

Comment positionneriez-vous les projets de ces années-là au regard des réflexions actuelles sur les rapports entre la ville et les nouvelles technologies de l'information et de la communication (TIC) ?

L'histoire de l'introduction des TIC dans les analyses ou projets de la planification urbaine, amène à distinguer trois types d'intervention, qui opèrent de manière presque simultanée. Le premier recoupe ce que j'exposais sur l'antériorité du vocabulaire de la connexion dans les projets du Team Ten, et qui revient aujourd'hui à faire intervenir les TIC dans la phase de conception du projet, c'est-à-dire le projet comme résultat de la prise en compte des dimensions de l'aléatoire, du changement, de la complexité, du hasard, de

determining opportunities. This concept of a city that changes in real time, one which is no longer simply tolerated by its inhabitants but which listens to individuals, without any kind of urban or architectural predetermination. The only things that matter are exchange and communication, regardless of their content. User participation, of which most architects were unaware, and which regularly dotted architectural doctrine as a necessary good (or evil ?). It was no longer drawing on any of the models expressing the plurality and organisation of formed societies – the hovels, *favelas* and other slums so dear to the Smithons, to De Carlo and to Crosby[3] (and soon to Safdie, Hertzberger, Kroll). Participation by means of computerised tools no longer had any collective form, it consisted of individual actions and interactions.

Moreover, interaction was at the heart of the book that Melvin Webber published in 1964, called *The Urban Place and the Nonplace Urban Realm*. The conclusion, in which Webber declares that "interaction, and not location, is the essence of the town and of life in the town", was repeated word for word in Archigram magazine by Cedric Price, one of the London group's mentors. It would take a combination of several encounters to produce a project as radical as *Computer City*. For Webber, it was still just an interaction in a Smithsons sense, and was far from having a digital dimension. His idea involved the idea of both the mobility of people and of exchange networks. Interaction brought another factor into play, namely the length of these exchanges (e.g. physical movement from place to place or technical communication), which weakened the parameter of geographical distances[4]. However, the main concept was the city's physical presence was not the primary factor in the definition of the urban kingdom (which, however, did not mean they would disappear).

How would you position the projects of those years in the light of current thought on the relationship between towns and new information and communication technology (ICT) ?

The story of how ICT was introduced into urban analyses or planning projects can be separated into three kinds of intervention, operating almost simultaneously. The first supports what I was saying about the long-standing nature of the connection vocabulary in the Team Ten projects, which today amounts to involving ICT in the design phase of a project, i.e. the project is the result of taking into account dimensions of randomness, change, complexity and chance, all of which are features expected from ICT. This is where I would put the Smithsons' projects ("proto-ICT") – they have nothing to do with computer technology, but they contain a lot of what projects emanating from new technology aspire to. They involve the same research, and moreover throw up a recurring problem, namely how do you formalise a project based on data that should not be formalised, a project whose very definition is about not being fixed or frozen ?

l'indéterminé, etc., toutes qualités attendues des TIC. C'est là que je place les projets des Smithson (des « proto-TIC ») : ils n'ont rien à voir avec l'informatique, mais ils contiennent beaucoup de ce à quoi les projets issus des nouvelles technologies aspirent à devenir. Ils se trouvent sur les mêmes recherches, et buttent d'ailleurs sur un problème récurrent : comment formaliser un projet qui est basé sur des données qui ne doivent pas l'être, un projet dont la définition même est de ne pas être fixé, figé ?

Faire projet de l'aléatoire, planifier l'imprévisible, sont des recherches qui se retrouvent aujourd'hui, par exemple dans la stratégie de développement urbain menée par les étudiants du Bauhaus pour une nouvelle zone de service à Sydney, le projet *Serve City*[6]. La première image de l'analyse, titrée *Connected City*, figure les échanges internet dans un quartier de Rome, superposés au plan de Nolli, diagramme qu'il faut inscrire dans la série des croquis de l'étudiante parisienne de Chombart de Lauve et du *Brubeck* des Smithson. Une stratégie de projet avec l'utilisation du programme informatique GDL (*Graphic Description Language*) est également menée par les étudiants de l'Ecole d'architecture Paris Malaquais (*Architecture scripturale*)[7].

Les questions posées recoupent avec une étonnante constance celles formulées par le Team Ten, les mégastructuralistes ou les architectes radicaux des années 1960, mais la critique, ici contre le fonctionnalisme rigide des CIAM, là contre l'aliénation du système en place, a totalement disparu. La grande flexibilité demandée à l'architecture et à la ville, via l'utilisation des TIC ou d'un programme intégrant des aspects incertains et des données variables, repose sur une idéologie post-fordiste totalement acceptée où les individus sont considérés comme des « pionniers d'un nouveau type de travailleur à l'âge du capitalisme flexible ».

Chacune des démarches attend des procédures informatiques et de l'interactivité des modalités innovantes de développement morphologique du projet. Les formes résultantes se trouvent «carénées» par le programme, surdéterminées dans les différents types d'espaces proposés par *Serve City* (qu'Archigram n'aurait jamais osé proposer à la fin des années 1960) ou joués avec une part de hasard (*random*) avec GLD. Si dans *Serve City,* la ville reste ouverte aux changements, avec GDL, une fois les données livrées au programme, une part d'initiative laissée à l'ordinateur, et la proposition fixée, le hasard et l'évolution s'arrêtent...

Il y a donc bien à différencier entre l'usage des TIC dans la conception quasi morphologique du projet, et son usage au sein même du fonctionnement du projet. On trouve dans ce dernier cas l'idée d'une action au jour le jour, minute par minute, de l'habitant sur sa ville, en temps réel, une appropriation très personnelle et directe. *Computer City*, ville qui se modifie en réagissant aux demandes enregistrées, est sans doute le premier projet qui avec la

HAUS-RUCKER-CO,
Connection Skin (1967/68).

Making projects for the uncertain and planning the unpredictable are two common areas of research nowadays, for example in the urban development strategy run by the Bauhaus students for a new service area in Sydney, the *Serve City* project[5]. The first image of the analysis, called "Connected City", features Internet exchanges in a Rome neighbourhood, superimposed on the Nolli Plan, producing a diagram that belongs to the series of sketches of the Parisian student by Chombart de Lauve and to the Smithsons' *Brubeck*. A project strategy using the GDL (Graphic Description Language) was also conducted by students from the Paris Malaquais School of Architecture ("Scriptural Architecture")[6].

The questions asked reiterate those formulated by Team Ten, the megastructuralists or the radical architects of the 1960s with surprising consistency, but the criticism, against the rigid functionalism of the CIAM and the alienation of the system in place, has completely disappeared. The high degree of flexibility required from architecture and cities, through the use of ICT or programmes that incorporate uncertain aspects and variable data, rests on a fully accepted post-Fordist ideology where individuals are viewed as pioneers of a new kind of worker in the age of flexible capitalism. Each process requires computerised procedures and interactivity on the part of the project's innovative morphological development methods. The resulting forms are streamlined by the programme, superimposed onto the different types of space proposed by *Serve City* (which Archigram would never have dared to suggest at the end of the 1960s) or randomly combined with an element of chance using GDL. Whereas in *Serve City* the city remains nonetheless open to change, with GDL, once the data has been entered into the programme, a share of the initiative has been left to the computer and the proposal has been fixed, chance and evolution cease...

notion de *responsiveness* est totalement dédié aux échanges. Le projet a eu des prolongements : les projets de Coop Himmelblau (*Feedback Vibration City*) ou d'Haus-Rucker-Co (*Connection Skin*) ajoutent une dimensions sensitive, sensuelle, corporelle, psychologique de l'individu. Les plaisirs remplacent quasi totalement les besoins. Le projet d'Isozaki en 1972, *Computer Aided City*, confirme par contre la difficulté à comprendre l'informatique à l'échelle urbaine en dehors d'une vision centralisée : Isozaki reconnaîtra plus tard avoir fait l'erreur - véritable contre-sens - d'installer au centre d'une composition trop réglée un méga ordinateur de contrôle.

La proposition aujourd'hui des Crimson d'ajouter l'« orgware » au couple *hardware / software*[8] se place dans la continuité de la pensée d'Archigram d'un projet qui ne passe plus par une forme mais par une logique d'action. Mais ce n'est plus l'individu, son pathos et ses désirs qui décident du projet, mais un habitant sollicité au sein de structures organisationnelles qui véritablement font le projet - où l'on rejoint de nouveau la question de la participation. L'architecte est alors celui qui gère et non plus celui qui décide. *Serve City* passe un peu à côté de cette mise en crise de l'architecte, c'est pourquoi ils en viennent à proposer des formes (trop) designées, quand Archigram réinvestissait les caravanes mises sur le marché....

Enfin, il y a l'usage des TIC comme outils perfectionnés d'aide à la décision, d'assistance à la conception, qui permet d'analyser le réel et ses données instantanément, et d'y répondre aussi rapidement que possible. Ces outils passent évidemment par le contrôle et la surveillance. C'est toute la question, ancienne, que pose la *mesure* de la ville, et que l'informatique a rendu de plus en plus précise et proche de l'individu lui-même, par l'enregistrement de ses déplacements, de ses habitudes consommatoires, de ses lieux d'habitation, etc. Les milliers de SIG[9] élaborés à l'échelle d'une commune, de toute l'Europe ou de la terre entière, à partir de photos satellite ou de photos aériennes numériques, elles-mêmes de plus en plus précises (on atteint jusqu'à 15 cm de résolution) se substituent progressivement aux outils traditionnels de la planification, trop lents pour rendre compte en temps réel de l'état du monde urbanisé. Là encore, les architectes ont depuis longtemps perçu la potentialité de l'outil informatique. Un seul exemple, celui d'Etienne Dusart, jeune architecte qui revenant d'un an passé à Harvard en 1968, appelait à utiliser l'outil informatique pour définir une stratégie raisonnée (enfin !) des problèmes de l'environnement, s'appuyant notamment sur l'expérience de l'Etat de Californie qui en 1964 avait demandé à quatre firmes aéronautiques de mettre à la tâche leur expérience de *system analysis* pour solutionner des programmes publics.

On trouve tout au long de votre histoire des avant-gardes des années 1950-1970, une tension très forte entre l'individu, la ville et l'utopie ? Ne s'agit-il pas de les réconcilier, ou du moins de les réarticuler par de nouveaux

There is a lot of difference between the use of ICT in the semi-morphological design of a project, and how it is used within the actual functioning of the project. With the latter, an inhabitant's action within his city takes place day to day, minute to minute in real time; it is a very personal and direct use. *Computer City*, a town that changes itself in response to recorded requests, is probably the first project where the idea of responsiveness is entirely dedicated to exchange. The project has had its ramifications - the projects of Coop Himmelblau (*Feedback Vibration City*) or Haus-Rucker-Co (*Connection Skin*), for example, add a sensitive, sensual, corporeal, psychological dimension for the individual. Pleasure replaces needs almost entirely. Isozaki's 1972 project *Computer Aided City*, conversely, confirms the difficulty of understanding computer technology on an urban scale outside of a centralised vision – Isozaki would admit later that he had made the mistake of installing a control megacomputer at the centre of an over-regulated composition – a true piece of nonsense.

The Crimsons' current proposal of adding "orgware" to the hardware/software dialectic[7] falls into a continuation of the Archigram school of thought where a project no longer takes place through form but by the logical step of action. There is no longer an individual determining the project with his pathos and desires, but an inhabitant who has been swayed by the organisational structures that form the project – which brings us back to the question of participation. The architect is now the one who manages rather than decides. *Serve City* tends to bypass these architects' crisis, which is why they began to propose (over) designed forms whereas Archigram were recycling the caravans already on the market...

Finally, ICT is used as a sophisticated tool for decision-making, a design aid, which facilitates the instant analysis of an actual situation and its accompanying data, and allows for a response to be made as quickly as possible. These tools are obviously controlled and monitored. This is the whole, long-standing question posed by the measurement of a city, which computer technology has rendered increasingly precise and close to the individual himself, by recording his movements, his consumer habits, where he lives, etc. Thousands of GIS databases[8] have been developed for districts, European or earth-wide scale and based on satellite photographs or digital aerial photographs, which are themselves becoming increasingly precise (achieving resolutions of up to 15cm), are progressively replacing traditional planning tools, which are too slow to perceive the state of the urbanised world in real time. In this case as in others, architects have long recognised the potential of digital tools. One single example, that of Etienne Dusart, a young architect returning from a year at Harvard in 1968, called for the use of digital tools to define a structured strategy (at last!) to handle environmental problems. This strategy was based in particular on the experience of the State of California, which in 1964 had asked four aeronautical companies to put their experience of system analysis to work in order to find solutions for public programmes.

outils ?

Juste une remarque : je n'utilise pas le mot d'avant-garde. Ces architectes construisent un discours à partir de la nouveauté technique, comme d'autres avant eux. Ils ne sont en rien des avant-gardes.

On peut dire, sur le rapport individu, ville et utopie, que c'est la société d'individus qui est en train de se généraliser. La contre-utopie radicale a construit la négation de l'utopie et donc a substitué à la communauté un individu seul, libre, mais aussi incertain. Alain Ehrenberg[10] a écrit des choses très pertinentes sur la diffusion du sentiment de l'individualité dans la société contemporaine. « La vie, écrit-il, était vécue par la plupart des gens comme un destin collectif, elle est aujourd'hui une histoire personnelle ». Voir dans les TIC l'espoir d'une nouvelle cohésion sociale, c'est prolonger l'utopie de la communication[11].

Notes

1. D. ROUILLARD, *Superarchitecture. Le futur de l'architecture 1950-1970*, Paris, Editions de la Villette, 2004.
2. Mégastructure, ou nouvelle entente internationale : projet unissant architecture et infrastructure dans un même ouvrage à dimension territoriale auquel adhère l'ensemble des architectes des années 1960, pensant sauver le monde de l'étalement des villes surpeuplées.
3. T. Crosby, architecte au sein de l'agence d'urbanisme de Londres, participe avec les Smithson à l'Independant Group de 1950 à 1955. Il donnera en 1953 aux membres d'Archigram la première occasion de travailler ensemble (et de se penser comme groupe), sur le projet d'exposition The Living City. Le concours de Monte-Carlo en 1969 sera la dernière.
4. Traduction française de X. GUILLOT, *L'urbain sans lieu ni bornes*, La Tour d'Aigues, L'Aube-DATAR, 1996.
5. Voir D. ROUILLARD, « « La ville à dix minutes ». La distance de temps dans la théorie de la ville mesurée », in C. PRELORENZO, D. ROUILLARD (Dir.), *Le temps des infrastructures*, à paraître 2006.
6. Serve City a été le thème de la fondation Bauhaus Dessau pour le programme « post-graduate » de l'année 2001/2002. Il s'agissait d'explorer et de concevoir la transformation de la ville, de ces conditions de vie et de travail dans l'espace des flux. Les résultats des recherches ont été publiés dans R. SONNABEND (Ed.), *Serve City, Interaktiver Urbanismus - Interactive Urbanism*, Berlin, J. VERLAG, Bauhaus Band 13, 2003.
Voir http://www.bauhaus-dessau.de/kolleg/servecity
7. Le programme est expérimenté par les étudiants de l'école d'architecture Paris Malaquais, dans le cadre d'un échange avec l'Université de TSinghua, Beijing, sous la direction des enseignants B. HUBERT et P. VINCENT, département : « Stratégie de projet ». Voir *Architecture Scripturale*, Ecole d'Architecture Paris Malaquais - Université Tsinghua, Beijing, 2004.
8. « Orgware » (Organizationware) est un terme développé par le groupe d'historiens et de critiques hollandais Crimson. Voir http://www.crimsonweb.org qui désigne les actions sur les structures organisationnelles, législatives, bureaucratiques et politiques qui définissent en dernière instance le projet urbain, en opposition avec les idées et la connaissance (software) et la réalisation d'éléments physiques (hardware).
Voir sur ce sujet également A. GUIHEUX, *Architecture Action*, Paris, Sens et Tonka, 2002.
9. Système d'Information Géographique, outil logiciel qui permet de visualiser et de gérer des données localisées spatialement.
10. A. EHRENBERG, *L'individu incertain*, Paris, Calmann-Lévy, 1995.
11. Voir P. BRETON, *L'utopie de la communication*, Paris, La Découverte, 1997.

Dominique Rouillard

Architecte, docteur en histoire de l'architecture, Dominique Rouillard est professeur à l'Ecole d'Architecture Paris-Malaquais et directeur d'études à l'Université Paris 1. Co-responsable scientifique du laboratoire de recherche du GRAI (Groupe de Recherche Architecture et Infrastructure), elle est membre de l'agence d'architecture et d'urbanisme ArchitectureAction. Ses recherches portent sur l'histoire immédiate de l'architecture contemporaine, et sur la pensée du territoire dans les théories architecturales et urbaines. Elle a collaboré à différentes expositions du Centre G. Pompidou (Les années 50, La Ville, Archigram), et vient de publier *Superarchitecture. Le futur de l'architecture 1950-1970* (2004).

Dominique Rouillard is an architect. She holds a PhD in Architectural History and teaches at the Ecole d'Architecture Paris-Malaquais. She is also a research study director at Paris 1 University. She is co-manager of the GRAI (Research Group in Architecture and Infrastructure). A founding partner of ArchitectureAction, an architectural and urban design practice, her research relates to the contemporary history of architecture and to the idea of territory in architectural and urban theory. She has worked on several exhibitions at the Pompidou Center in Paris and recently published *Superarchitecture. Le futur de l'architecture 1950-1970* (2004).

Throughout your history of the 1950 - 1970 avant-gardes there is a very high level of tension between individual, city and utopia. Shouldn't these be reconciled or at least reconnected through new tools ?

I just have to say, I don't use the word "avant-garde". These architects were building a discourse based on new technology, as others had done before them. They were in no way avant-garde.

With regard to the relationship between individual, city and utopia, you could say that a society of individuals is becoming more common. Radical dystopia negated utopia, thereby replacing the community with a lone individual, who was free but also unsure. Alain Ehrenberg[9] wrote some very pertinent things about the spread of the feeling of individuality in contemporary society. "Life", he wrote, "was lived by most people as a joint destiny, now it is a personal account". Seeing the hope of a new kind of social cohesion in information technology means prolonging the utopia of communication.[10]

Notes

1. D. ROUILLARD, *Superarchitecture. Le futur de l'architecture 1950-1970*, Paris, Editions de la Villette, 2004.
2. Megastructure, or new international agreement: project uniting architecture and infrastructure in the same work, an idea to which all architects of the 1960's subscribed, believing that they could save the world from the spread of overpopulated towns.
3. Theo Crosby, an architect at the London Town-Planning Agency, was involved in the Independent Group along with the Smithsons from 1950 to 1955. In 1953 he gave the members of Archigram their first opportunity to work together (and to think of themselves as a group), with the exhibition project "The Living City". The 1969 Monte Carlo competition would be their last.
4. See D. ROUILLARD, « «La ville à dix minutes». La distance de temps dans la théorie de la ville mesurée», in C. PRELORENZO, D. ROUILLARD (eds.), *Le temps des infrastructures*, due out in 2006.
5. Serve City was the theme of the Bauhaus Dessau foundation for the 2001/2002 post-graduate programme. It involved exploring and designing the town's transformation, along with that of living conditions and work in the flow space. The research results were published in R. SONNABEND (Ed.), *Serve City, Interaktiver Urbanismus - Interactive Urbanism*, Berlin, J. VERLAG, Bauhaus Band 13, 2003. See also http://www.bauhaus-dessau.de/kolleg/servecity
6. The application was tested out by students from the Paris Malaquais school of architecture, as part of an exchange with the University of Tsinghua, Beijing, supervised by B. Hubert and P. Vincent, both teachers in the "Project Strategy" department. See *Architecture scripturale* (scriptural architecture), Ecole d'Architecture Paris Malaquais - Université Tsinghua, Beijing, 2004.
7. Orgware (Organizationware) is a term developed by Dutch historians' and critics' group Crimson (http://www.crimsonweb.org), which sets out the actions on organisational, legislative, bureaucratic and political structures defining the urban project in the last analysis, in contrast to ideas and knowledge (software) and the achievement of physical elements (hardware). On this subject see also A. GUIHEUX, Architecture Action, Paris, Sens et Tonka, 2002.
8. Geographic Information System, software tools that enable the user to visualise and manage spatial data.
9. A. EHRENBERG, *L'individu incertain*, Paris, Calmann-Lévy, 1995.
10. See P. BRETON, *L'utopie de la communication*, Paris, La Découverte, 1997.

Translation from French by Emma Chambers.

Vers une tenségrité du contrôle
Moving Towards Control Tensegrity

Valérie Châtelet
Anomos_Skylab

« A l'âge de l'intelligence et de la superintelligence, les méthodes de contrôle les plus intelligentes apparaîtront comme des méthodes anarchiques. »
K. Kelly[1]

Parce qu'elle évoque d'abord la limitation des libertés, les tentations totalitaires, l'arbitraire et le manque de légitimité de ceux qui l'exercent, la notion de contrôle est tabou! Les perspectives de dérives renforcées par l'utilisation de technologies puissantes et toujours « mieux » diffusées inquiètent et refrènent la plupart des tentatives de recherche dans cette direction. Pourtant, bien qu'elle soit généralement comprise comme une manipulation forte et coercitive, « la notion de contrôle comprend l'échelle entière, depuis le contrôle absolu jusqu'à sa forme la plus faible et la plus aléatoire : toutes les influences intentionnelles sur le comportement aussi faible soit-elle »[2].

Toutes les formes de vie nécessitent la gestion des ressources dont elles disposent et, par là même, diverses formes de contrôle. *Feedback* positif ou négatif, chaque prise de décision est soumise à l'évaluation de la situation et des conséquences de la précédente action, avec comme perspective un objectif prédéterminé qui oriente son évolution ou bien tend au maintien de son équilibre. Si ces formes de contrôle peuvent être considérées comme spontanées et, pour cette raison, légitimes, le contrôle « arbitraire » trouve lui aussi une légitimité quand il s'agit de résoudre les dilemmes de l'action collective et des biens publics. En effet, le laissez-faire s'accompagne d'une série d'effets pervers : les monopoles, la répartition inéquitable des ressources, la ségrégation, les effets de congestion, d'insuffisance ou de pollution des biens communs...

Avec la publication en 1969, d'un numéro spécial du magazine *New Society* intitulé *Non-Plan, a Radical Rethinking of Planning Orthodoxy*, l'architecte Cédric Price, Paul Baker et l'urbaniste Sir Peter Hall radicalisent les critiques

1.000000000000001
1.000000000000001
Section 0 Section 0
Section 0 Section 0 Section 0
Section 0 Section 0
Section 0 0.4 REL 0.43 REL
Section 0
0.6 REL
0.65 REL 0.28 REL
1.000000000000001
12
1.000000000000001 Section 0
Section 0 ion 0 0.8 REL
Section 0 ion 0 0 0 REL -18 LOCAL Section 0
Section 0 ion 0 0 1.000000000000001 0.035 REL 0 4
Section 0 0 ion 0 0 REL 90
1.000000000000001 1.000000000000001
Section 0 ion 0 0 REL 0 0
1.000000000000001

ACTIVE PART: PCP_02

100

ONL, *New Canal Town* (2004).
Zhujiajio, China
Design Team : K. OOSTERHUIS,
I. LENARD, M. GORCZYNSKI, D. MILAM,
J. PAZOUR, X. XIN, P. GURAK
Conception paramétrique de la
structure des voies, de la position et
de la géométrie des pâtés de
maisons. Tous les éléments sont liés
entre eux. Si la taille, la courbe, le
nombre de maisons, la distance par
rapport à la voie changent, alors les
autres éléments changent aussi.
Parametric design for the road
structure, the placement of the
housing blocks and for the housing
blocks themselves. All elements are
related to each other. If you change
the size, the curve, the numbers
of houses, the distance to the
street then the other elements
change also.

"In the age of smartness and superintelligence, the most intelligent control methods will appear as uncontrol methods."
K. Kelly[1]

Because it initially evokes the restriction of freedom, totalitarian temptations, arbitrariness and a lack of legitimacy on the part of those who exercise it, the very idea of control is taboo ! The possibility of abuse, intensified by the use of powerful and constantly spreading technology, causes people to worry and curbs most attempts at research in this direction. However, although control is generally understood as being strong and coercive manipulation, "control encompasses the entire range from absolute control to the weakest and the most probabilistic form, that is, any purposive influence on behavior, however slight"[2].

All forms of life have to manage the resources they possess out of necessity, which by the same token necessitates different forms of control. Whether the feedback is positive or negative, each decision made is subject to an assessment of the situation and the consequences of the previous action. If these forms of control can be considered to be spontaneous and, for this reason, justified, "arbitrary" control is also justified when it occurs in the context of resolving dilemmas involving joint action and public commons. In fact, *laissez-faire* is accompanied by a series of perverse effects, such as monopolies, the unfair distribution of resources, segregation, the effects of congested, insufficient or polluted common property and so on.

With the 1969 publication of a *New Society* magazine special edition, called "Non-Plan, a Radical Rethinking of Planning Orthodoxy", the architect Cedric Price, Paul Baker and the town planner Sir Peter Hall radicalised criticism of CIAM's urban design[3] and ratified a profound crisis of confidence that has plagued the architectural, town planning and regional development

portées sur l'urbanisme des CIAM[3] depuis la fin des années 1950 et entérinent une profonde crise de confiance qui frappe depuis les professions de l'architecture, de l'urbanisme et de l'aménagement du territoire. Face à la complexité des agglomérations urbaines, les professionels n'ont pas les moyens d'améliorer le développement spontané des villes et encore moins ceux de légitimer leurs interventions. On reproche aux méthodes des professionnels, en particulier au plan masse, de pêcher par leur rigidité. Trop longues à définir et figées dans le temps, les problématiques urbaines et leurs solutions sont rapidement dépassées. Les barrières entre les disciplines, la distance trop flagrante entre les concepteurs et les utilisateurs ou encore le manque de moyens à la fois scientifiques et économiques ajoutent encore au discrédit des projets.

La crise du contrôle en urbanisme motive le développement de nouveaux outils. Cependant, alors que l'automatisation du traitement de l'information permet à certains de se réjouir du passage d'une société gouvernée par quelques hommes à une société administrée automatiquement, l'avénement des réseaux de l'information a permis l'apparition d'un autre type de contrôle : un contrôle décentralisé exercé par une pluralité d'individus indépendants qui collaborent en utilisant les capacités distribuées et mobiles de calcul et de communication.

Quelle est alors la place de l'urbanisme entre ces évolutions du contrôle ? S'agit-il de développer de nouveaux outils pour la gestion de la complexité urbaine ou bien au contraire d'ouvrir et de décentraliser les prises de décisions ? Quelle posture prennent les architectes et les urbanistes entre les institutions qui leur passent commande, les partenaires privés et la consultation du public ? Comment les projets, les stratégies de planification tirent-ils parti de l'évolution des capacités de calcul et de la mise en réseau de l'information ?

Il s'agit ici d'explorer comment les technologies de l'information et de la communication permettent de définir de nouvelles structures de projets architecturaux et urbains pour lesquelles des îlots de contrôle discontinus flotteraient dans un océan d'auto-détermination et de liberté. En référence à la définition de la « Tenségrité » par Buckminster Fuller - « îlots de compression dans un océan de tensions »[4]-, les intentions et les connaissances d'une équipe de conception agiraient comme les barres de compression, peut-être flexibles, de la tenségrité alors que la somme des décisions individuelles constitueraient un réseau libre.

Les révolutions du contrôle

L'avénement de la bureaucratie et la société d'information : la révolution du contrôle de Beniger

Dans *La Révolution du Contrôle* (1986)[5], James Beniger considère la mutation radicale du contrôle depuis le milieu du XIXe siècle comme une révolu-

professions ever since. Faced with the complexity of urban areas, professionals do not have the means to improve the spontaneous development of towns, let alone justify their own intervention. The methods used by the professionals are criticised for being too rigid, particularly on large-scale projects. Too lengthy to define and frozen in time, the problems of town planning and their related solutions have been rapidly overtaken. The barriers between the different disciplines, the all-too obvious distance between designers and users and the lack of both scientific and economic means, only serve to further discredit projects.

The control crisis in town planning warrants the development of new tools. However, whilst the automation of data-processing enables some to rejoice in the passage of a society governed by a few men to a society that is run automatically, the arrival of information networks has enabled another kind of control to emerge, namely decentralised control exercised by a multitude of independent individuals collaborating freely and using widespread and mobile calculation and communication capabilities.

So where does town planning fit in between these various control evolutions ? Should new tools be developed to centralise the management of complex urban areas or, conversely, should decision-making be opened up and decentralised ? What position should architects and town planners take between the institutions placing orders with them, private partners and public consultation ? How will planning projects and strategies make good use of developments in calculation capacity, and the capacity to put information onto the network ?

We need now to examine how information and communication technology facilitates the definition of new control structures with regard to architectural and urban projects, for which islands of discontinued control would be floating in an ocean of self-determination and freedom. With reference to the definition of "Tensegrity" by Buckminster Fuller - "islands of compression in an ocean of tensions"[4] - , the intentions and knowledge of a design team would act as tensegrity compression bars whilst the sum of individual decisions would constitute a free network.

Control Revolutions

The advent of bureaucracy and the information society: Beniger's control revolution

In *The Control Revolution* (1986)[5], James Beniger considers the radical transformation that control has undergone since the middle of the 19th century as a revolution similar to the Industrial Revolution. The explosion and acceleration of production, consumption and mass distribution led to the

tion parallèle à la Révolution Industrielle. L'explosion et l'accélération de la production, de la consommation, de la distribution de masse suscitent l'avénement d'un nouveau pouvoir. Les sociétés occidentales passent d'une gestion à taille et à vitesse humaine, à celle des gigantesques administrations centralisées et bureaucratiques des corporations et des gouvernements.

Beniger décripte les mécanismes qui lient ce nouveau pouvoir bureaucratique à la mise au point des technologies de l'information. Les étapes du traitement de l'information sont en quelque sorte indissociables de la concentration des administrations : d'abord par la rationalisation des données, à la fois systématisation et simplification de l'information pour pouvoir la collecter et la stocker ; ensuite, par la formalisation du programme comme suite de traitements des données collectées ; par les outils d'automatisation de ces procédures ; enfin par la production de nouvelles informations qui permettent de gérer des systèmes complexes quelle que soit leur échelle.

Changement de la nature du contrôle

Aujourd'hui, avec le développement exponentiel des technologies de l'information et en particulier celles de capture et de saisie de l'information, non seulement les capacités de contrôle et de surveillance s'étendent, mais elles changent aussi de nature. Avec la miniaturisation des capteurs, le couplage des systèmes de vidéo-surveillance avec des traitements automatisés de plus en plus performants, la mobilité toujours plus grande des technologies, nous passons de la gestion des besoins, des ressources et du contrôle des déviances à la « production de meilleurs consommateurs »[6], à la production de « meilleurs » utilisateurs ou de « meilleurs » habitants. En effet, il ne s'agit plus seulement de gérer mais d'optimiser les rapports entre la production et la consommation, entre l'entretien des biens publics et leurs utilisations.

L'exemple de la gestion du trafic routier sur l'île de Singapour illustre bien ce mouvement. Singapour a développé un système de transport intelligent qui peut aisément être décrit comme une dictature du trafic au sein de laquelle le Land Transport Authority contrôle toutes les caractéristiques des dynamiques des flux de véhicules. Un système de tarification électronique (ERP - *Electronic Road Pricing System*) a été mis en œuvre depuis 1998 pour gérer la demande du réseau routier de l'île. L'ERP est composé de trois éléments principaux : un système de capteurs, un système de rapport et enfin un système de correction. Pour la capture sont utilisés, entre autres, des signaux diffusés par GPS (pour suivre la vitesse du trafic), des caméras embarquées dans les bus (pour enregistrer l'immatriculation des véhicules sur les voies réservées aux bus), des caméras montées sur les feux aux intersections (pour reporter les infractions), des capteurs enterrés (pour connaître la densité du trafic), des croisements intelligents (pour contrôler en temps réel la synchronisation des feux). De la même manière les systèmes de rapport et de

advent of a new power. Western society went from managing human-sized organisations working at human speeds, to managing the huge, centralised, bureaucratic departments of companies and governments.

Beniger illuminates the mechanisms linking this new bureaucratic power to the development of information technology. The stages involved in information processing are to a certain degree indissociable from the large number of bureaucratic departments – firstly with the rationalisation of data, which involves both the systematization and simplification of information so that it can be collected and stored; then with a formal programme once the collected data has been processed; with tools to automise these procedures: and finally with the production of new information, facilitating the management of complex systems regardless of their scale.

Changes in the nature of control

Nowadays, with the exponential development of information technology, particularly with regard to the capture and input of information, control and surveillance capabilities are not only expanding, but changing. With the miniaturisation of sensors, the combining of video surveillance systems with increasingly efficient automised processing, and the ever greater advances of technology, we are moving from the management of needs and resources and the control of abuses to the "production of better consumers"[6], to the production of "better" users or "better" inhabitants. In actual fact, we are no longer simply managing but optimising the relationship between production and consumption, between the upkeep and the use of public commons.

The example of road traffic management on the island of Singapore is a good illustration of this shift. Singapore has developed an intelligent transport system that can easily be described as a traffic dictatorship in which the Land Transport Authority controls all the features relating to vehicle flow dynamics. An electronic road pricing system (ERP) has been in place since 1998 to manage the demand for the island's road network. The ERP is made up of three main elements, namely a detection system, a reporting system and finally a correction system. Amongst other things, the detection system makes use of GPS signals (to monitor traffic speed), cameras on buses (to film the registration numbers of vehicles using bus lanes), cameras on traffic lights at junctions (to record traffic offences), underground sensors (to keep track of traffic density), and smart crossroads (to control traffic light synchronisation in real time). In the same way, reporting and correction systems are made up of electronic equipment that communicates this information both to users and the local media, as well as controlling network access, speed and pricing.

As Dan Baum and Sarah Schmitt write: "The Singapore miracle has less to do with technology than with bureaucracy. Plenty of US cities already deploy

correction sont constitués d'équipements électroniques pour communiquer les informations à la fois aux utilisateurs, aux média locaux et contrôler l'accès, la vitesse et la tarification du réseau.

Comme Dan Baum et Sarah Schmitt l'écrivent : « Le miracle de Singapour a moins à voir avec la technologie qu'avec la bureaucratie. De nombreuses villes américaines utilisent déjà du matériel aussi avancé que le leur. Le génie de cette île-nation est d'avoir persuadé les agences gouvernementales de coopérer comme nulle part ailleurs et ainsi satisfaire, remarquablement bien, les conducteurs. Une fois sur la route, vous n'êtes plus un individu libre sur une voie ouverte à tous mais un engrenage que l'on observe de près dans une énorme machine intelligente. »[7]

RÉSIE / F. ROCHE, S. LAVAUX, J. NAVARRO with B. DURANDIN
I've heard about it... © (2005).
Maquette stéréolitographique d'une entité urbaine.
Stereolitographic model of an urban entity.
http://www.new-territories.com

6. usages

6.1 Les dimensions des structures et de leur croissance en X-Y-Z dépendent directement de leur localisation et des limites structurelles des arborescences.

6.2 Le nouveau résident peut adopter deux modes d'occupation :
- celui dit "entropique", qui consiste à négocier une croissance de la structure.
- celui dit nomade, qui consiste à emprunter une alvéole abandonnée. Dans les deux cas, le Viab est au service de ces transformations.

6.3 La transaction économique de production / transformation passe par l'achat d'un "crédit de temps" permettant l'utilisation du Viab.

6.3.1 L'acquisition d'un crédit de temps peut être monnayée en services induits, ce dernier étant un mode de transaction productif, contractualisé avec la biostructure.

6.4 Tout résident a obligation de développer un volume habitable sur trois niveaux, intégrant un sous-sol, nommé la "cave"" et un sur-sol, nommé le "grenier", même de toute petite superficie. Un logement plat sur un seul niveau est proscrit. C'est une règle générique.

6.5 La première phase de résidence est "nomade". La cellule est développée au moyen d'un kit d'habitabilité. Celui-ci comprend entre autres une enveloppe légère polymérisable adaptée à la configuration morphologique du vide alvéolaire / voir [Procédures].

6.6 Le résident a toute latitude pour modifier, transformer, adapter cette première enveloppe, voire de la «figer» avec des matériaux de son choix. Précision : seules les parois verticales sont structurelles. Les parois horizontales peuvent être perforées et remodelées par le Viab.

6.7 Les modes d'occupation sont ouverts : privés, publics, services.

RÉSIE / F. ROCHE, S. LAVAUX, J. NAVARRO with B. DURANDIN
I've heard about it... © (2005).
Protocole
La forme urbaine ne dépend plus de décision arbitraire, ni du contrôle de son émergence par quelques-uns, mais de l'ensemble des contingences individuelles. Elle intègre à la fois les prémisses, les conséquences, et l'ensemble des perturbations induites dans un jeu de renvois réciproques. The urban form no longer depends on the arbitrary decisions or control over its emergence exercised by a few, but rather the ensemble of its individual contingencies. It simultaneously subsumes premises, consequences and the ensemble of induced perturbations, in a ceaseless interaction.
http://www.new-territories.com

hardware as advanced as Singapore's. The island nation's genius is that it has persuaded government agencies to cooperate in ways unparallelled elsewhere, and that it has done a remarkable job of rearranging drivers' expectations. When you're behind the wheel in Singapore, you're not a free agent on the open road but a closely observed cog in a big, smart machine."[7]

When individuals take control of organisation and development: Shapiro's *Control Revolution*

Barely a decade after Beniger's *Control Revolution* was published, Andrew Shapiro published a book under the same title[8]. However, the revolution he examines is of a different kind altogether. Whilst it uses the same information technology as the bureaucratic revolution, the arrival of the Internet age and the distribution of digital equipment enable it to overturn the control pyramid. Communication networks and widespread calculation capacity combine to become centrifugal forces, pushing towards the decentralisation and democratisation of control. Whereas bureaucracy assimilates information, the networks distribute it. Whilst bureaucracy is designed to organise society, individuals are regaining control of their institutions and social organisation. Lower costs and widespread information and communication processing tools promote the emergence of new decision-making methods, as well as new methods of co-operation.

These new methods of co-operation take several forms – on the one side self-organisational phenomena emerge, as described by Kevin Kelly in *Out of Control* (1994) and by Howard Rheingold in *Smart Mobs* (2002), and on the other development and co-operation methods created by the Open Source[9] movement become more widespread.

Virtual mirrors and the emergence of deliberate self-organisation

Kevin Kelly's book *Out of Control*, published in 1994, describes a fascinating experiment conducted by the computer graphist Loren Carpenter[10] in the chapter called "The Collective Intelligence of a Mob":
"In a darkened Las Vegas conference room, a cheering audience waves cardboard wands in the air. Each wand is red on one side, green on the other. Far in back of the huge auditorium, a camera scans the frantic attendees [...] As the audience waves the wands, the display screen shows a sea of lights dancing crazily in the dark, like a candlelight parade gone punk. The viewers see themselves on the map; [...] "Let's try something else," Carpenter suggests. A map of seats in the auditorium appears on the screen. He draws a wide circle in white around the center "can you draw a green '5' in the circle ?" he asks the audience. The audience stares at the rows of red pixels. The game is similar to that of holding a placard up in a stadium to make a picture, but there are no preset orders, just a virtual mirror. Almost immediately wiggles

Lorsque les individus prennent en charge l'organisation et l'évolution du monde : la révolution du contrôle de Shapiro

A peine plus d'une décennie après la publication de *La Révolution du Contrôle* de Beniger, Andrew Shapiro publie un ouvrage sous le même titre[8]. Pourtant la révolution qu'il étudie est d'une toute autre teneur. Si elle s'appuie sur les mêmes technologies de l'information que la révolution bureaucratique, l'avénement de l'ère de l'Internet et la distribution des équipements numériques lui permettent de retourner la pyramide du contrôle. Les réseaux de communication et la distribution des capacités de calculs s'associent, deviennent des forces centrifuges vers une décentralisation et une démocratisation du contrôle. Si la bureaucratie intègre l'information, les réseaux la distribuent. Si la bureaucratie est conçue pour organiser la société, des individus reprennent le contrôle de leurs institutions et de leur organisation sociale. La baisse des coûts et la diffusion d'outils de traitement d'information et de communication favorisent l'apparition de nouveaux modes de décision et de collaboration.

Ces nouveaux modes de collaboration prennent plusieurs formes : d'un côté émergent des phénomènes d'auto-organisation, décrits par Kevin Kelly dans *Out of Control* (1994) et par Howard Rheingold dans *Smart Mobs* (2002), de l'autre se diffusent les méthodes de développement et de collaboration du mouvement *Open Source*[9].

Miroirs virtuels et l'émergence d'auto-organisations intentionelles

Dans le chapitre « The Collective Intelligence of a Mob » (Intelligence collective d'une foule) de son ouvrage *Out of Control*, Kevin Kelly décrit une expérience fascinante de l'infographiste et programmeur Loren Carpenter[10] :
« Dans une salle de conférence obscure de Las Vegas, une audience enthousiaste agite des panneaux. Chaque panneau est rouge d'un côté, vert de l'autre. Loin au fond d'un très large auditorium, une caméra observe les participants surexités. [...] Alors que l'audience agite les panneaux, l'écran montre une marée de points lumineux qui dansent frénétiquement dans le noir, comme une parade de bougies devenue punk. Chacun se retrouve sur l'écran ; [...] Essayons quelque chose, suggère Carpenter. Une représentation de la salle et des sièges apparaît à l'écran. Il y dessine un large cercle au centre. « Pouvez-vous y dessiner un « 5 » vert ? » demande t-il. L'audience fixe l'écran du regard. Le jeu ressemble celui de tenir une pancarte dans un stade pour dessiner un motif, mais là, il n'y a aucun ordre prédéfini, seulement un miroir virtuel. Presque immédiatement des nuées de pixels verts apparaissent et se développent au hasard alors que ceux qui pensent que leur siège est à l'intérieur du contour du « 5 » retournent leur panneau vert. Une figure vague se matérialise. L'audience commence à discerner un « 5 » dans le chahut. A peine distinct, le « 5 » se précise très rapidement. Les participants qui se situent sur la limite encore floue, décident de quel côté ils se trouvent

⋮
⋮

$$V_n = V_{n+2} = V_{n+8}$$

$$V_{n+1}$$
$$\vec{u}_{n_i}$$
$$V_{n+4}$$
$$V_{n+3} = V_{n+5}$$
$$\vec{u}_{n_j}$$
$$V_{n+6}$$

$$\vec{u}_t(q) = V\big(\rho_i(q), \varepsilon_i(q) \mid c(q)\big)$$

R∈SIE / F. ROCHE, S. LAVAUX, J. NAVARRO with B. DURANDIN
I've heard about it... © (2005).
Proto-algorithme générant la croissance du projet sur le modèle
de la croissance des coraux.
Proto-algorithm of the project's growth based on coral's growth
http://www.new-territories.com

of green pixels appear and grow haphazardly, as those who think their seat is in the path of the '5' flip their wand to green. A vague figure is materializing. The audience collectively begins to discern a '5' in the noise. Once discerned, the '5' quickly precipitates out into stark clarity. The wand-wavers on the fuzzy edge of the figure decide what side they "should" be on, and the emerging '5' sharpens up. The number assembles itself. "Now make a '4'!" the voice booms. Within moments a '4' emerges. "Three" And in a blink a '3' appears. Then in a rapid succession, "Two...One ...Zero". The emergent thing is on a roll."

Later on, Carpenter puts the audience in front of a flight simulator. Once the different sections of the room have been instructed what to do, a virtual plane takes flight. After several attempts and a few virtual frights, the auditorium manages to land. How is such a miracle possible ? What are the limits of non-directed individual co-operation once you provide people with sufficient visualisation and control tools ? This experiment reveals the self-organisational capacity of "well-informed" societies. These virtual mirrors enable us to couple information on a situation's state with individual decisions. Moreover, the development of wireless technology and the miniaturisation of equipment mean that this information can be consulted in anywhere, as long as it is connected.

Two crowd phenomena that have appeared over the past few years are directly linked to the use of this technology and to the individual visualisation of general information, namely Flash Mobs and Smart Mobs. Flash Mobs consist of large groups of people gathering in a public place where they behave in a disconcerting but concerted way; the first successful Flash Mobs took place in the United States in 2003. It is a phenomenon comparable to the actions of the artistic Fluxus movement and is turning into a form of political protest - a Flash Mob's specificity is linked to the way in which it is organised. In order to succeed, suddenness and surprise are created using

et le « 5 » devient plus net. Le chiffre s'assemble de lui-même. »
« Maintenant faites un « 4 » ! » lance la voix. En quelques instants le « 4 »
émerge. « 3 ». Et en un clin d'œil, le « 3 » apparaît. Puis dans une succession
rapide, « 2...1...0 ». La chose émergente progresse... »

Plus tard, Carpenter place l'auditoire devant un simulateur de vol. Une fois
les commandes attribuées aux différents secteurs de la salle, un avion virtuel
prend son envol. Après plusieurs tentatives et quelques frayeurs virtuelles, la
salle réussit un attérissage. Comment un tel miracle est-il possible ? Quelles
sont les limites de la collaboration non dirigée d'individus libres dès lors
qu'on leur fourni des dispositifs de visualisation et de contrôle adéquat ?
Nous découvrons peu à peu les capacités d'auto-organisation de sociétés
informées qui pourraient révolutionner leurs structures.
Ces miroirs virtuels permettent de coupler des informations sur l'état d'une
situation avec des décisions individuelles. D'autre part le développement des
technologies sans fil et la miniaturisation des équipements autorisent la
consultation de ces informations quelque soit le lieu pourvu qu'il soit
connecté.

Dans la même direction, deux phénomènes de foule apparus ces dernières
années, sont directement liés à l'usage de ces technologies et de la visualisation individuelle d'information générale : les *Flash Mobs* (foules éclair) et les
Smart Mobs (foules intelligentes). Groupes de gens qui s'assemblent dans un
lieu public où ils se comportent de manière déconcertante mais concertée.
Les premières *Flash Mobs* réussies ont lieu aux Etats Unis à partir de 2003.
Phénomène comparable aux actions du mouvement artistique fluxus qui
tend à se transformer en mode de protestation politique, sa spécificité est liée
à son mode d'organisation. Pour réussir, la soudaineté et la surprise sont
mises en scène grâce à l'utilisation de l'Internet et des téléphones portables.
Plus significatives, les *Smart Mobs*, décrites par Howard Rheingold dans son
ouvrage du même titre, utilisent les mêmes technologies et les mêmes dispositifs. Elles permettent aux individus de récupérer des informations pertinentes et de collaborer, de manière volontaire ou automatique, à la création
et au maintien de nouveaux types de biens communs.

Smart Mobs : des dispositifs collaboratifs

« Les *Smart Mobs* sont constituées de personnes capables d'agir en concertation même sans
se connaître. Les personnes qui réalisent les *Smart Mobs*, coopèrent de manière nouvelle et
dans des circonstances où l'action collective n'était pas possible auparavant, parce qu'elles
sont équipées à la fois de capacités de communication et de calcul numérique. »
H. Rheingold[11]

L'émergence des *Smart Mobs* ne repose ni sur la cohésion sociale traditionnelle d'un groupe ni sur une coercition autoritaire pour que des individus
agissent dans leur intérêt commun. Plusieurs dispositifs sont mis en place

:
:

the Internet and mobile phones to organize a large network of people. Perhaps more significantly, Smart Mobs, as described by Howard Rheingold in his book of the same title, use the same technology and devices, enabling individuals to retrieve relevant information and to co-operate, in a voluntary or automatic way, in the creation and maintenance of common property.

Smart Mobs : cooperative devices

"Smart Mobs consist of people who are able to act in concert even if they don't know each other. The people who make up smart mobs cooperate in ways never before possible because they carry devices that possess both communication and computing capabilities."
H. Rheingold[11]

The emergence of Smart Mobs rests neither on the traditional social cohesion of a group, nor on authoritarian coercion designed to make individuals act in their own common interests. Several devices are put into place to enable sharing, exchange, association and learning, so that a new kind of public commons can be created and maintained, namely the Internet, specialist information sites, data sharing sites, online encyclopaedias, and also

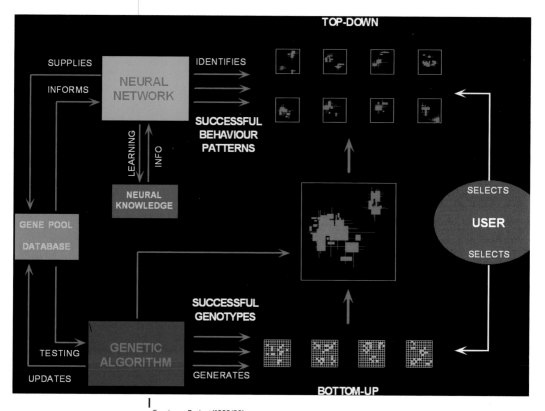

Groningen Project (1995/96).
AA, Diploma Unit 11
Tutors : J. and J. FRAZER with C. MOLLER / Studio 333
and Groningen City Planning Authority.

afin de permettre le partage, l'échange, l'association et l'apprentissage pour la création et l'entretien d'un nouveau type de biens publics : Internet, sites d'information spécialisés, sites de partage des données, encyclopédies en ligne, mais aussi des logiciels. Si la loi de Reed (selon laquelle la valeur d'un réseau social résultant de l'association de deux autres est bien supérieure à la somme de la valeur des réseaux qui le composent) permet en partie l'émergence des *Smart Mobs*, il ne faut pas lui attribuer l'ensemble des lauriers. « Facteurs de coopération à grande échelle »[12], les dispositifs utilisés sont loin d'être des interfaces neutres. Systèmes d'évaluation des participants et de réputation artificielle volontaire ou automatique, ils sont nécessaires pour garantir la qualité des contenus ou assurer la confiance des participants.

Ebay, Slashdot (site d'information dédié aux nouvelles technologies), ou encore l'encyclopédie libre *Wikipedia*, sont des exemples particulièrement réussis de systèmes d'évaluation et d'autorégulation. Leurs principes reposent sur la participation des utilisateurs et l'évaluation des contributions par les utilisateurs entre eux, par des modérateurs et des « métamodérateurs » mais aussi par l'évaluation automatisée de l'intérêt des contributions en fonction de leur consultation. Pour garantir la qualité des informations disponibles sur un site ou la qualité des transactions entre les acheteurs-vendeurs, ces dispositifs sont très sophistiqués et mettent en place plusieurs couches de contrôle, elles-mêmes régulées par de nombreux dispositifs pour éviter les règlements de compte et la partialité.

La variété de ces dispositifs témoigne de l'ampleur du champ d'expérimentation autour des potentiels de coopération. Si la plupart de ces dispositifs sont conçus par des individus visionnaires en mode clos, certains font eux-même l'objet d'une élaboration collective *ouverte* que l'on appelle *Open Source*. Le *Slashcode*, programme qui permet la régulation du site Slashdot, est d'ailleurs disponible librement.

Open Source : partage désintéressé ou « coopétition »

D'abord considéré comme un effet de mode nécessairement éphémère par son absurdité économique et le manque de garantie formelle, le phénomène de l'*Open Source* (*OS*) connaît un succès surprenant. Les logiciels *OS* se révèlent plus performants, plus pérennes que les projets propriétaires. Il semble que l'écueil de la tour de Babel ait été résolu, que les moyens aient été trouvés de s'accomoder de la disparité des compétences, de l'absence de contrainte et, dans certains cas, de l'absence de coordination centralisée.

Bien qu'il soit l'un des pionners de l'*OS*, Eric Raymond témoigne :
« ... je pensais [...] qu'il existait une certaine complexité critique au-delà de laquelle une approche plus centralisée, plus a priori, était nécessaire. Je pensais que les logiciels les plus importants (comme les systèmes d'exploitation

software. Although Reed's law (which states that the value of a social network resulting from the combination of two other social networks is far higher than the sum of the value of the networks from which it is composed) partially facilitated the emergence of Smart Mobs, it should not be given all the glory. "Factors of large-scale co-operation"[12], the devices used are far from being neutral interfaces. Systems for assessing the participants and creating voluntary or automatic artificial reputations, they are necessary to guarantee content quality or to ensure the confidence of the participants.

EBay, Slashdot - the information site dedicated to new technology, and the free encyclopaedia Wikipedia, are particularly successful examples of assessment and self-regulation systems. Their principles are based on user participation and the assessment of contributions made by users amongst themselves, by moderators and "meta-moderators", and also by the automated assessment of the level of interest sparked by contributions, depending on how many times they are consulted. Designed to guarantee the quality of information available on a site or the quality of transactions made between buyers and sellers, these devices are very sophisticated and implement several layers of control, which are themselves regulated by numerous devices to avoid congestion, fraud, score settling and partiality.

The variety of these devices bears witness to the wide experimental field surrounding these potential co-operation methods. Whilst most of these devices are designed by visionary individuals in a "closed" way, some of them are themselves the objects of an "open" kind of collective development called Open Source. Slashcode, the programme that enables users to regulate the Slashdot site, is moreover freely available.

Open Source : selfless sharing or "co-opetition"

Initially considered as a the result of a trend that had to be ephemeral due to its economic absurdity and the lack of formal guarantees involved, the Open Source (OS) phenomenon has enjoyed a surprising amount of success. OS software has turned out to be more efficient and longer-lasting than proprietary projects. The Tower of Babel seems to have found a way to adapt to a disparity in skills, to the absence of constraints and in certain cases the absence of any centralised coordination.

Although he was one of the pioneers of OS, Eric Raymond states: "I also believed there was a certain critical complexity above which a more centralized, a priori approach was required. I believed that the most important software (operating systems and really large tools like the Emacs programming editor) needed to be built like cathedrals, carefully crafted by individual wizards or small bands of mages working in splendid isolation, with no beta to be released before its time. Linus Torvalds's style of development - release

et les très gros outils comme Emacs) devaient être conçus comme des cathédrales, soigneusement élaborés par des sorciers isolés ou des petits groupes de mages travaillant à l'écart du monde, sans qu'aucune version bêta ne voie le jour avant que son heure ne soit venue. [...] Le style de développement de Linus Torvalds - distribuez vite et souvent, déléguez tout ce que vous pouvez déléguer, soyez ouvert jusqu'à la promiscuité - est venu comme une surprise. À l'opposé de la construction de cathédrales, silencieuse et pleine de vénération, la communauté Linux paraissait plutôt ressembler à un bazar, grouillant de rituels et d'approches différentes (très justement symbolisé par les sites d'archives de Linux, qui acceptaient des contributions de n'importe qui) à partir duquel un système stable et cohérent ne pourrait apparemment émerger que par une succession de miracles. [...] Que ce style du bazar semble fonctionner, et bien fonctionner, fut un choc supplémentaire. »[13]

Le principe fondamental de l'*OS* reprend celui des communautés scientifiques. L'essentiel ne réside pas dans le bénévolat ni dans la gratuité mais dans la nécessité de transmettre les résultats d'un travail à d'autres de façon à ce qu'ils puissent les analyser, les évaluer mais aussi les réutiliser, les transposer, les modifier ou les faire évoluer. Le code du logiciel, qu'on appelle la source, est fourni, laissé ouvert à toutes les modifications.

Il est important de ne pas réduire le phénomène de l'*OS* à une décentralisation ou une distribution radicale des décisions. En effet, le rôle de l'intégrateur, celui qui coordonne les nouvelles versions en décidant ou non d'intégrer les développements, ou qui anime une liste de diffusion, reste très présent. Linus Torvald, tout comme Eric Raymond[14], gardent une position de chef d'orchestre qu'ils peuvent éventuellement céder lorsqu'ils perdent l'intérêt de développer un projet. Le projet peut aussi être dédoublé, suivre plusieurs directions si quelques uns décidaient qu'il devrait prendre une autre course. Il s'agit d'une position de coordination sans moyen de coercition. En principe, cette position peut se réduire à la mise en ligne d'un premier noyau de code qui pourra être entièrement réécrit ou dont l'objet pourra être réorienté dans une toute autre direction. Il semble que le fait de céder le code source (l'équivalent de la formule chimique du projet) et de n'imposer aucune sorte de pression, garantisse la qualité et la pérennité des projets. Les développements inutiles qui ne se rapportent à aucun besoin spécifique, s'évanouissent naturellement alors que ceux qui suscitent le plus d'intérêt vont spontanément se développer plus vite. La surprise vient du fait que le développement de logiciels en *OS* se révèle plus fiable, plus pérenne et plus rapide. À tel point qu'Alain Lefebvre soutient que le développement *OS* est le seul capable de définir des standards.

Aujourd'hui de très grandes entreprises comme IBM participent à des projets *OS* parce qu'elles tirent parti des développements déjà réalisés, de leur fiabilité, de leur réputation positive et de leur pérennité. Ces entreprises passent alors de la position de développeur d'application propriétaire à celle de déve-

early and often, delegate everything you can, be open to the point of promiscuity - came as a surprise. No quiet, reverent cathedral-building here rather, the Linux community seemed to resemble a great babbling bazaar of differing agendas and approaches (aptly symbolized by the Linux archive sites, who'd take submissions from anyone) out of which a coherent and stable system could seemingly emerge only by a succession of miracles. The fact that this bazaar style seemed to work, and work well, came as a distinct shock."[13]

The basic principle of OS harks back to that of scientific communities. The essence lies not in voluntary work or getting something for free, but in the need to convey the results of a piece of work to others in such a way that they can analyse and assess them, and also re-use, adapt, change or develop them. The software code, called the source, is provided, and left open to any change. There are two other principles that allow OS to work, namely early and regular updating and the participation of users as co-developers.

It is important not to reduce the OS phenomenon to the decentralisation or radical distribution of decision-making. In actual fact, the role of integrator, the person who coordinates new versions by deciding whether or not to include developments, or who runs a mailing list, remains very much to the fore. Linus Torvald and Eric Raymond[14] maintain the position of chief organisers, which they can give up if need be when they lose interest in developing a project. Projects can also be divided, going off in several different directions if some people decide that they should be taking a different route. This position involves coordination without the possibility of coercion. In principle this position could be reduced to putting an initial kernal code online, which can then be entirely re-written, or whose subject can be refocused in the opposite direction. It would seem that the fact of handing over the source code (which is the equivalent of the project's chemical formula) and applying no pressure whatsoever, guarantees project quality and durability. Unnecessary developments that are not linked to any specific requirement disappear naturally, while those that spark the most interest will spontaneously develop more quickly. The surprising thing is that the development of OS software turns out to be more reliable, more durable and more rapid; to such an extent that Alain Levebvre maintains that the development of OS is the only method capable of defining standards.

Nowadays large corporations such as IBM take part in OS projects because they can make good use of the developments that have already been made, of their reliability, their positive reputation and their long-lasting nature. These corporations are moving from the position of proprietary application developers to that of service developers, incorporating OS solutions. Released from political decisions and arbitrary strategies, finding the appropriate solutions to various needs guarantees the quality and maintenance of

:
:

loppeur de service, d'intégrateur de solution *OS*.

Affranchis des décisions politiques et des stratégies arbitraires, l'adéquation aux besoins garantit la qualité et la maintenance du programme. l'*Open Source* bénéficie alors pleinement de la densité et de la vitalité de sa communauté.

Trois types de contrôle

Pour résumer, les technologies de l'information permettent de développer trois types de contrôle. Dans certains cas, nous avons vu que le contrôle peut exister et être efficace sans aucun pouvoir de coercition.

Parmi ces trois types de contrôle, le premier est un contrôle centralisé. Il apparaît très tôt dans l'histoire des sociétés humaines. À partir de la Révolution Industrielle, il a atteint une ampleur et une rapidité au-delà des capacités individuelles. Avec l'augmentation exponentielle des capacités de calcul et des technologies de détection à distance, ce contrôle centralisé change de nature : de la gestion des besoins et des ressources, il s'agit désormais d'optimiser les usages. L'avénement de l'Internet dans les années 1990 permet l'apparition d'un deuxième type de contrôle, le contrôle décentralisé ou distribué. Phénomène d'auto-organisation inconscient, il devient un contrôle conscient et intentionnel dès lors que l'on permet aux individus

M. S. WATANABE, *Induction City* (1990).
http://www.makoto-architect.com/idc2000/pre.html

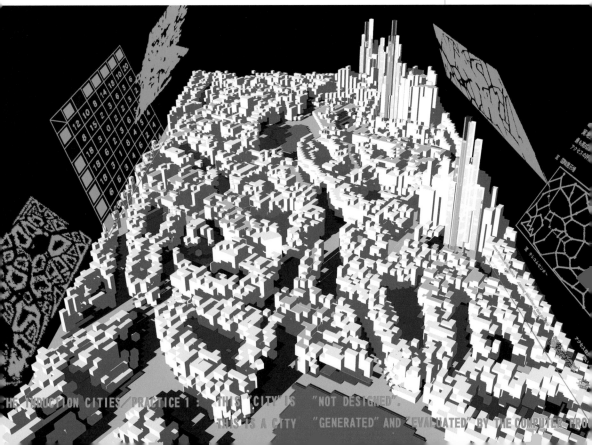

the programme. Open Source therefore benefits fully from the density and vitality of its community.

Three types of control

Information technology facilitates three types of control: centralised control, decentralised/distributed control and automated control. In some cases, we have seen that control can exist and be efficient without coercive power.

The first of these three control types is centralised control and appears very early on in human society. Since the Industrial Revolution, centralised control has reached a complexity and speed that go beyond individual capacity. With exponential increases of calculation capacity and remote detection technology, centralised control has changed - it has now evolved from managing needs and resources to optimising use.

The advent of the Internet in the 1990s enabled another kind of control to emerge, namely decentralised or distributed control. Initially an unconscious self-organisational phenomenon, it becomes a conscious, intentional control as soon as you allow individuals to grasp the effects of their mass action. Decentralised/distributed control requires less means, and most importantly no coercion, which makes it seem magical.

A third type, described by K. Kelly amongst others, is defined as totally automatic control: "The story of automation is the story of a one-way shift from human control to automatic control."[15]

However, automated control is a limited concept, since this form of control is only intentional through its association with one of the first two types.

Moving towards control tensegrity for urban planning

"The 'induction cities' project began with our conclusion that a city cannot be designed." Makoto sei Watanabe[16]

In the same way that the Industrial Revolution's control crisis gave rise to the development of bureaucracy and the tools of the information society, we are witnessing a process that is centralising data input, processing and analysis in the field of urban planning. Rather than promoting the systemisation and centralisation of increasingly complete data, a new principle is taking shape - that of control tensegrity. The word "Tensegrity" was invented by Buckminster Fuller in the late 1940s. A contraction of the words tensile and integrity, it illustrates one of the main features of a revolutionary construction system. Historically, buildings were dominated by compressed structures. Little by little, the introduction of metal meant that tension elements could be added, thereby lightening buildings whilst retaining the compression principle as the main structure. Tensegrity overturns this structural logic in order to set up a continuous tensioned network, whilst the compressed elements occur intermittently. In parrallel, this inversion of struc-

d'appréhender les effets de la multitude de leurs actions. Ce type de contrôle nécessite beaucoup moins de moyens et en particulier aucune coercition ce qui le fait apparaître comme magique. Un troisième type, évoqué entre autres par K. Kelly, se définit comme un contrôle totalement automatique : « l'histoire de l'automation est celle d'un mouvement irréversible du contrôle humain vers un contrôle automatique. »[15] Cependant ce dernier est un concept limite, car cette forme de contrôle n'est intentionnelle que parce qu'elle s'articule avec l'une ou l'autre des deux premières.

Vers une tenségrité du contrôle

« C'est en concluant que la ville ne peut pas être conçue que le projet *Induction Cities* commence... »
Makoto sei Watanabe[16]

De la même manière que la crise du contrôle de la Révolution Industrielle a suscité le développement de la bureaucratie et des outils de la société d'information, nous assistons à un processus de centralisation de la saisie, du traitement et de l'analyse des données dans le domaine de la planification urbaine.

Cependant, plutôt que de promouvoir la systématisation et la centralisation de données toujours plus complètes, un nouveau principe prend forme : celui d'une tenségrité du contrôle.

Le mot anglais *Tensegrity*, traduit par « Tenségrité » en français, a été inventé par Buckminster Fuller à la fin des années 1940. Contraction des mots *tensile* et *integrity*, il illustre l'une des caractéristiques principales d'un système constructif révolutionnaire. Historiquement, les constructions étaient dominées par des structures en compression. L'introduction du métal a peu à peu permis d'intégrer des éléments en tension et ainsi d'alléger les constructions tout en gardant le principe de la compression comme mode essentiel de transmission des forces. La tenségrité renverse cette logique structurelle pour poser la continuité d'un réseau tendu alors que les éléments en compression sont discontinus. De la même manière, il s'agit ici de comparer ce renversement de la structure constructive avec celle des prises de décisions et en particulier du traitement de l'information. Plutôt que d'intégrer un maximum de données, de définir l'ensemble du projet, il s'agit de limiter la quantité d'information capturée, de réduire la définition du projet aux intentions essentielles, à la formalisation des connaissances et de ses contraintes, à la mise au point de dispositifs de contrôle distribué et de stratégies d'élaboration coopérative. Il s'agit alors de ré-articuler les décisions décentralisées et centralisées plutôt que de définir des systèmes de contrôle et de surveillance centralisés permanents et omniprésents.

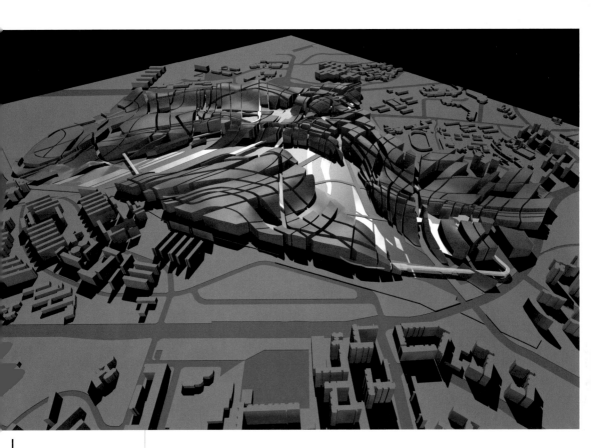

ZAHA HADID ARCHITECTS,
one north masterplan (2001).
Singapore
Design Team : Z. HADID,
M. DOCHANTSCHI, D. GERBER, D. LIN
http://www.zaha-hadid.com

tural construction should be compared with the structure of decision-making, particularly information processing. Rather than incorporating a maximum amount of data and centralising the definition of a project, what is going on here is that the quantity of information captured is being limited, project development is reduced to essential functions, to the formalisation of its knowledge and constraints, to the implementation of distributed control devices and to co-operative development strategies. Decentralised and centralised decisions are therefore reconnected whilst centralised decisions are being limited as much as possible, without actually being eliminated.

A few recent urban projects explore new ways of linking centralised and decentralised control. Their experiments have enabled us to contemplate new forms of control tensegrity. If we consider the methods and technology used by these projects, three categories stand out: 1) the relational or parametric paradigm - for example the *one north masterplan* project for Singapore by Zaha Hadid Architects (ZHA); 2) the genetic paradigm - for example Kees Christiaanse with the Kaisersrot group and John Frazer and his team for Groningen; and 3) the Open Source development model. Whilst the categories are defined according to their objectives, this classification is based around two groups: 1) projects that aim to incorporate data and optimise a situation (e.g. ZHA and Kaisersrot); and 2) projects whose objective is to create consensus-building devices (e.g. . Frazer and OS).

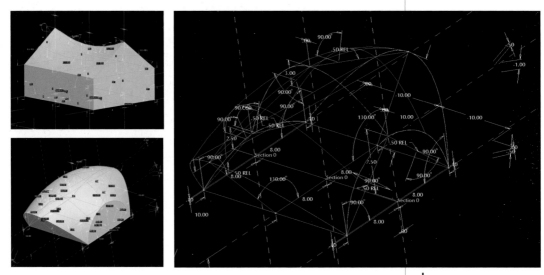

ONL, *New Canal Town* (2004).
Zhujiajio, China
Design Team : K. OOSTERHUIS,
I. LENARD, M. GORCZYNSKI, D. MILAM,
J. PAZOUR, X. XIN, P. GURAK
Maisons paramétriques
Toutes les maisons sont des
déformations du même modèle
paramétrique.
Parametric Housing Units
All housing blocks are deformations
of one single parametric housing
unit.

Quelques projets urbains récents explorent de nouvelles articulations du contrôle centralisé et décentralisé. Leurs expériences permettent d'envisager plusieurs formes de tenségrité du contrôle. Si on considère les méthode et les technologies que ces projets utilisent, trois catégories se distinguent : 1) le paradigme relationnel ou paramétrique - avec comme exemple le projet *one north masterplan* pour Singapour de Zaha Hadid Architects (ZHA) ; 2) le paradigme génétique - avec les exemples de Kees Christiaanse avec le groupe Kaisersrot et de John Frazer et son équipe pour Groningen et 3) le modèle de développement de l'*Open Source*.

Si par contre les catégories sont définies en fonction de leurs objectifs, cette classification s'organise autour de deux ensembles : 1) les projets qui visent à intégrer les données et à optimiser une situation (ZHA et Kaisersrot) et 2) ceux pour lesquels l'objectif est de constituer des dispositifs pour définir un consensus (J. Frazer et l'*OS*).

Design relationnel ou paramétrique : de la tolérance des imprécisions à celle des incertitudes

« Une bonne interface homme-machine contient la compréhension par l'ordinateur d'une pensée incomplète et ambigüe, typique des premières phases du processus de conception, par opposition à la représentation plus complète et plus cohérente des rendus finis [..] Le concept clé de mon travail était la compréhension de l'intention graphique d'un individu.»
N. Negroponte[18]

« Le designer peut maintenant créer des systèmes, qui sont capables de produire d'innombrables variations à partir de règles et de mécanismes qui répondent à des conditions ou des intentions particulières.»
C.Ceccato[19]

Relational or parametric design — from tolerating inaccuracy to tolerating uncertainty

"Good human computer interface design included the computer understanding incomplete, ambiguous thoughts, typical of the early stages in any design process, versus the more complete and consistent presentation of the complex, finished renderings [...] The key concept of my work was to understand a person's "graphical intent"."
N. Negroponte[18]

"The designers can now create systems, which can produce countless variant solutions from rules, and mechanisms that respond to particular conditions and intentions."
C. Ceccato[19]

For several years, research in the development of design software (CAD) has been moving increasingly further away from geometrical and physical representations of a finished object in space. It is no longer concerned with entering geometric and spatial coordinates, or depicting the project in the most realistic way possible, but with pinning down the relationships between points, relationships between the different elements, formalising the designers' knowledge and intentions, which until now had remained implicit. What may appear as an abstract subtlety is actually a very important development in the way in which digital tools aid the design process. The task of the designer may also be considered as one of definition: "rationally formalize the architectural project, taking great pains to distinguish antecedents and dependents, at the risk, if not, of creating circular references or all kind of other logical incongruities" (P. Beaucé, B. Cache[20]).

One of the ways in which software tools have developed is in the extension of tolerance concepts. In industrial design, tolerance defines the acceptable margin of error attributable to the accuracy limits of production. Nowadays, this idea includes the possibility of changes, indecisiveness, ambiguity and uncertainty within the project. The designer is no longer defining a frozen shape but formalising a system, a machine, a tool for change. We sometimes talk about the "DNA" of a project, meaning the elements that structure and inform its implementation without referring to its definitive form. Despite all this, the notions of form, design, style and type are not disappearing. The parametric or relational definition of a project does not discard the design of form, but defines the system that structures it and can update it by introducing specific variables (input). This involves linking intentions and knowledge with variables that are beyond the control of the design team, which are then updated by contextual specificities or by other parties involved in defining the project.

This definition of design underpins the research conducted by parametric software, which includes products developed by Dassault Systèmes - Catia, Delmia and so on, products developed by the SmartGeometry group with Bentley, and projects by the Hyper Body Research group with Virtools[21] and Pro|ENGINEER software.

Depuis quelques années, les recherches en développement des logiciels d'aide à la conception (CAO/DAO) s'éloignent de plus en plus de la représentation géométrique et physique des positions dans l'espace de l'objet fini. Il ne s'agit plus de saisir les coordonnées géométriques et spatiales ni de représenter le projet de la manière la plus réaliste possible mais de capturer les rapports entre les points, les relations entre les éléments, de formaliser les connaissances et les intentions des concepteurs qui jusqu'ici, demeuraient implicites. Ce qui peut paraître une nuance abstraite constitue en réalité une évolution très importante de la manière dont les outils numériques assistent la conception.

La tâche du concepteur peut alors être considérée comme celle de définir « rationnellement un projet d'architecture en s'efforçant de distinguer les éléments dépendants de leurs antécédents, au risque de créer des références circulaires et tout autres types d'incongruités logiques » (P. Beaucé, B. Cache[20]).

Une des formes de l'évolution des outils logiciels se traduit par l'extension de la notion de tolérance. Pour le design industriel, la notion de tolérance définit les marges d'erreurs acceptables dues aux limites de précision de la fabrication. Aujourd'hui, cette notion intègre les possibilités de variations, les indécisions, les ambiguïtés, les incertitudes du projet. Le concepteur ne définit plus une forme figée mais formalise un système, une machine, un outil à variation. On parle parfois de l'ADN du projet, c'est-à-dire des éléments qui structurent et informent sa mise en œuvre sans qu'il s'agisse de sa forme définitive.

Pour autant, les notions de forme, de design, de style, de type ne disparaissent pas. La définition paramétrique ou relationnelle du projet n'abandonne pas la conception de la forme mais définit le système qui la structure et peut l'actualiser avec l'introduction de ses variables spécifiques. Il s'agit d'articuler les intentions et les connaissances avec des variables indépendantes de la volonté de l'équipe de conception.

Cette définition de la conception sous-tend les recherches des logiciels paramétriques parmi lesquels nous pouvons citer les produits de Dassault Systèmes - Catia, Delmia...-, celles du groupe SmartGeometry avec Bentley, et celles du groupe Hyper Body Research avec les logiciels Virtools[21] ou Pro|ENGINEER.

Le projet *one north masterplan* de Zaha Hadid Architects illustre ce paradigme de conception paramétrique dans le domaine de l'urbanisme[22]. Avec une perspective concrète de réalisation du projet, les concepteurs ont collaboré avec B Consultants pour spécifier et développer un outil logiciel, appelé *Masterplanning Tool*. Tout en insistant sur l'espace public, le seul espace qui leur paraisse à la fois stratégique et légitime de maîtriser, ils se sont dotés d'outils pour communiquer et négocier des éléments comme la densité et la

ZAHA HADID ARCHITECTS, *one north masterplan* (2001).
Singapore
Design Team : Z. HADID, M. DOCHANTSCHI, D. GERBER, D. LIN

répartition des activités, ou encore la typologie des réseaux, avec leurs clients, leurs partenaires techniques et financiers. Le projet est orienté par la définition des paramètres à optimiser, de ceux à minimiser (la densité, les espaces libres) mais aussi par une identité formelle très forte. L'un des éléments cruciaux sur le terrain duquel la négociation et l'identité du projet se sont joués est le système routier. Contrairement à la logique d'optimisation des coûts qui voudrait minimiser la longueur des voies d'accès et des dessertes - aboutissant le plus souvent à une voirie en « raquette » qui isole des réseaux environnants -, le projet insiste sur la nécessité de raccorder, de connecter le site à toutes les voies existantes et ainsi de le traverser de part en part par un réseau serré de voies dont les ondes du tracé sont caractéristiques de l'esthétique de Zaha Hadid. L'outil de négociation permet alors d'intégrer les paramètres et les critères de chacun des membres de l'équipe sans que pour autant le projet perde la force de l'identité architecturale de l'équipe de conception.

Le paradigme génétique

Alors que John Frazer et son équipe cherchaient un outil qui assiste la conception pour leur permettre de se consacrer entièrement aux dimensions créatrives du projet, ils ont développé une série d'outils s'appuyant sur un mode de genèse des formes *génétique* ou *évolutif*. Reprenant les principes de l'évolution et en particulier la notion de sélection naturelle théorisée au XIXe siècle par Darwin, ils ont développé des algorithmes génétiques comme support du projet architectural et urbain. Des générations de solutions, appelées *population*, sont produites à partir de leur reproduction et de leur mutation en fonction de leurs performances. La solution finale est à la fois le résultat d'une sélection humaine et d'un processus heuristique automatique. Celle-ci est en partie indéterminée dans la mesure où la présence de paramètres déterminés aléatoirement dans la génération des solutions peut entraîner l'apparition de solutions différentes. Il n'y a pas une solution unique même lorsque les critères, les contraintes et les différents modes de reproduction indiquent la marque très forte sur le projet de l'intention du concepteur et de son équipe.

Produit de la collaboration de Kees Christiaanse et de la chaire du professeur Hovestadt, *Kaisersrot* utilise des algorithmes génétiques similaires. *Kaisersrot* est un outil logiciel d'optimisation de critères architecturaux et urbains à partir de la saisie du périmètre d'un terrain (dont l'étendue peut varier de l'échelle d'une parcelle à celle d'un large site pour le développement d'un quartier), de quelques autres éléments du contexte physique (voie d'accès, canaux,...) et de l'ensemble des exigences du programme ou des besoins des utilisateurs. Chaque demande définit une parcelle dont les caractéristiques de taille, de proportion, de programme, d'emplacement sont saisies. De plus, certains paramètres extérieurs sont aussi consignés dans la défini-

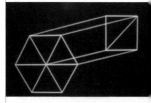

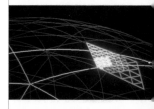

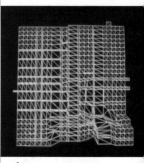

Groningen Project (1995/96)
AA Diplom Unit II
Tutors : J. and J. FRAZER avec C. MOLLER
/ Studio 333 et Groningen City Planning
Authority (1993).

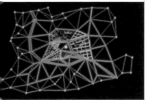

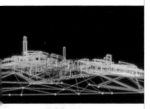

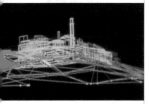

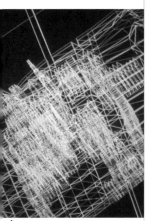

Générations automatiques de
typologies de ville sur des reliefs
G. WESTBROOK
Automatic generation of hill town
typologies from project
G. WESTBROOK

The *one north masterplan* project by Zaha Hadid Architects (ZHA) illustrates this parametric design paradigm in the field of town planning[22]. With a solid prospect of completing the project, the designers collaborated with B Consultants to specify and develop a software tool called *Masterplanning Tool*. Whilst paying particular attention to the exterior of buildings and to public space, the only kind of space they considered to be at once strategic and legitimately controllable, they acquired the tools to communicate and negotiate with their clients, and their financial and technical partners, elements such as the density and distribution of activity or the typology of networks. The project was guided by the definition of which parameters should be optimised and which should be minimised (such as density and free spaces), but also by a very strong formal identity. One of the crucial elements to involve the negotiation and identity of the project was the road system. Unlike the cost optimisation mentality, which aims to minimise the length of access roads as well as public transport lanes - more often than not leading to a road network shaped like a "tennis racket" that isolates the surrounding road networks - the project emphasises the need to link up and connect the site to all the existing road networks, thereby crossing it from one end to the other using a tight network of roads whose layout owes more to Zaha Hadid's aesthetics than to any geometric rationality. The negotiation tool therefore allows the parameters and criteria of each team member to be incorporated, whilst retaining the force of the design team's architectural identity.

The genetic paradigm

Going back to the principles of evolution, and particularly to Darwin's theory of natural selection in the 19th century, genetic algorithms have been developed as a design support for architectural and urban projects. Different generations of solutions, called "populations" are created when they reproduce and change according to their performance. The final solution is both the result of a kind of human selection and of an automatic heuristic process. This final solution is partly determined by factors chosen at random from the solution's generation. There is no single solution even when the criteria, the constraints and the various reproductive methods point strongly to the intended project of the designer and his team.

A product of the collaboration between Kees Christiaanse and the Chair of Professor Hovestadt, Kaisersrot uses similar genetic algorithms. Kaisersrot is a software tool that optimises architectural and urban criteria by inputting the surface area of a site, ranging in scale from small plots of land to large sites for the development of entire districts, plus several other physical elements (e.g. access roads, canals etc.) and all the other requirements of the programme or needs of the users.

Individuals, along with the developer and his clients, define features relating to size, proportion, schedule and location according to their wishes, which

tion des caractéristiques de la parcelle, comme par exemple ses facteurs attractifs : la présence d'une étendue d'eau, d'un canal (la plupart des applications concernent des projets hollandais), de la nature, des commerces, des transports publics. A partir de cet ensemble de données, un moteur génétique automatique travaille sur l'optimisation de la distribution des parcelles sur le site pour satisfaire au mieux les demandes. Après un certain nombre d'itérations, un équilibre est atteint. Cet équilibre n'est pas unique, une variation infime des premières hypothèses générées pourrait entraîner l'apparition d'autres équilibres.

Ce qui distingue radicalement l'approche génétique c'est la multiplicité des alternatives qui sont envisagées et comparées pour obtenir un résultat. Ces solutions sont très nombreuses (plusieurs centaines à plusieurs milliers) et l'utilisation de l'informatique permet de les obtenir très rapidement et ainsi de réagir et de modifier les paramètres, les algorithmes génératifs ou les critères d'évaluation qui structurent les solutions de manière beaucoup plus radicale que ce que permettent les pratiques actuelles.

Bien qu'ils n'utilisent pas les mêmes outils, la méthode de ce projet se rapproche de celle du *one north masterplan* de Zaha Hadid Architects. Elle répond à la volonté d'intégrer la multitude des demandes et des attentes des différents acteurs du projet. L'équipe de conception du projet maîtrise les outils et les critères qui génèrent des solutions qui répondront au mieux aux besoins. Elle maîtrise la décision finale en centralisant toutes les données. Cependant ces deux approches se distinguent au niveau de l'acceptation et de l'influence des critères privés dans la définition du plan d'ensemble. Dans le cas de *Kaisersrot*, l'outil d'optimisation est utilisé pour l'intégration optimale des besoins individuels définis à court terme. Pour Zaha Hadid Architects de nouveaux outils sont développés pour mieux négocier en tenant compte de l'ensemble des contraintes mais aussi leurs propres critères esthétiques et leurs compréhensions de l'intérêt général au-delà d'une économie du court terme.

Des modèles multiples et contradictoires

Ces deux approches - paramétrique et génétique - se révèlent complémentaires. Certaines des relations entre les éléments architecturaux et urbains, sont justement circulaires ou réciproques et ne permettent pas de distinguer une hiérarchie du type antécédents/dépendants. La réciprocité des relations est une des caractéristiques de la conception qui rend très vite insurmontable ou extrêmement lourde la formalisation paramétrique des projets. D'autre part, un projet d'architecture ou d'urbanisme est très loin de se limiter à la seule définition des rapports géométriques entre ses éléments. Citons, parmi d'autres, les modèles économiques, financiers, les nombreux modèles

are then attributed to a model plot of land. In addition to this, certain external factors are also recorded in the definition of the plot's features, such as factors relating to physical attractiveness – the presence of a stretch of water or canal (the software is mainly used for Dutch projects), of nature, of businesses and public transport. Using all this data, an automatic genetic engine optimises the site to best satisfy all of the requirements. After a very high number repetitions (between several hundred and several thousand), a "balance" is reached. This is not the only solution – an infinitesimal variation from the first hypotheses generated would give rise to other balances. What really makes this approach stand out is the multiplicity of alternatives that are considered and compared in order to obtain a result. There is a very large number of these solutions, and the use of computer technology enables us to obtain them quickly, which means that we can react and change the parameters, the algorithms or the assessment criteria that form the solutions in a much more radical way than current practices allow.

Although they do not use the same tools, the technique uses in this project is similar to that of the *one north masterplan* by ZHA. It meets the desire to incorporate a multitude of demands and expectations from the various people involved in the project. The project's design team controls the tools and criteria that generate the best solutions for the needs expressed. The design team controls the final decision by centralising all the data.

However these two approaches differ in terms of the acceptance and influence of private criteria when defining the overall plan. In the case of Kaisersrot, the optimisation tool is used to reduce construction costs for public transport lanes, whereas ZHA are looking for improved negotiation tools that would take into account all of the constraints, but also their own aesthetic criteria and their understanding of the common good beyond the immediate infrastructure costs.

These two approaches – parametric and genetic – actually complement one another. An architectural or town planning project is by no means limited to the simple definition of the geometric relationships between its various elements. In this regard we can point, amongst others, to economic and financial models, to networks, to numerous regulatory models (e.g. urban legislation, fire safety, sanitation, disabled access, energy control, construction site safety and so on), and to structural models, not to mention hindrances relating to implementation, delays and so on. All of these models are often contradictory. Under these circumstances, it seems inevitable that the heuristic process using genetic algorithms should intersect with parametric definitions.

Next to relational or evolutionary design, a second kind of control is emerging that no longer views projects as centralised structures to which changes

réglementaires (réglementation urbaine, de sécurité incendie, sanitaire, d'accessibilité aux handicapés, de maîtrise énergétique, de sécurité du chantier...), les modèles structurels, sans compter les contraintes de mise en œuvre, de délais... Tous ces modèles sont souvent contradictoires. Dans ces conditions, le croisement de processus heuristiques du type des algorithmes génétiques avec les définitions paramétriques semblent inévitables.

A côté du design relationel ou évolutif, un deuxième type d'articulation du contrôle se met en place qui considère le projet non plus comme une structure qui permet de le générer, mais comme un dispositif qui permet d'informer des prises de décision distribuées.

Les dispositifs

« Les bâtiments comme les réseaux de transport sont planifiés [...] mais les évolutions qui apparaissent par l'usage d'outils de communication émergent.»
A. Townsend[23]

« Ce qui est remarquable [...] c'est l'inversion du pouvoir qui apparaît quand les protestataires obtiennent l'accès à l'information...»
J. Huang, M. Waldvogel[24]

Le développement des outils de communication entraîne l'émergence de phénomènes d'organisation non-orchestrée. Comme nous l'avons vu avec les expériences de Carpenter, la présence d'une entité centralisée n'est pas nécessaire dès lors que des dispositifs de contrôle et de retour de l'information (*feedback*), permettent aux acteurs de visualiser ou de prendre conscience des conséquences de leurs actions.

Dans le domaine urbain, les recherches sur l'évolution des villes et les phénomènes d'auto-organisation sont de mieux en mieux compris. Au contraire l'influence de ce savoir sur les acteurs du développement urbain est encore mal connue. Cependant si l'on en juge par l'efficacité quasi immédiate des miroirs virtuels de Carpenter, ou par les expériences d'urbanisme participatif qui sont menées aussi bien à Los Angeles aux Etats Unis, qu'à Cambridge en Angleterre[25], ces outils permettent au minimum d'animer et d'informer les débats sur des sujets techniques très complexes.

Des dispositifs doivent être mis au point pour permettre à des phénomènes d'organisation consciente des foules d'émerger mais aussi pour garantir le respect de l'intérêt commun. Miroirs virtuels, système de réputation artificielle, superposition de couches de contrôle distribué ou automatisé, ces dispositifs que nous avons vu à l'œuvre avec Carpenter ou avec les *Smart Mobs* influencent directement le type d'échange, de collaboration ou d'organisation. Leur définition modifie alors radicalement la notion même de projet. Plutôt qu'expression d'une intention garante de l'intérêt commun, les interfaces dynamiques homme-machine ou encore les outils de simulation et

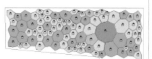

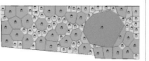

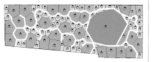

KAISERSROT (1999/03).
ETH Zurich Team : M. BRAACH, O. FRITZ,
L. HOVESTADT, A. LEHNERER,
S. LEMMERZAHL in cooperation with
K. CRISTIAANSE / KCAP
http://www.kaisersrot.com
Le logiciel Kaisersrot a été développé
pour optimiser l'occupation du sol et la
disposition des parcelles. Quand la
simulation commence, chaque parcelle "lutte" pour l'optimisation de ses
caractéristiques. Une fois un équilibre
atteint, l'infrastructure est générée
automatiquement.
The software Kaisersrot has been
developed in order to optimize land
use and plot layout. When the simulation is started, all plots strive for an
optimization of built-in demands. After
a certain amount of time, an equili-
brium is achieved and the process
stops. Now, infrastucture can be generated automatically.

can be made, but as devices that keep you informed of distributed decision-making.

The project as a device

"Buildings and transportation systems are planned [...] but changes that grow from the use of communication devices emerge."
A. Townsend[23]

"What is remarkable [...] is the inversion of power that happens when the protesters get access to the information..."
J. Huang, M. Waldvogel[24]

The development of communication tools leads to the emergence of "non-orchestrated" organisational phenomena. As we have already seen with Carpenter's experiments, the presence of a centralised entity is not necessary once the control and information feedback devices enable those involved to visualise or become aware of the consequences of their actions.
In the urban field, research into the development of cities and self-organisational phenomena is becoming increasingly better understood. By contrast, the influence that this knowledge has on those working in urban development is still poorly understood. However, to judge from the almost immediate effectiveness of Carpenter's virtual mirrors, or from the participatory urban planning experiments that were carried out both in Los Angeles, USA and in Cambridge, England[25], these tools have at least provoked and informed discussions on complex technical subjects.

Devices are refined to facilitate the emergence of conscious organisational crowd phenomena, but also to ensure that the common interest is respected. Virtual mirrors and artificial reputation systems, the kind of tools that we have seen at work with Carpenter or with the Smart Mobs, have a direct influence on the type of exchange, collaboration or organisation that takes place. Their definition, therefore, radically changes the very idea of the project. Rather than expressing an intention that ensures respect of the common interest, dynamic man-machine interfaces or even simulation and communication tools developed around geographic information systems suggest that we should look at the project as an information device that allows the people involved to control urban development themselves. These tools enable groups to form cities with news kinds of common property, by becoming aware of their actions and the ways in which they could co-operate.

The project conducted by John Frazer and his team for the town of Groningen illustrates this radical shift in the concept of the project, which involves the almost total removal of the design team's intentions to be replaced by a device designed to inform the public of probable developments

:
:

de communication développés autour des systèmes d'information géographique nous suggèrent d'envisager le projet comme dispositif d'information pour la maîtrise du développement urbain par les acteurs eux-mêmes... Ces outils permettent à des groupes de former de nouveaux types de biens communs, de prendre conscience de leurs actions et de coopérer.

Le projet de John Frazer et son équipe pour la ville de Groningen, Pays-Bas, illustre ce déplacement radical de la notion de projet : l'effacement de l'intention de l'équipe de conception au profit d'un dispositif qui vise à informer le public des développements problables de leur environnement et à faire émerger un consensus. Ce dispositif est constitué d'un modèle qui allie à la fois la simulation par automates cellulaires[26] et leur évolution génétique[27]. Trois systèmes d'automates cellulaires modèlisent les dynamiques économiques (selon les principes micro-économiques, en particulier ceux de l'offre et de la demande), les contraintes solaires (où les formes sont définies de façon à optimiser les ressources solaires) et spatiales (en particulier celles dues à la distribution géographique des ressources). Le croisement de ces trois modèles simule alors l'évolution de la ville de Groningen. Cette simulation est à la fois informée, vérifiée et modifiée par des données historiques et par un module de type génétique qui adaptent les trois modèles et les transforment par des stratégies d'apprentissage, pour reproduire le plus fidèlement possible l'évolution historique de la ville. Lorsque le modèle atteint la période contemporaine, les itérations continuent et proposent des trajectoires possibles au public qui les valide ou bien les refuse. Selon la réaction du public, les modèles sont encore modifiés. Pour John Frazer, ces modifications équivalent alors à la recherche de réglementations dont l'impact sur le développement seraient satisfaisants selon les critères des participants.

Cette dernière proposition se distingue radicalement de celles du *one north masterplan* et de Kaisersrot. Si l'outil automatique permet là aussi l'articulation de définitions centralisées et décentralisées des critères, le projet ne s'engage pas dans la prise en compte des besoins au moment de la consultation mais plutôt dans la définition d'un consensus au sujet des objectifs communs de développement de la ville. Elle permet de définir une vision générale en fonction des valeurs qui se dégagent de la consultation du public. Ce qui frappe pourtant, c'est le rapprochement et l'amalgame des données historiques et des avis des habitants à l'origine des modifications des modèles. On peut se demander dans quelle mesure les participants comprennent et maîtrisent l'influence de leur intervention sur l'évolution des modèles.

Stratégie de développement *Open Source*

L'hypothèse d'un quatrième type d'articulation des décisions centralisées et décentralisées pour le développement des projets s'inspire du développement

in their environment and, depending on their reaction to various scenarios, to give rise to a consensus.

John Frazer and his team developed a prototype for the town of Groningen, the Netherlands, which combines simulation using cellular automatons[26] with their "genetic"[27] development. Three cellular automaton systems modelled economic dynamics (following micro-economic principles, particularly those of supply and demand), solar conditions (where structures were defined in such a way as to optimise solar resources) and spatial restrictions (particularly the geographic distribution of resources). The combination of these three models simulated the development of the town of Groningen. This simulation was simultaneously informed, verified and modified by historical data and by a genetic module that adapted the three models and transformed them using learning strategies, in order to reproduce the historical development of the town as faithfully as possible. Thus composed, the progressive model explained the changes that had taken place in the town from its medieval center to the current situation. When the model reaches the present period the simulations are repeated, suggesting possible development paths to the public, which either approves or rejects them. Depending on the public's reaction, the models are modified further. For John Frazer, therefore, these modifications amount to a search for regulation that will satisfy the participants' criteria regarding their impact on development.

This last proposal differs radically from those put forward by *one north masterplan* and Kaisersrot. Whilst automatic tools also facilitate the joining of centralised and decentralised criteria in this case, the project makes no commitment to take into account peoples' needs at the time of consultation, committing itself instead to defining a consensus on the subject of the town's common development objectives. It facilitates the definition of a general vision according to the values that emerge from consultation with the public. However, what is really striking is the way in which "objective" historical data connects and amalgamates with the opinions of inhabitants, which form the basis of modifications made to the models. We may also wonder to what extent the participants understand and control the influence that their intervention has on the development of the models.

The Open Source development strategy

The hypothesis of another type of connection between centralised and decentralised decisions in project development is inspired by Open Source (OS) experiments. This process actually presents three applicable advantages for the creation of urban projects: 1) it is free from arbitrary decisions

de l'*OS*. Ce modèle d'élaboration de projet présente en effet trois avantages pertinents pour l'élaboration de projet urbain : 1) affranchit des décisions arbitraires, le développement des projets reflète de manière fidèle les besoins et les usages 2) rapide et évolutif, il bénéficie de la dynamique de sa communauté 3) pérenne, tant que le projet est pertinent, son maintien et son adaptation sont assurés.

Mais, est-il possible d'utiliser les stratégies de développement de l'*OS* dans le domaine urbain ? La conception architecturale et urbaine met en œuvre, non seulement des stratégies de collaborations sophistiquées, mais est sujette à des procédures toujours plus structurées de consultation et de validation. En effet, la complexité, les enjeux privés et publics des projets nécessitent la participation, dès les premières phases et tout au long de l'étude, à la fois des utilisateurs ou de leurs représentants, des différents bureaux d'études, des entreprises de construction et des organismes de contrôle. Le projet est entièrement soumis aux modifications, à l'approbation et aux vérifications de tous les participants. Le dépôt d'un permis de construire, tout comme les procédures de consultation en urbanisme, requièrt un grand nombre de documents qui renseignent sur l'ensemble du contenu du projet et qui sont comparables à la mise à disposition du code du projet de la même manière que pour l'*OS*.

D'autre part, le développement du design relationnel, de la visualisation et de la simulation laissent entrevoir la possibilité d'interfaces collaboratives qui permettent la manipulation directe du projet quelques soient les compétences de l'intervenant tout en prenant en compte l'ensemble de ses contraintes. Si de telles interfaces peuvent effectivement voir le jour, il serait envisageable de solliciter la participation publique dès les premières phases du projet, de le mettre à jour régulièrement et de considérer l'ensemble des acteurs comme faisant partie de l'équipe de conception pour tirer parti des avantages du modèle de développement de l'*OS*.

L'*Open Source* partage en effet avec les villes les principes des économies d'agglomération et de réseaux. De la même manière que l'*OS* peut apparaître là où le bénéfice commun excède la somme des intérêts privés, les villes apparaissent lorsque leurs infrastructures et leurs équipements bénéficient à la communauté au-delà de leur coût. D'autre part le développement des agglomérations est en grande partie le résultat d'actions spontanées et de la dynamique des communautés sans qu'aucune institution ne soit capable de centraliser l'ensemble des décisions.

Cependant deux caractéristiques essentielles distinguent la conception des villes de celle d'un programme *OS*. Tout d'abord les biens publics urbains sont d'ordre matériel et spatial et par là même sujets aux tragédies décrites par de G. Hardin[28] : les encombrements, le vandalisme, la pollution nous rappellent régulièrement leurs finitudes et leurs limites. Par opposition, les logiciels sont immatériels et ne s'usent pas par leur utilisation. D'autre part, les

and its project development faithfully reflects needs and uses; 2) it is rapid and progressive, and makes use of its community dynamics; 3) it is long-lasting – as long as the project remains relevant, its maintenance and adjustment are guaranteed.

But is it possible to use OS development strategies in the urban field ? Architectural and urban design, and the design of towns and buildings, do not just use sophisticated collaboration strategies – they are also subject to consultation and approval procedures. In fact, the complexity of projects, as well as the private and public stakes that they involve, require the participation of users or their representatives, various research offices, construction companies, and public and private controlling bodies, right from the initial stages all the way through to the end of the project. It is entirely subject to modification, approval and verification by all the participants. Applying for a building permit, like the consultation procedures, requires a large number of documents containing information on the overall content of the project, which is comparable to the availability of the "code" in the case of OS.

On the other hand, the development of relational design, visualisation and simulation anticipates the possibility of collaborative interfaces that would enable the project to be handled directly, regardless of the skills of the intervening party, whilst taking into account all of its constraints. If such interfaces do ever actually emerge, it may simply be necessary to ask that the public participate from the project's initial stages, to update it regularly and to consider all of the parties involved as part of the design team, so that full advantage can be taken of the OS development model.

In actual fact, Open Source shares with cities the principles of agglomeration and network economies. In the same way that OS can appear when the common advantages exceed the sum of private interests, towns appear when their infrastructure and facilities benefit the community. On the other hand, the development of urban areas is in large part due to spontaneous actions and to community dynamics, where no institution is able to centralise all of the decisions made.

There are, however, two vital features that distinguish urban design from an OS software development. Firstly, urban public commons is of a spatial and material nature, and therefore subject to the "tragedies" described by G. Hardin[28] - obstructions or vandalism are regular reminders of its finiteness and limits. By contrast, software is immaterial and does not become worn through use. On the other hand, the programmers are aware that they are designing parts of a global project whilst the inhabitants of a town are, for the most part, unaware of the cumulative effects of their decisions, even if the strong public interest in certain projects shows that they are aware of what is at stake. As for public participation on a wider scale, beyond traditional design teams or attempts to legitimise already defined projects through consultation, it seems to be both very promising and at the same time to pose

programmeurs sont conscients de participer au développement d'un programme commun alors que les habitants d'une ville sont, en grande partie, inconscients des effets cumulés de leur décision, même si l'engouement du public pour certains projets démontre leur conscience des enjeux. Quant à la participation d'un public plus large, au-delà des équipes de conception traditionnelles ou des tentatives de légitimation de projets déjà définis par des procédures de consultation, elle paraît à la fois très prometteuse et en même temps poser d'épineuses questions au sujet des interfaces, des degrés d'intervention et de l'évaluation des projets. Est-il possible d'évaluer la pertinence, la cohérence des propositions et de leurs variations ? Comment, par qui, pourraient être intégrés les divers éléments du projet ? Quels dispositifs pourront garantir l'équilibre des coûts et des bénéfices ? La distinction entre les efforts de défintion d'un projet urbain et ceux de sa réalisation ajoute un niveau de complexité à ce type de projet par rapport au développement OS de logiciel. Pourtant, la possibilité d'affranchir la distribution des équipements et des biens publics, au moins en partie, des décisions politiques dont la lenteur, les retournements ont parfois pour conséquence la dégénérescence de certains quartiers, l'abandon des investisseurs, sans parler des problèmes de corruption, la possibilité d'impliquer directement les communautés dans le développement de leur environnement valent la peine d'être étudiées et expérimentées très sérieusement.

Conclusion : Vers une tenségrité du contrôle

L'intégration des technologies de l'information et de la communication dans le domaine de l'architecture et de l'urbanisme se développe. Cependant, les pratiques évoluent lentement. L'influence sur le développement des outils logiciels, des modes de pensée et de conception hérités des générations formées avant l'informatique, est beaucoup plus importante que celle du développement des capacités de l'ère du numérique sur les pratiques. La difficulté est double : d'une part, il est nécessaire de repenser en profondeur le sens et les méthodes de la conception, de l'autre, l'effort de développement et d'intégration de ces technologies est encore très important avant de pouvoir aboutir à des applications concrètes.

Avec la société de l'information, deux types de contrôle se dessinent : le premier centralise les données et les prises de décisions avec une connaissance de plus en plus précise des phénomènes de développement sociaux et urbains, le second les distribue et donne aux individus les mêmes possibilités d'information et de décision que les institutions ou les multinationales. Une nouvelle approche du contrôle se dégage en renversant la suprématie de la centralisation sur les décisions individuelles, elle permet aux foules de prendre conscience de leurs actions et de les coordonner intentionnellement.

some tricky questions on the subject of interfaces, degrees of intervention and the assessment of projects. Is it possible to assess the relevance and coherence of proposals and their variations ? How could the various elements of the project be incorporated, and by whom ? Which devices could guarantee a balance between costs and benefits ? The distinction between attempts to create an urban project and attempts to implement it adds a new level of difficulty to this kind of project with regard to OS software development.

However, the possibility of directly involving communities in the development of their environment, of freeing the definition of facilities and public commons, in part at least, from political decisions that are made so slowly that they sometimes lead to the degeneration of certain districts and to investor pullout, not to mention problems of corruption, merits very serious study and experimentation.

Conclusion – Moving Towards Control Tensegrity

The incorporation of information and communication technology into the field of architecture and urban design is progressing. However, practices are evolving slowly. Thought and design methods inherited from the generations trained before the computer age have a much greater influence over the development of software tools than skills developed in the digital age over these practices. The problem is twofold – on the one hand, the direction of design and the methods it uses need to be comprehensively reconsidered, and on the other, there is still a great deal of work to be done on the development and incorporation of this technology before it can lead to concrete applications.

With the information society, two kinds of control have emerged – the first centralises data and decision-making using increasingly accurate knowledge of social and urban development phenomena, whilst the second distributes and gives to individuals the same information and decision possibilities as institutions or multinationals. A new approach to control has materialised that overturns the supremacy of centralising individual decisions, and enables crowds to become aware of their actions and to co-ordinate them intentionally.

Based on explicit doubts that have been raised over urban projects since the criticisms and discussions of the 1950s, experiments have been conducted regarding the incorporation of modelling and attempts to open up and improve the participation process, bearing witness to the development of connections between the centralised and divided forms of decision making. Whether they reflect the inversion of the control pyramid or constitute an attempt to shift things in order to better control their complexity, these

A partir d'une remise en question du projet urbain explicite depuis les critiques de la fin des années 1950, l'intégration de la modélisation, les tentatives d'ouverture et d'amélioration des processus de participation font l'objet d'expérimentations et témoignent de l'évolution des articulations entre les formes de décisions centralisées et distribuées. Reflet de l'inversion de la pyramide du contrôle ou bien tentative de déplacement pour mieux maîtriser la complexité, ces projets se distinguent des expériences des années 1950-70 parce qu'ils n'abandonnent pas la forme, ne se limitent pas à la conception d'infrastructures qui agiraient ensuite comme des agents du changement et ne conçoivent plus l'ordinateur comme un moyen d'étendre un contrôle scientifique automatique pour la gestion de la complexité spatiale, sociale et temporelle des villes. Ils prennent la forme de systèmes ou de dispositifs d'information qui établissent explicitement, sans les figer, les intentions, les connaissances, les contraintes et permettent l'élaboration d'un consensus.

Il est urgent de dépasser le statut expérimental et marginal des projets qui explorent ces stratégies d'articulation du contrôle, de réévaluer les préconceptions et les pratiques traditionnelles et de tirer parti des opportunités qu'offrent la maturité et la diffusion toujours plus grandes des technologies de l'information et de la communication. L'hypothèse d'un principe de « tenségrité » du contrôle permet d'envisager le renversement de l'articulation traditionnelle du contrôle par les institutions gouvernementales au profit des individus pour rétablir la légitimité et la crédibilité des interventions sur le développement des villes.

Si la discorde, la divergence des intérêts et la diversité des points de vue semblent des atouts essentiels de la dynamique de nos sociétés, la flexibilité et l'ouverture des outils d'élaboration des projets sont indispensables pour leur développement et la préservation des intérêts généraux.

Notes

1. K. KELLY, *Out of Control: The New Biology of Machines, Social Systems, and the Economic World*, Reading MA, Addison-Wesley, 1994, ch.7.
Voir : http://www.kk.org/outofcontrol/
2. J.R. BENIGER, *The Control Revolution: Technological and Economic Origins of the Information Society*, Cambridge MA, Harvard University Press 1986.
3. Fondés en 1928, les Congrès Internationaux d'Architecture Moderne (CIAM) furent, jusqu'à leur dissolution en 1969, un outil de réflexion et d'élaboration des pratiques urbanistiques qui a influencé le monde entier.
4. BUCKMINSTER FULLER, *SYNERGETICS—Explorations in the Geometry of Thinking*, Volumes I & II, New York, Macmillan Publishing Co, 1975, 1979. Voir aussi R. MOTRO, S.J. MEDWADOWSKI, *Tenségrité*, Paris, Hermes Science Publications 2005.
5. BENIGER, op.cit. (2).
6. D. HEMMENT, *The Locative Dystopia*, 02/21/2004, disponible en ligne :
http://www.makeworlds.org/node/76 : « La centralité croissante des systèmes de surveillance [...] suggère un nouveau rôle de la surveillance, il ne s'agit plus de contrôler les déviances, crime ou terrorisme mais de gérer la consommation, non plus de produire des sujets dociles

Valérie Châtelet

Architecte DPLG, MDesS diplômée de la Graduate School of Design de l'Université de Harvard, membre d'anomos depuis 1998, Valérie Châtelet a travaillé en France, en Allemagne, au Japon et aux Etats Unis et associe à sa pratique une activité de recherche et d'enseignement sur l'impact des technologies numériques sur le projet architectural et urbain.
Avec Luca Marchetti, elle a organisé deux tables rondes autour de la « Programmation numérique et conception de la ville » dans le cadre d'ISEA 2000 (Forum des Images, Institut Français d'Architecture).

:
:
:

French architect with an MDesS from the Harvard University Graduate School of Design, and a member of anomos since 1998, Valérie Châtelet has worked in France, Germany, Japan and the United States. She combines her practice with research and teaching on the impact of digital technology on architectural and urban projects. Along with Luca Marchetti, she organised two round tables on the topic of "Digital Programming and Urban Design" as part of ISEA 2000 (Forum des Images, Institut Français d'Architecture).

projects differ from the experiments of the 1950s - 1970s in that they do not renounce form, are not limited to designing infrastructure that subsequently acts as an agent for change, and no longer view the computer as a means of expanding automatic scientific control in order to manage the spatial, social and temporal complexity of towns. They take the form of systems or information devices which establish, without setting them in stone, intentions, knowledge and restrictions, or enables a consensus to be created.

It is urgent that we get past the experimental and marginal status of these projects that explore control strategies that we re-assess traditional preconceptions and practices and take advantage of opportunities offered by increasingly mature and widespread information and communication technology. The hypothesis of a Control Tensegrity principle enables us to contemplate, for the benefit of all individuals, the reversal of the way in which control is traditionally bound by government institutions, and to re-establish the legitimacy and credibility of public intervention in town planning.

Whilst discord, conflicting interests and diverse points of view appear to be vital elements for our societies, the need for flexibility and the development of open project creation tools are indispensable for society's preservation and for the common good.

Notes

1. K. KELLY, *Out of Control: The New Biology of Machines, Social Systems, and the Economic World*, Readings MA, Addison-Wesley, 1994, ch.7.
See : http://www.kk.org/outofcontrol/
2. J.R. BENIGER, *The Control Revolution: Technological and Economic Origins of the Information Society*, Cambridge MA, Harvard University Press 1986.
3. Created in 1928, the Congrès Internationaux d'Architecture Moderne - CIAM (International Congress of Modern Architecture) - was, until its dissolution in 1969, a tool for the consideration and creation of town planning practices that influenced the whole world.
4. BUCKMINSTER FULLER, *SYNERGETICS—Explorations in the Geometry of Thinking*, Volumes I & II, New York, Macmillan Publishing Co, 1975, 1979. See also R. MOTRO, S.J. MEDWADOWSKI, *Tenségrité*, Paris, Hermes Science Publications 2005.
5. BENINGER, op.cit. (2)
6. D. HEMMENT, "The Locative Dystopia", 02/21/2004, http://www.makeworlds.org/node/76: "The increasing centrality of surveillance systems to the commercial sector suggest a new role for surveillance, that of not controlling deviancy, crime or terrorism but of managing consumption, producing not docile subjects so much as better consumers, the imperative of efficiency applied not just within commercial enterprises themselves, but throughout the cultural domain."
7. D. BAUM, S. SCHMIDT, "Singapore. The State As Traffic Cop" Wired, 9.11 Nov. 2001.
8. A.L. SHAPIRO, *The Control Revolution: How the Internet is Putting Individuals in Charge and Changing the World*, New York, Public Affairs, 1999.
9. H. RHEINGOLD, *Smart Mobs : The Next Social Revolution*, Cambridge MA, Perseus Publishing, 2002.
10. KELLY, op.cit. (1).
11. RHEINGOLD, op.cit. (9).
12. D. KAPLAN, "Smart Mobs: crowds too intelligent to be real. A propos of the book *Smart Mobs* by Howard Rheingold", see http://www.fing.org/index.php?num=4041,4
13. E.S. RAYMOND, *The Cathedral and the Bazaar*,
See : http://www.catb.org/~esr/writings/cathedral-bazaar/
14. Linus Benedict Torvalds (born in 1969) is famous for having initiated the development of the Linux operating system. The law of Linux, inspired by Torvalds but enacted by Eric S.

mais de meilleurs consommateurs, les impératifs d'efficacité s'appliquant non plus seulement aux entreprises commerciales mais à l'ensemble du domaine culturel. »

7. D. BAUM, S. SCHMIDT, « Singapore. The State As Traffic Cop », *Wired*, 9.11 Nov. 2001.

8. A.L. SHAPIRO, *The Control Revolution: How the Internet is Putting Individuals in Charge and Changing the World*, New York, Public Affairs, 1999.

9. H. RHEINGOLD, *Smart Mobs : The Next Social Revolution*, Cambridge MA, Perseus Publishing, 2002. Trad.fr. *Foules Intelligentes*, éditions M2, 2005. (les citations de cet ouvrage se réfèrent à l'édition originale, traduction de l'auteur).

10. KELLY, op.cit. (1).

11. RHEINGOLD, op.cit. (9).

12. D. KAPLAN, « *Smart Mobs* : des foules trop intelligentes pour être réelles. A propos du livre *Smart Mobs* de Howard Rheingold », en ligne :
http://www.fing.org/index.php?num=4041,4

13. E.S. RAYMOND, *The Cathedral and the Bazaar*, voir :
http://www.catb.org/~esr/writings/cathedral-bazaar/

14. Linus Benedict Torvalds (né en 1969) est connu pour avoir initié le développement du système d'exploitation Linux. La loi de Linux, inspirée de Torvalds mais édictée par Eric S. Raymond dans son essai, *The Cathedral and the Bazaar*, op. cit. (13) est: « Etant donné suffisamment d'observateurs, tous les « bugs » sont visibles ». Les deux hommes sont à l'origine de la philosophie de l'*Open Source*.

15. KELLY, op.cit. (1).

16. MAKOTO SEI WATANABE, *The Induction Cities / Induction Design*. Voir aussi :
« Solution for the Complexity of the City and Architecture », voir :
http://www.makoto-architect.com/idc2000/index2.htm

17. Voir l'interview avec Denise PUMAIN, p.76.

18. N. NEGROPONTE, *Being Digital*, New York, Alfred A. Knopf, 1995, p.104.

19. C. CECCATO, *Integration: Master [Planner\Programmer\ Builder]*, disponible en ligne :
http://www.generativeart.com/ga2001_PDF/ceccato.pdf

20. P. BEAUCÉ, B. CACHE, « Towards a Non-Standard Mode of Production », in *Phylogenesis Foa's Ark*, Barcelona, Actar, 2004, pp.390-407.

21. Virtools: logiciel 3D interactif en temps réel, conçu initialement pour les développeurs de jeu vidéo. Voir : http://www.virtools.com

22. Voir l'article de D. GERBER p.146.

23. Cité dans l'article de C. RATTI, D. BERRY p.128, p.142.

24. Voir l'article de J. HUANG, M. WALDVOGEL p.210.

25. Voir l'article de L. PERRIN p.100.

26. « Dispositif assurant un enchaînement automatique et continu d'opérations arithmétiques et logiques, les automates cellulaires, dont les cellules sont les cases d'un tableau, permettent de simuler de nombreux phénomènes naturels », voir :
http://www.linux-france.org/prj/jargonf/A/automate.html

27. J.H. FRAZER, J.M. FRAZER, « The Groningen Experiment: Architecture as an Artificial life form - Materialisation Phase II », Architects in Cyberspace II, *Architectural Design*, Vol 68, No. 11/12 Nov-Dec 1998, pp12-15 ; J.H. FRAZER, « Action and Observation: The Groningen Experiment », *Problems of Action and Observation Conference*, Amsterdam, Systemica, Vol 12, 1997, pp135-142 ; J.H. FRAZER, « The Groningen Experiment: Global Co-Operation in the Electronic Evolution of Cities », *CAADRIA '97: Proceedings of the Second Conference on Computer Aided Architectural Design Research in Asia*, 1997, pp 345-353.

28. G. HARDIN, « The Tragedy of the Commons », *Science*, 162, 1968, pp.1243-1248. Voir : http://dieoff.org/page95.htm

Un extrait de cet article a été publié in K. OOSTERHUIS, L. FEIREISS (Eds.), *GameSetandMatch II, On Computer Games, Advanced Geometries, and Digital Technologies*, actes du colloque, Episode Publishers, 2006.

:
:
:

Raymond in his essay, The Cathedral and the Bazaar, is: "Given enough eyeballs, all bugs are shallow". The two men originated the Open Source.

15. KELLY, op.cit. (1).

16. MAKOTO SEI WATANABE, *The Induction Cities / Induction Design Project* (1990-). See also "Solution for the Complexity of the City and Architecture", see : http://www.makotoarchitect.com/idc2000/index2.htm

17. See interview with Denise PUMAIN p.76.

18. N. NEGROPONTE, *Being Digital*, New York, Alfred A. Knopf, 1995, p.104

19. C. CECCATO, *Integration: Master [Planner\Programmer\ Builder]*, see : http://www.generativeart.com/ga2001_PDF/ceccato.pdf

20. P. BEAUCÉ, B. CACHE, "Towards a Non-Standard Mode of Production", in *Phylogenesis Foa's Ark*, Barcelona, Actar, 2004, pp.390-407.

21. Virtools: 3D interactive software in real time, initially designed for video game developers. See: http://www.virtools.com

22. See article by D. GERBER p.146.

23. Quoted in the article by C. RATTI and D. BERRY p.129, p.143.

24. See article by J. HUANG and M. WALDVOGEL p.211.

25. See article by L. PERRIN p.100.

26. "A device ensuring an automatic and continuous sequence of arithmetic and logic operations, the cellular automaton, whose cells are the fields of a table, allows us to simulate numerous natural phenomena": http://www.linuxfrance.org/prj/jargonf/A/automate.html

27. J.H. FRAZER, J.M. FRAZER, "The Groningen Experiment: Architecture as an Artificial life form - Materialization Phase II", Architects in Cyberspace II, *Architectural Design*, Vol 68, No.11/12 Nov-Dec 1998, pp12-15; J.H. FRAZER, "Action and Observation: The Groningen Experiment", Problems of Action and Observation Conference, Amsterdam, Systemica, Vol 12, 1997, pp135-142; J.H. FRAZER, "The Groningen Experiment: Global Co-Operation in the Electronic Evolution of Cities", CAADRIA '97: Proceedings of the Second Conference on Computer Aided Architectural Design Research in Asia, 1997, pp 345-353.

28. G. HARDIN, "The Tragedy of the Commons", *Science*, 162, 1968, pp.1243-1248. See: http://dieoff.org/page95.htm

Translation from French by Emma Chambers.

An extract of this article has been published in K. OOSTERHUIS, L. FEIREISS (Eds.), *GameSetandMatch II, On Computer Games, Advanced Geometries, and Digital Technologies*, Episode Publishers, 2006.

L'évolution des systèmes de villes

Processus évolutifs et modélisations non-prédictives des systèmes urbains

The Evolution of Town Systems

Evolving Processes and Non-Predictive Modelling

Interview avec Denise Pumain
Interview with Denise Pumain
Université Paris 1, UMR Géographie-Cités

Comment vous êtes-vous intéressée à la modélisation des villes et des systèmes de villes ?

J'ai commencé à travailler sur les villes dans les années 1970, où l'on vivait une période de très forte croissance. Les explications de cette croissance insistaient sur les facteurs locaux, propres à chaque ville. Pourtant, en comparant plusieurs villes, on retrouvait à chaque fois des caractères communs. Je me suis donc intéressée à l'analyse des modèles généraux de la dynamique des villes. Un modèle statistique, celui de Gibrat[1], proposait d'expliquer les fortes inégalités constatées dans maintes répartitions économiques (les revenus des personnes, la taille des entreprises, mais aussi la taille des villes) par un processus de croissance dont les hypothèses étaient assez simples à tester. Cela suggérait qu'une forme d'explication commune, supposant des dynamiques similaires, pouvait servir de référence pour filtrer des processus généraux et ensuite permettre d'identifier des processus plus spécifiques du système étudié.

Qu'entend-on par systèmes de villes *et par* systèmes urbains *?*

C'est une question difficile car en sciences humaines on peut rarement définir avec suffisamment de précision des limites pour identifier des entités. On sait que les villes ont des limites floues dans l'espace, la frontière entre l'urbain et le rural est difficile à localiser, pourtant les villes sont des entités qui ont une identité construite au cours de l'histoire. En particulier, elles gardent longtemps des fonctions qu'elles assument au sein de leur territoire et de leur région, et qui font qu'on se les représente comme des villes plutôt industrielles, ou des capitales administratives, ou des centres touristiques par exemple. A l'échelle supérieure, on a une espèce d'entité collective que j'ai

:
:

1900

s and towns
000 inh.)
— 3 000 000
— 1 500 000
— 500 000

1950

dard
opolitan Areas)
— 9 000 000

— 2 500 000
— 500 000

2000

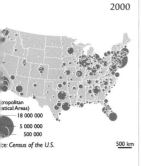

ropolitan
stical Areas)
— 18 000 000

— 5 000 000
—   500 000

e: Census of the U.S.   500 km

Evolution de la distribution des
agglomérations aux Etats Unis.
Evolution of metropolitan areas'
distribution in USA.
Source : A. Bretagnolle, D.Pumain,
C. Vacchiani, UMR Géographie-cités

How did you become interested in modelling towns and town systems ?

I started working on towns in the 70s, when we were going through a very
strong growth period, and the explanations for this growth emphasised local
factors that were specific to each town. However, whenever you compared
several towns, there were always common features. So I became interested
in general models of town dynamics. A statistical model, namely Gibrat's[1],
suggested that the explanation for the significant differences recorded in
many examples of economic distribution (i.e. individual income, the size of
companies, and also the size of towns) lay in a growth process whose assumptions were fairly simple to test. This would suggest that a common form of
analysis, which presupposes similar dynamics, could be used as a reference
to filter general processes and could subsequently enable us to identify more
specific processes in the system under study.

What is meant by town systems and urban systems ?

That's a difficult question as in social science you can rarely define the
boundaries identifying entities accurately enough. We know that towns have
vague boundaries in space, the border between what is urban and what is
rural is difficult to locate, however towns are entities with an identity that
has been constructed over the course of history. Notably, they retain the
functions they have taken on within their area and their region for a long
time, which means that they are seen as mainly industrial towns, or
administrative capitals, or tourist centres, for example. On a wider scale,
there is a kind of collective entity that I have proposed to call town systems,
made up of these groups of towns that differ according to their size and their
function. Town systems have their own specific features too, which continue

proposé d'appeler *système de villes*, qui sont formés de ces ensembles de villes diversifiées par leurs tailles et leurs fonctions. Les *systèmes de villes* ont aussi leurs particularités propres, qui persistent sur la durée et qui donc justifient qu'on les définisse en tant que systèmes dotés d'une certaine autonomie dans leur évolution. Ces *systèmes de villes* ont tous certaines caractéristiques : par exemple leur structure hiérarchique. Mais, par-delà cette propriété commune, les *systèmes de villes* ne sont pas tous organisés de la même façon.

Par exemple en France, on a un système qu'on appelle « primatial », avec une ville comme Paris qui est 7 fois plus grande que la 2e ville. C'est un écart énorme et cela fait des siècles qu'on retrouve cette différence dans les mêmes proportions. Alors qu'en Allemagne, les grandes villes ont des tailles beaucoup moins inégales.

On peut relier ces formes, ces morphologies de *système de villes* à des histoires politiques, à des conceptions du territoire. La France a été très tôt un royaume très centralisé, toute l'organisation politique et administrative a favorisé la concentration à Paris, non seulement des services, mais aussi des innovations industrielles. Alors qu'en Allemagne, au sein d'un empire, on a eu des états autonomes, des principautés ou des évêchés qui sont restés plus longtemps en concurrence.

Si les caractéristiques de ces systèmes de villes *sont liées à des choix politiques, pourquoi parle t-on d'auto-organisation ?*

Ce qui peut être relié à des choix politiques, qui en général sont de très longue durée, ce sont les traces qu'ils laissent en termes de spécificité d'organisation. En revanche, par-delà les différences, il existe des processus généraux de constitution des *systèmes de villes* qui relèvent de l'auto-organisation. Du moins, on les interprète de cette façon parce que les processus sous-jacents, toutes les décisions individuelles ou collectives qui les produisent, sont d'une part impossibles à identifier un par un et d'autre part produisent partout des effets similaires. Dans le cas des *systèmes de villes*, ce sont les interactions entre les villes, les multiples échanges (de biens, de personnes, d'information…), qui expliquent leurs propriétés communes, par exemple leur structure hiérarchique, ce que les spécialistes urbains appellent la *loi rang-taille*, ou *loi de Zipf*, selon laquelle le nombre des villes est une progression géométrique inverse de leur taille. C'est quelque chose que l'on pourrait considérer comme une trivialité statistique (par exemple en le reliant au modèle de croissance de Gibrat), mais que l'on peut aussi interpréter par des processus significatifs en termes d'échanges entre les villes[2]. Les villes sont en interaction, elles sont en concurrence et les informations qu'elles échangent font qu'elles ont tendance à s'imiter en propageant les innovations, mais aussi en proposant d'autres, qui sont ensuite adoptées par les autres villes.

Source: Bairoch and Geopolis

Evolution de la distribution des agglomérations en Europe.
Evolution of metropolitan areas' distribution in Europe.
Source : A. Bretagnolle, D.Pumain, C. Vacchiani, UMR Géographie-cités

through time and therefore justify the definition of town systems that have evolved with a certain element of autonomy. These town systems all have certain characteristics, such as their hierarchical structure. Beyond these shared features, however, town systems are not all organised in the same way.

In France, for example, there is a system we call "primatial", where a city like Paris is 7 times bigger than the second largest town. This is a huge gap, and the difference has been seen in the same proportions for centuries. Whereas in Germany, city sizes are far less unequal.

These town system forms and morphologies can be linked to politics and conceptions of territory. France was a very centralised kingdom from a very early stage, with its entire political and administrative organisation concentrated in Paris, not just in terms of services but also of industrial innovation. Whereas in Germany, at the heart of an empire, there were autonomous states, principalities or dioceses that remained in competition with one another for longer.

If the features of these town systems *are linked to political choices, why do we talk about self-organisation ?*

What we can link to political choices, choices that are generally not contemporary or recent but go back a very long way, political choices that are remade along the same lines for periods spanning hundreds of years, are the traces that they leave behind in terms of distinctive organisational features. On the other hand, beyond these differences there are general processes for forming these systems that come under the heading of self-organisation. At least this is how we interpret them because the underlying processes, along with all the individual or collective decisions that produce them, are impossible to identify one by one and produce similar effects everywhere. In the case of town systems, common features such as hierarchical structure can be explained by the interaction that occurs between towns, the many exchanges (e.g. of goods, property, information and so on) that occur from one town to another. Urban specialists call this the "rank-size law" or Zipf's law, which states that the number of towns grows in inverse geometric proportion to their size. This could be analysed as statistical trivia (by linking it to the Gibrat growth model, for example), but it can also be interpreted in terms of significant processes regarding the exchanges made between towns. The towns are interacting with each other, they are competing and the information that they exchange makes them tend to copy each other by spreading change and also by suggesting new innovations that are subsequently adopted by other towns.

Nowadays it feels as though this spreading of change is almost instant. A recent example of innovation is the science park model, every town wanted to reproduce the Silicon Valley model. But we could also cite the spread of the pedestrian zone model in town centres, the building of convention cen-

Aujourd'hui on a l'impression que cette propagation est quasi immédiate. Un exemple récent d'innovation est le modèle des technopôles : chaque ville a voulu reproduire le modèle de la Silicon Valley. Mais on pourrait aussi citer la diffusion du modèle des zones piétonnes dans les centre villes, la construction de palais des congrès, ou des innovations plus abstraites comme le modèle dit de la *gouvernance urbaine*, qui suppose une collaboration entre différents niveaux administratifs, des partenariats public-privé et une participation du public.

Il y a donc de l'imitation, une sorte d'apprentissage collectif, qui s'effectue constamment et qui produit à la fois un développement des villes et leur transformation qualitative. Ce processus d'apprentissage collectif est très fluctuant, quand on observe, sur des intervalles de temps très courts, les modifications économiques et sociales dans les villes. Il y a toujours des décalages de la date d'apparition et d'intensité des transformations de chaque ville. L'évolution se fait de façon incrémentielle, mais ces petites différences ne persistent pas d'une période sur l'autre et le résultat global est ce que j'appelle un processus de croissance distribuée, qui fait que toutes les villes d'un même système se développent à peu près au même rythme. Cela advient parce qu'elles sont connectées par des interactions très nombreuses, dans un territoire où les conditions sont relativement homogènes. Au contraire, des échanges plus simples et asymétriques - par exemple, entre une métropole et sa colonie - peuvent se traduire par des inégalités de croissance.

Globalement ce qui frappe c'est l'espèce d'expansion qui maintient l'ordre quantitatif hiérarchique, par exemple entre les villes européennes. Ce n'est pas seulement un maintien de la structure statistique mais aussi de la trame géographique des villes.

Il y a d'autres caractères qui se maintiennent sur des périodes plus longues que ce que l'on attendrait, par exemple les spécialisations urbaines. Les spécialisations apparues avec le cycle de la Révolution Industrielle se sont maintenues pendant très longtemps. Elles sont encore perceptibles, alors que le cycle d'innovations qui a donné naissance à ce type de spécialisation urbaine est depuis longtemps terminé.

La dimension temporelle est certainement une des dimensions qui entraîne la complexité des systèmes urbains. Que connaît-on de cette dimension ? Existe-t-il des cycles selon l'hypothèse de Jay Forrester[3] ou bien faut-il plutôt parler d'évolution ?

Ayant proposé une théorie évolutive des *systèmes de villes*, je pencherais, bien entendu, pour l'évolution, en particulier parce qu'il est clair qu'il y a une dépendance forte entre la structuration du système et l'apport régulier de personnes, de capitaux et d'innovations qui assurent son expansion. La dynamique principale de l'urbanisation n'est pas dans la répétition d'un cycle, mais dans des tendances historiques lourdes, liées par exemple à ce qu'on

1911

1951

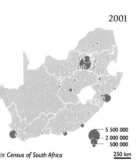

2001

2: Census of South Africa

250 km

Evolution de la distribution
des villes en Afrique du Sud.
Evolution of cities and town
distribution in South Africa.
Source : A. Bretagnolle, D.Pumain,
C. Vacchiani, UMR Géographie-cités

tres, or more abstract innovations such as the so-called urban governance model, which presupposes an element of co-operation between various administrative levels, public-private partnerships and public participation.

So there is an element of imitation, a kind of collective learning that is going on constantly and that results in both the development of towns and their qualitative transformation. This collective learning process certainly fluctuates a great deal; when you look at economic and social changes in towns over the short-term, at very short intervals in time. There are always differences between the date on which a transformation appears and the intensity of those transformations in each town. Development occurs in an incremental way, but these slight differences do not continue from one period to the next and the overall result is what I call a distributed growth process, which means that all the towns in one system develop at more or less the same pace. This is because they are connected by a very large number of interactions, across an area where conditions are relatively uniform. Conversely, more simple asymmetric exchanges (e.g. between a metropolis and its colony) could lead to inequalities in growth.

Overall the striking thing is the kind of expansion that preserves the quantitative hierarchical order, for example between European towns. It is not simply the statistical structure that is preserved, but also the geographical layout of towns.

Other features are preserved for longer periods than would normally be expected, such as the characteristics peculiar to urban areas. For example, the specific features that appeared with the Industrial Revolution have been preserved for a very long time; you can still see them today, whilst the cycle of changes that gave birth to this kind of specific urban feature ended a long time ago.

The dimension of time is certainly one of the dimensions contributing to the complexity of urban systems. What do we know about this dimension ? Do cycles exist, as stated in Jay Forrester's theory[2], or should we rather be talking about evolution ?

Having proposed an evolutional theory of town systems, I would of course lean towards evolution, particularly because there is a high level of dependence between the structuring of the system and the regular contribution of people, capital and innovations that ensures its expansion. The main dynamic of town planning does not lie within a repeated cycle, but in strong historical tendencies, linked for example to what we call demographic transition or the movement of populations from rural to urban areas. Town systems have developed and structured themselves on the basis of urban population growth and growth in terms of wealth. Competition between towns for this kind of growth is an essential process for explaining the hierarchical structure of these systems. What will happen if demographic growth stops once demographic transition and rural to urban population

appelle la transition démographique ou l'exode rural. C'est sur un fond de croissance de la population urbaine et de croissance du niveau de richesse que se sont développés et structurés les *systèmes de villes*. La concurrence entre les villes pour la captation de ces croissances est un processus essentiel pour expliquer la structure hiérarchique de ces systèmes. Que se passera-t-il si la croissance démographique s'arrête, une fois achevés la transition démographique et l'exode rural ? Il restera au moins une source d'expansion dans le système des villes, qui est liée précisément à la concurrence entre les villes. J'aurais tendance à parler de concurrence constructive. En effet, pour maintenir leur position dans le système, il faut que les villes participent aux innovations en cours, mais il ne suffit pas qu'elles imitent les autres, il faut aussi qu'elles inventent, qu'elles innovent. Le système des villes contient dans sa structure une incitation à l'innovation, il y a donc un effet en retour du niveau d'échelle macro-géographique, celui du système des villes, sur le niveau méso-géographique que constitue chaque ville. Cet effet de retour transforme la simple concurrence en émulation, en incitation à l'innovation. Ce renouvellement permanent des bases de l'activité et de la société urbaine continuera à soutenir les systèmes de villes dans leur organisation actuelle.

Dans cette évolution tendancielle, on repère aussi des cycles : l'évolution va dans le même sens, mais pas toujours au même rythme. Des cycles de durée très courte sont liés au caractère incrémentiel, par accroissements successifs, des transformations socio-économiques, ce qui fait que sur une période de quelques années telle ou telle ville peut se trouver en avance ou en retard par rapport aux autres. Mais en général on appelle cycle des phases plus longues, de quelques décennies, comme la Révolution Industrielle, ou encore l'invention du tourisme de masse, qui sont des faisceaux d'innovations multiples plus ou moins associées, et qui entraînent certaines villes dans des spécialisations fondées sur ces activités. Bien entendu, leur destin va se trouver lié, pour plusieurs décennies, au cycle de ces productions, même si les règles d'évolution générales amortissent les effets cycliques. En dehors des cas de « villes fantômes », des exploitations minières abandonnées par exemple, les villes ne sont pas substituables ou « jetables » comme des produits, elles ne disparaissent pas complètement lorsque le cycle qui a porté leur croissance entre dans sa phase de déclin.

Il y a eu des périodes dans l'histoire des villes où cet aspect cyclique a été amplifié. Par exemple, dans les pays de colonisation de peuplement, on a eu des cycles de très forte croissance urbaine suivie parfois de déclin, produisant des vagues qui ont suivi la progression des peuplements. Ainsi, aux Etats-Unis, depuis la côte Est, le développement urbain a suivi la construction des chemins de fer puis s'est accéléré sur la côte pacifique, avant de refluer vers les Suds. Dans la Chine d'aujourd'hui, la croissance urbaine est forte partout, mais la modernisation et la richesse croissent encore bien plus vite dans les régions côtières que dans les villes de l'intérieur.

movement has been achieved ? At least one source of expansion will remain in town systems, linked specifically to competition between towns. I would be inclined to talk about "constructive competition". In order to maintain their position within the system, towns have to get involved in the changes currently taking place, but it is not enough for them to simply imitate other towns, they must also invent and innovate by themselves. The town system's structure encourages innovation, which means there is a return effect where the macro-geographic scale of the town system has an effect on the meso-geographic level of the towns themselves. This return effect transforms simple competition into emulation and encouragement to innovate, and this continuous renewal of the foundations for employment and for urban society will continue to support town systems as they are currently organised.

Of course, in this trend-setting kind of development you can spot cycles too. Developments are made in the same direction but not always at the same speed. Very short cycles are linked to the incremental nature, by successive increases, of socio-economic transformations, which means that over a period of several years such and such a town can find itself ahead or behind with regard to other towns. In general, however, cycles refer to longer phases lasting several decades, such as the Industrial Revolution, or the invention of mass tourism, which are multiple clusters of changes, and which lead to certain towns having particular features based on these activities. Of course, their destinies will be linked to this production cycle for several decades, even if the general rules of development absorb the effects of the cycle. Except in the case of "ghost towns", for example abandoned mines, towns cannot be substituted or "thrown away" like products; they do not disappear completely when the cycle that caused them to grow enters its downward phase.

There have been periods in the history of towns where this cyclical aspect has been amplified, for example in countries where populations have been colonised, there have been cycles of very strong urban growth followed sometimes by decline, producing waves which followed population growth. Thus, in the United States, urban development followed the construction of the railways from the East Coast and then speeded up on the Pacific Coast, before flowing back to the South. In the China of today, urban growth is strong everywhere but modernisation and wealth are growing much more quickly in coastal regions than in towns in the interior of the country.

How is technology used in geographic modelling ?

Going over a quick review of urban simulation models, I realise that, even though there are recurring theoretical questions, the models are actually extremely dependent on the technology available.

Thus, Forrester's model used advances in cybernetics, but was probably restricted by the technical limitations of computers at the time. His urban dynamics model was based on aspatial interaction; perhaps Forrester was not

Comment les technologies sont-elles utilisées pour les modélisations géographiques ?

En retraçant un rapide historique des modèles de simulation urbaine, je me rends compte que, même si des questions théoriques reviennent, les modèles sont en fait extrêmement dépendants des technologies disponibles.

Ainsi, le modèle de Forrester s'appuyait sur les avancées de la cybernétique, mais était probablement contraint par les limites techniques des ordinateurs de l'époque. Son modèle de dynamique urbaine reposait sur des interactions a-spatiales. Peut-être que Forrester ne s'intéressait pas aux dimensions spatiales et en particulier à ce qui se passait à l'intérieur de la ville, mais il faut aussi reconnaître que techniquement c'était extrêmement difficile de les intégrer dans une modélisation basée sur des équations aux différences et sur le langage Dynamo[3].

Cependant, sur le plan conceptuel l'apport de Forrester reste intéressant en ce qu'il a inauguré une réflexion sur la dynamique des villes. Il s'agit en effet de la première tentative pour voir ce qu'il advient de l'évolution d'une ville considérée comme une entité autonome.

Ensuite, il y a ce qu'on appelle les grands modèles urbains de la Rand Corporation[4]. Il s'agissait de se donner des outils de planification du développement des villes en couplant la localisation des nouveaux quartiers à la question de prévision des moyens de transport. Dans ce cas, la limite était donnée non seulement par la capacité des ordinateurs mais surtout par la rareté des données disponibles, comme l'indique le célèbre article de Lee[5].

On a eu un progrès dans les années 1980, permis par d'autres concepts de la modélisation et en particulier la modélisation non-prédictive, où des équations différentielles non-linéaires ne représentent pas un problème à optimiser mais permettent d'explorer des futurs possibles. Il s'agit des modèles d'auto-organisation, qui sont des modèles urbains dynamiques et spatiaux. Les principaux ont été imaginés par Peter Allen[6], en application des théories de I. Prigogine à Bruxelles sur les structures dissipatives, ou de celles de A. Wilson à Leeds, ou encore des modèles synergétiques conçus par W. Weidlich et G. Haag en s'inspirant des théories développées par H. Haken à Stuttgart[7]. Tous ces modèles ont l'intérêt de permettre la simulation de l'évolution spatiale d'une ville, ce sont des modèles mathématiques, constitués d'équations différentielles non-linéaires. Ces modèles sont capables de montrer que des processus semblables sont compatibles avec des structures spatiales différentes, entre lesquelles le système est susceptible de bifurquer pour un petit changement de paramètre. Pour schématiser très fort, vous augmentez un tout petit peu le prix du pétrole et la ville redevient concentrée au lieu de continuer à s'étaler.

Les modèles dynamiques urbains, en fait aussi pour des raisons techniques, sont restés des prototypes de laboratoire, testés par des équipes scientifiques, mais qui n'ont pas été appliqués par des villes. Ils prenaient en compte des dimensions spatiales mais sous forme d'équations de la distance

interested in these spatial dimensions or more particularly in what happened within a town, but we should also recognise the fact that it was technically extremely difficult to incorporate these data into a type of modelling that was based on difference equations and the Dynamo language.

However, on a conceptual level Forrester's contribution remains interesting in that it ushered in thinking and research on town dynamics. In fact it was the first attempt to understand what happened in the development of towns, when these were considered as autonomous entities.

Subsequently, there were what we call the large scale models of the Rand Corporation, which created the tools for planning town development by combining the location of new districts with the issue of providing means of transport. In this case, limits were set not only by the capacity of computers but above all by the rarity of available data, as indicated in Lee's famous article ("Requiem for Large Scale Models"[6]).

A certain amount of progress was made in the 80s, facilitated by other modelling concepts and particularly by non-predictive modelling, where non-linear differential equations did not represent a problem to be solved but rather meant that new possible futures could be explored. The result was self-organisation models, which are dynamic and spatial urban models. The most significant models were those devised by Peter Allen[7], applying the theories of Prigogine in Brussels to dissipative structures, or those designed by A. Wilson in Leeds, or the synergetic models designed by W. Wiedlich and G. Haag, based on theories developed by H. Haken in Stuttgart[8]. All of these models facilitate the simulation of a town's spatial development; they are mathematical models, made up of differential non-linear equations. These models demonstrate that similar processes are compatible with different spatial structures, between which the system could branch out in a new direction over a small change in the parameters. To simplify this in the extreme, you increase the price of petrol a tiny bit and the town becomes concentrated more, rather than continuing to expand.

Dynamic urban models, for technical reasons, have remained laboratory prototypes, tested by scientific teams but not applied by towns. They take account of spatial dimensions on town-wide scale but in a very complicated, fairly general and overall way, in the form of parametrised distance equations. These models were not flexible enough to incorporate the specific features of a town. The absence of urban geo-referenced databases covering sufficiently long periods of time proved to be another obstacle to the calibration and validation that would have made these models more effective as decision aids.

Nowadays urban services are equipped with databases and have begun to collect information on land use, on the land registry, on networks and so on in highly efficient geographical information systems. For example in Paris,

paramétrée d'une manière très compliquée, assez générale et globale à l'échelle des villes. Au fond, ces modèles manquaient de souplesse pour prendre en compte les spécificités d'une ville. Pour l'avoir expérimenté, l'absence de bases de données urbaines géo-référencées sur des durées assez longues, était aussi un autre obstacle aux opérations de calibrage et de validation qui auraient permis de rendre ces modèles plus opérationnels pour l'aide à la décision.

Aujourd'hui les services urbains se sont équipés de bases de données et ont commencé à collecter des informations sur les utilisations du sol, le cadastre, les réseaux... dans des systèmes d'information géographique très performants. Par exemple à Paris, l'APUR (Atelier Parisien d'Urbanisme) et l'IAURIF (Institut d'Aménagement et d'Urbanisme de la Région Ile de France) font un travail formidable en termes de précision et de finesse. De plus, les capacités des ordinateurs ont beaucoup augmenté. On peut maintenant envisager de traiter des données spatialisées incluant des interactions spatiales nombreuses et diversifiées. La programmation orientée objet est l'autre progrès qui permet de voir la modélisation autrement, d'avoir une modélisation extrêmement flexible. Tout cela permet de formaliser de manière moins rigoureuse, mais avec plus de détails que dans les modèles mathématiques. C'est ce qu'on appelle la modélisation « multi-agents ».

Dans quelle mesure, les données utilisées ont-elles évoluées ? Y a t-il des limites à l'utilisation des données, en particulier pour la protection de la vie privée et des libertés individuelles ?

Il y a déjà des limites données par la CNIL (Commission Nationale de l'Informatique et des Libertés) dans le cas de la France et qui font que, par exemple pour les études urbaines, les données que communique l'INSEE (Institut National de la Statistique et des Etudes Economiques) sont dans le cadre des IRIS, découpage à l'intérieur des villes, pour lesquelles vous trouvez des données systématiques. Même quand des chercheurs travaillent sur des données plus fines, ces données sont toujours anonymisées. Il est absolument impossible de repérer telle personne ou telle entreprise. Nous n'avons pas en France d'informations accessibles en quantité suffisante pour faire une bonne modélisation au niveau individuel. Dans certains pays, comme la Belgique ou la Suède, où il existe des registres de population, on peut suivre l'évolution familiale, professionnelle, et les parcours des individus, de façon non-nominative mais à cette échelle très fine qui permet de réaliser ce qu'on appelle des modèles de « micro-simulation ». Les résultats de ces modèles sont assez lourds et complexes à manier. Plus vous affinez l'échantillon, plus la diversité qui est prise en compte est grande et moins les règles statistiques sont performantes.

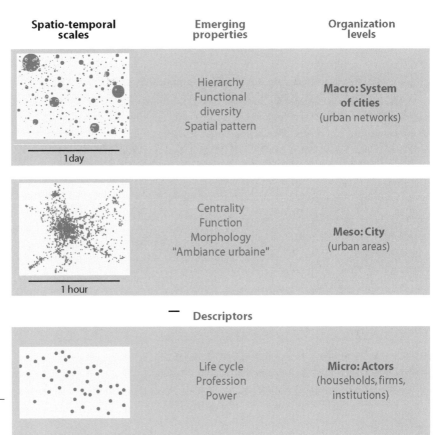

Spatio-temporal scales	Emerging properties	Organization levels
1 day	Hierarchy Functional diversity Spatial pattern	**Macro: System of cities** (urban networks)
1 hour	Centrality Function Morphology "Ambiance urbaine"	**Meso: City** (urban areas)
	— Descriptors	
	Life cycle Profession Power	**Micro: Actors** (households, firms, institutions)

D. PUMAIN
Echelle et systèmes urbains.
Propriétés émergentes.
Scale and Urban Systems.
Emerging structural properties.

APUR (l'Atelier Parisien d'Urbanisme - Paris Town Planning Agency) and IAURIF (Institut d'Aménagement et d'Urbanisme de la Région d'Ile-de-France - Institute for Urban Planning and Development of the Paris Ile-de-France Region) are doing a great job in terms of precision and subtlety. Moreover, computer power has greatly increased. We can now contemplate processing spatial data, including a large number of diverse spatial interactions. Object-oriented programming is the other area of progress that enables us to see modelling in a different way, and to achieve an extremely flexible level of modelling. This facilitates formalisation in a less rigorous way, but with more detail than is found in mathematical models. This is what we call "multi-agent modelling".

To what extent has the data used evolved ? Are there limits to the use of data, particularly with regard to the protection of privacy and individual freedom ?

In France, limits have already been set by the CNIL (Commission Nationale de l'Informatique et des Libertés – national board enforcing data protection and privacy legislation) which means that, for example for urban studies, data communicated by INSEE (Institut National de la Statistique et des

:
:

Que pensez-vous de logiciels comme UrbanSim ou What If qui tentent de simuler, à partir d'une base de données géo-localisée, l'impact de scénario d'intervention politique ?

Pour avoir travaillé sur ce type de modélisation, je sais que ces logiciels ont une très grande valeur heuristique et pédagogique, ils permettent de démontrer des résultats pour lesquels on a déjà des preuves scientifiques. Par exemple, si vous implantez un centre commercial trop près d'un autre, sans atteindre la masse critique, au bout d'un certain temps, ce centre commercial va péricliter.

Je pense que ce sont des outils très importants, bien que les informations qu'ils apportent ne soient pas suffisamment précises, ni suffisamment inattendues pour apprendre quelque chose de nouveau sur les villes. En fait, ce ne sont pas des outils de recherche, même si les matériaux et certains des procédés de simulation et de visualisation qu'ils emploient se retrouvent dans des modèles de recherche.

En quoi les modèles permettent-ils de simuler et d'anticiper l'évolution des villes ?

On peut anticiper assez facilement quelle va être grossièrement l'évolution dans le temps, les positions relatives se maintiennent sur des durées assez longues. Ce qui est beaucoup plus difficile c'est d'anticiper la nature de l'innovation économique et sociale qui va apparaître et qui transforme les contenus. Cette innovation apparaît quelque part, pas forcément dans les plus grandes villes, mais il y a toutes chances pour qu'elle soit très vite captée par les grandes villes. Aujourd'hui la création ex-nihilo de villes nouvelles est assez rare, on a plutôt un développement sélectif des villes parce que, pour accueillir des activités nouvelles, les villes doivent déjà disposer d'un certain nombre de ressources et d'infrastructures. Dans le cas de la Chine, on est très surpris parce que l'on découvre que des villes que nous ne connaissions pas il y a encore peu de temps ont pris une place très importante. Mais en fait, on aurait pu prévoir assez bien ces croissances en appliquant au système des villes chinoises les règles d'évolution observées sur d'autres *systèmes de villes*. Bien sûr, il aurait fallu disposer de bases de données pour quelques dates antérieures.

Vous travaillez actuellement sur les lois d'échelle et les processus évolutifs dans les systèmes urbains. Quelles sont les lois d'échelle ?

Une loi d'échelle est une relation systématique entre la taille d'une ville (qui peut être calculée à partir de sa population, on pourrait le faire à partir de sa richesse mais c'est une information souvent inaccessible) et d'autres variables. Ce qui est intéressant c'est la forme du rapport, linéaire ou non, qui s'établit entre la taille d'une ville et certaines activités. Par exemple, à l'inté-

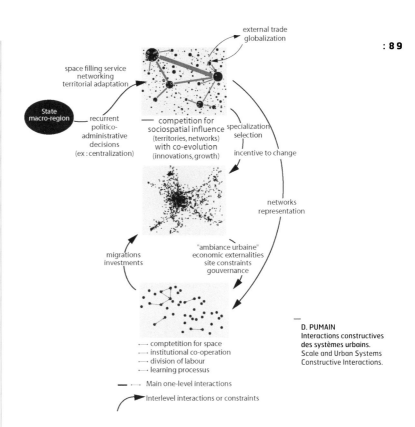

space filling service
networking
territorial adaptation

State
macro-region

recurrent
politico-
administrative
decisions
(ex : centralization)

external trade
globalization

competition for
sociospatial influence
(territories, networks)
with co-evolution
(innovations, growth)

specialization
selection

incentive to change

networks
representation

"ambiance urbaine"
economic externalities
site constraints
gouvernance

migrations
investments

— D. PUMAIN
Interactions constructives
des systèmes urbains.
Scale and Urban Systems
Constructive Interactions.

competition for space
institutional co-operation
division of labour
learning processus

Main one-level interactions

Interlevel interactions or constraints

Études Économiques - National Institute for Statistics and Economic Studies) will use IRIS, a reference system, showing statistical divisions within towns, for which you can find systematic data. Even when researchers work on more refined data, this data is always anonymous. It is absolutely impossible to pinpoint a certain person or company. However, in France we do not have access to sufficient quantities of data to be able to model well on an individual level. In some countries such as Belgium and Sweden, where there are population registers, you can monitor family and professional development, as well as individual life paths, in a non-nominative way, but on a very refined scale that means you can create what we call micro-simulation models. Their results are too numerous and difficult to interpret. The more you refine the sample, the more diversity is taken into account and the less efficient the statistical rules become.

What do you think about software programmes like UrbanSim and What If, which try to simulate the impact of political intervention scenarios using a geolocalised database ?

Having worked on this kind of modelling, I know that it has great heuristic and educational value in that it enables us to demonstrate results for which we already have scientific proof. For example, if you place one shopping centre too close to another one, without reaching critical mass, after a while that shopping centre is going to go downhill.

IRIS : Ilots regroupés pour l'information statistique.
IRIS : Agglomerated Blocks for Statistical Data.

rieur d'un *système de villes* cohérent, tout ce qui représente l'importance des services est en général proportionnel à la taille des villes. Il est assez facile de déterminer le nombre de coiffeurs, de services de santé, d'éducation, etc., en connaissant le nombre d'habitants d'une ville.

Mais pour d'autres activités on a au contraire une relation supra-linéaire, c'est-à-dire qu'on va trouver une quantité d'emplois ou d'établissements dans ces activités qui est plus que proportionnelle au nombre d'habitants. Dit autrement, ce sont les grandes villes qui concentrent surtout ce type d'activités. Ce qui exprime au fond un certain niveau de complexité des fonctions de ces grandes villes. C'est le cas par exemple pour des activités qui touchent à l'innovation, comme le nombre de brevets émis qui est un indicateur de l'inventivité, de la production intellectuelle. D'après une étude récente effectuée aux Etats-Unis par J. Lobo, cet indicateur n'est pas lié à la productivité des inventeurs, mais tient à la concentration du nombre de chercheurs dans une ville. On retrouve le même phénomène dans les villes françaises (d'après une étude de F. Paulus) pour un certain nombre d'activités comme les services aux entreprises, la publicité, les services financiers... On pense que cette forme de loi d'échelle est en rapport avec les processus d'évolution dans les *systèmes de villes*.

Très logiquement c'est dans les grandes villes qu'on va voir les innovations se développer. Et si elles n'apparaissent pas nécessairement dans les grandes villes, elles sont tout de suite captées par les grandes villes qui ont les capacités des les mettre en œuvre. Par exemple, les fonctions internationales peu-

I think these are very important tools, even though the information they give is neither precise enough nor unexpected enough to teach us anything new about towns. These are not research tools, even though they use elements and some of the simulation and visualisation processes found in research models.

How do the models enable you to simulate and anticipate town development ?

It's quite easy to anticipate if it's just a matter of roughly predicting what development will be like over time, the relative positions remain the same for fairly long periods. What is much more difficult is anticipating what social and economic changes there will be, what is going to turn up and transform the content. An innovation appears somewhere, not necessarily in the largest cities, but it is very likely that it will be taken up very quickly by the cities. Nowadays it is quite rare to create new towns ex-nihilo, there is more of a selective development of towns because in order to accommodate new activities, towns need to have a certain amount of resources and infrastructure. In the case of China, we have been very surprised to discover that towns we did not know just a short time ago have taken up very important positions. In fact, however, we could very well have foreseen this growth by applying the development rules observed in other town systems to the Chinese town system. Of course, we would have to have had databases for some earlier dates.

You are currently working on laws of scale and development processes in urban systems. What are the laws of scale ?

A law of scale is a systematic relationship between the size of a town (which can be calculated based on its population, you could do it based on its wealth but that information is often inaccessible) and other variables. What is interesting about this is the kind of connection, whether linear or otherwise, that establishes itself between the size of a town and certain activities. For example, the extent of services is generally proportionate to the size of towns; within a coherent town system it is fairly easy to work out the number of hairdressers, health services, education services etc. when you know the number of inhabitants a town has.

However for other activities there is, conversely, a supra-linear relationship, which means that you will find a quantity of jobs or establishments in these activities that is more than proportional to the number of inhabitants. In other words, these types of activity are concentrated above all in big cities. This expresses a certain level of complexity regarding the function of these cities. This is the case for example for activities that are involved in innovation, like the number of patents submitted, which is an indicator of inventiveness and of intellectual production. According to a recent study

vent s'interpréter dans les villes européennes comme une «innovation» récente. Ces activités vont de choses apparemment banales comme les hotels 4 étoiles, les écoles japonaises ou d'autres services extrêmement spécialisés comme l'audit international. On les voit se localiser tout d'abord dans les grandes villes. Par la suite, ces nouveautés se banalisent et se diffusent dans des villes de plus en plus petites. Mais il ne s'agit pas d'une règle générale. Par exemple, les aéroports internationaux vont rester limités à un certain niveau de ville. En Europe typiquement le seuil d'apparition de ces fonctions reste situé autour de 200 000 habitants. Certaines innovations restent bloquées sur les niveaux supérieurs de la hiérarchie, ce qui explique qu'on ait cette relation supra-linéaire. Rennes avec son métro fait figure d'anomalie ambitieuse parce qu'en général ce service n'apparaît que dans des villes ayant au moins un million d'habitants.

Dans votre intervention pour la première journée Complexité, *le 27 novembre 2003[8], vous introduisiez une dimension cognitive comme un des facteurs possibles de l'évolution des villes. Dans quelle mesure les processus d'auto-organisation sont-ils connus des acteurs ?*

Les acteurs croient à l'action. Quand il s'agit de suggérer des limites à leur capacité d'action c'est toujours une question délicate. En même temps, ils ont conscience de ces limites. Au fond, ce sont des praticiens de l'auto-organisation. Lorsqu'ils prennent une décision, c'est toujours dans un contexte partiellement informé, partiellement en anticipation, sur ce que vont décider les autres. En sciences sociales, l'auto-organisation implique toujours la cognition des agents, des intentions, des jeux où un acteur réalise certaines stratégies, même si globalement on peut parfois modéliser le résultat de ces actions en ne connaissant pas le détail des intentions qui l'ont produit. Les acteurs ont une conscience pratique de ces processus d'auto-organisation, même s'ils ne le perçoivent ou explicitent dans les mêmes termes que les scientifiques.

Pour autant, sur ce plan là, nous n'avons rien à apprendre aux acteurs. Mais s'il s'agit de prendre en compte plusieurs échelles, des échelles de temps dont nous venons de parler et des échelles d'espaces qui sont de plus en plus impliquées par exemple dans les projets européens qui comportent de plus en plus d'acteurs imbriqués autour de différentes compétences, les modèles théoriques peuvent apporter de l'information aux différents acteurs en leur montrant comment peuvent se produire les interférences entre les programmes.

Pour le moment, on n'a pas beaucoup de mesures pour évaluer l'influence de cette cognition. On peut commencer à tester les tentatives des villes pour dépasser leurs concurrences et dépasser les limites attachées à leur taille, en s'associant. Des tentatives de ce genre sont mises en œuvre à l'échelle européenne par l'échange de « bonnes pratiques », notamment pour promouvoir ce qu'on appelle un développement polycentrique. On pourra à terme, je

conducted in the United States by J. Lobo, this indicator is not linked to the productivity of inventors, but stems from the concentration of researchers in one town. You can find the same thing in French towns (according to a study by F. Paulus) for a certain number of activities such as business services, advertising, financial services and so on. We think that this form of law of scale is linked to development processes in town systems.

Very logically, big cities are the places where we are going to see innovations develop. They don't necessarily appear in the big cities, but they are immediately taken up by big cities that have the capacity to implement them. For example, international services in European towns can be interpreted as a recent "innovation". These activities range from apparently banal things such as 4 star hotels, Japanese schools or other services for business executives to extremely specialised services such as international auditing. Initially, we see them being located in big cities. Subsequently, these novelties become commonplace and spread out to smaller and smaller towns. Not everywhere though, for example international airports are going to remain limited at a certain town level. In Europe, the typical threshold for the appearance of such services remains at around 200,000 inhabitants. Some innovations remain held up at the higher levels of the hierarchy, which explains this supra-linear relationship.

With its metro, Rennes cuts an ambitious irregular figure, because this service generally only appears in towns with at least a million inhabitants.

As part of your contribution to the first day of the Complexity seminar, on November 27th 2003, you introduced a cognitive dimension as one of the possible factors in town development. To what extent are those involved in town planning aware of self-organisation processes ?

The players involved believe in their actions, therefore when it comes to suggesting that there are limits to their capacity for action it is always a delicate issue, of course. At the same time, they are aware of these limits. They are basically really working with self-organisation. When they make a decision, it is always done in a partially informed, partially anticipatory context with regard to what others are going to decide. Self-organisation in social science always implies the cognition of agents, intentions, scenarios where one player carries out certain strategies, even if overall you can sometimes model the result of these actions without knowing the detailed intentions that produced it. The players involved have a practical awareness of these self-organisation processes, even if they do not perceive or explain them in the same way as scientists.

In this regard we have nothing to teach the players involved. But when it comes to taking several scales into account, time scales as we've just been talking about, and scales of space that are increasiling involved, for example in European projects with an increasing number of overlapping participants, theoretical models can provide information and demostrate how interaction

pense, mesurer l'impact de ces politiques en cours et donc évaluer l'effet de la prise de conscience des processus d'auto-organisation des systèmes sur leur évolution.

Il me semble que la globalisation, l'Internet, les situations de centralités ou de périphéries interagissent énormément sur le paramètre spatio-temporel. Est-il envisageable que les technologies numériques modifient la définition de ce paramètre ?

L'utilisation d'Internet brouille effectivement ce qui constitue un jeu d'acteurs déjà très complexe. D'un côté, il y a des ménages qui aspirent à des conditions de logements plus proches de la nature et moins chères, tout en souhaitant l'accès à des équipements comme des grandes écoles ou une gare TGV. De l'autre, il y a un jeu de concentration/déconcentration conscient et organisé par les promoteurs immobiliers et les propriétaires qui veulent soit réaliser des développements nouveaux en périphérie, soit valoriser le capital des propriétés existantes dans le centre des villes. Les lobby automobiles et d'autres acteurs, comme les commerces de grande surface, peuvent être intéressés par l'étalement urbain.

Inversement, le caractère très coûteux en énergie et en consommation d'espace des constructions péri-urbaines, du modèle dit de la *ville émergente* est contesté à l'échelon européen et par tous les adeptes du *développement durable* qui souhaitent une ville plus compacte.

On est dans une phase de basculement possible entre un modèle de ville et l'autre. Je pense que les européens ont su développer historiquement, peut-être pas volontairement, un modèle de ville compacte et une vie urbaine avec des aménités importantes à proximité des centres. On valorise la centralité, la concentration, la rencontre dans des espaces publics. En schématisant, à l'opposé on a le modèle américain qui s'est développé principalement autour de l'automobile et qui a favorisé le développement des Suburbs.

Dans la mesure où l'Amérique est à la pointe du développement économique actuel pour beaucoup de choses, bien des gens ont tendance à penser que cela implique que les options de morphologie urbaine, c'est-à-dire les choix de planification urbaine des américains, sont l'avenir des villes européennes. Quand on fait un peu d'histoire des systèmes on sait qu'il n'en est pas nécessairement ainsi, c'est-à-dire que ce n'est pas la forme apparemment la plus adaptée, à un moment donné, aux processus en cours, qui s'impose partout. Il y a ce qu'on appelle la *path-dependency* (la dépendance à l'égard de l'évolution historique passée). Le système a emprunté une certaine trajectoire, ce qui fait qu'il peut absorber de la nouveauté, en l'adaptant, mais sans nécessairement adopter une structure qui aura été engendrée à un autre moment par d'autres systèmes.

C'est un enjeu un peu théorique, mais aussi social et culturel très important que de savoir si nos villes européennes sont prêtes à basculer vers le modèle américain, sous la pression des promoteurs qui valorisent les développe-

can occur between programmes.

For the time being, we do not have many ways to assess the influence of this cognition. We can start testing attempts between towns to overtake the competition, where towns will try to break through the limits dictated by their size by joining together. Attempts of this kind are implemented on a European-wide scale through the exchange of *good practices*, notably to promote what we call polycentric development. In the end we will, I think, be able to measure the impact of these policies and therefore to assess the effect that the awareness of self-organisation processes in systems has on their development.

It seems to me that globalisation, the Internet, and centralised or peripheral situations are jointly affecting the space-time parameter. Could digital technology foreseeably redefine this parameter ?

The use of the Internet does indeed complicate what is already a very complex process. On the one hand, there are households desiring living conditions that are closer to nature and less expensive, with access to services like prestigious universities or TGV (high speed rail link) stations. On the other hand, there is a conscious and organised interplay between concentration and decentralisation on the part of real estate developers and landlords, who either want to carry out new developments on the outskirts of towns or increase the assets of existing properties in the centre. You also find car lobbies and other parties benefiting from the spreading out of urban areas, such as superstores. Conversely, the very high cost of out-of-town construction in terms of energy and space, from the so called *emerging town model*, is contested on a European level and by all supporters of *sustainable development* who would like to see a more compact town. We are currently in a phase where we could swing towards one town model or another. I think that Europeans have been able to develop historically, maybe not voluntarily, a compact model of a town, where you can live an urban life with major urban amenities situated close to the centre. We value centrality, concentration, and meetings in public spaces. To simplify this, at the other end of the scale we have an American model that has mainly developed around the car and that has favoured the development of suburbs.

Insofar as America is at the cutting edge of current economic development in many areas, a lot of people are inclined to think this implies that the options for urban morphology, the choices shall we say relating to American urban planning, form the future of European towns.

When you look at the history of systems, you realise that this is not necessarily the case, in other words the form that seems most suited to the process underway at any given time, is not the one that will become established everywhere. There is what we call *path-dependency*, i.e. dependence with regard to past historical development. The system has followed a certain route, which means it can adapt to new conditions, but without necessarily

ments en périphérie ou bien si nous allons savoir inventer et adapter une forme urbaine qui d'un côté préserve des valeurs de centralités, d'ambiances urbaines spécifiques à l'Europe (appréciées non seulement par nous mais aussi par tous nos visiteurs étrangers), de l'autre doit être capable de s'adapter à de nouveaux modes de vie, en particulier celui associé à la voiture.

Suivant les pays, le basculement est plus ou moins incertain. Les pays du Nord pencheraient plutôt pour le développement périphérique alors que les pays du Sud valorisent encore très fortement les centralités.

L'évolution des technologies de l'information et en particulier la diffusion de l'Internet, peut-elle permettre à d'autres échelles d'acteurs de prendre conscience à leur tour des processus d'évolution et par leur réaction de les influencer ?

C'est quelque chose qui a été encouragé. On parlait toute à l'heure de politique européenne, il y a eu des incitations de la part de la Commission auprès des villes pour développer une information interactive auprès de leurs habitants. Les résultats sont encore très inégaux. Il faut le temps de mettre en place ces nouveaux services techniquement mais aussi socialement parce qu'on n'a pas l'habitude de cette participation.

Dans d'autres domaines, qui ne sont pas nécessairement ceux de la planification urbaine, il y a des expériences qui sont conduites pour faire émerger, par la base, des normes sociales et voire même des normes juridiques. Je pense par exemple aux expériences qui sont faites avec les Creative Commons qui produisent une définition de la norme par les acteurs concernés et qu'on pourrait appliquer à d'autres instances de gouvernance institutionnalisée. C'est bien sûr le grand rêve de la démocratie participative.

Par ailleurs, il y a des tentatives, je pense par exemple aux jeunes des cités à qui on propose divers usages d'Internet en essayant de les sortir de cet enfermement, souvent dénoncé, dans les zones urbaines dites sensibles. A l'avenir on peut aussi attendre beaucoup des *bureaux du temps* (*time geography*), c'est-à-dire de l'utilisation de l'espace urbain à différent moment de la journée et par différentes populations, qui pourraient être mieux mis en œuvre grâce à des concertations. On trouve en Italie beaucoup d'initiatives de ce genre.

Comment imaginez-vous que l'utilisation des Creative Commons ou bien les phénomènes de collaboration que l'on appelle aujourd'hui Smart Mobs puissent influencer l'organisation des villes ?

Il ne s'agit pas de revenir au rêve du village, ou de réinventer la vie de quartier, mais de favoriser les échanges à différents niveaux d'information, entre des populations nécessairement différentes et que les profils professionnels tendent à spécialiser de plus en plus. Il s'agit de partage de connaissances, mais aussi de créativité, et d'apprentissage continu sous des formes nouvelles. Avec d'autres techniques, selon des vitesses beaucoup plus rapides, et

adopting a structure that has been created elsewhere by other systems.

It is a somewhat theoretical, but also very important social and cultural challenge to discover whether our European towns are ready to move over to the American model under the pressure of real estate developers who recognise the value of out of town developments, or whether we will be able to invent and adapt an urban form that can preserve the values of centrality and specific urban atmospheres in Europe, which are appreciated not only by us but also by all our foreign visitors, and which can also adapt to new ways of life, particularly with regard to cars.

Country by country, a move towards one model or another remains fairly uncertain. Northern countries lean more towards peripheral development, whereas Southern countries still value centrality very strongly.

Can the development of information technology, and particularly widespread Internet access, help other groups in their turn to become aware of development processes and to influence these by their reactions ?

This is something that has been encouraged. Just now we were talking about European politics; the Commission has encouraged towns to develop interactive information resources with their inhabitants. The results are still very unequal. It will take time to implement these new services in a technical sense, but also in a social sense because we are not used to this kind of involvement.

For other fields, not necessarily those relating to town planning, experiments have been conducted to extract from the bottom up, social standards and even legal standards. I'm thinking for example about the experiments that were carried out with the Creative Commons, which produced a definition of standards by those involved and which we could apply to other instances of institutionalised governance. This is of course the great dream of participatory democracy.

Moreover, there have been attempts, I'm thinking for example of the young people on housing estates to whom various uses for the Internet have been proposed, in an attempt to get them away from the frequently condemned seclusion of so-called sensitive urban areas. In the future we can also expect many things from *time geography*, meaning the use of urban space at different times of the day by different people, which could be better implemented through the use of dialogue. This kind of initiative is frequently found in Italy.

How can you see the use of Creative Commons or the collaborative phenomena that we now call Smartmobs influencing the way in which towns are organised ?

It is not a question of returning to the village dream, or reinventing the life of a district, but of promoting the exchange of information on different

dans une multiplication incroyable du nombre et de la diversité des activités accessibles, ces phénomènes se placent dans la lignée du processus amorcé de longue date avec l'invention des villes : un jeu social de création de richesse par la division du travail, mais aussi d'intériorisation de la nouveauté et de la socialisation par l'individu urbain, en interaction avec beaucoup d'autres.

Notes

1. Voir R. GIBRAT, *Les inégalités économiques*, Paris, Sirey, 1931.
2. Voir J.W. FORRESTER, *Urban Dynamics*, Cambridge MA, MIT Press, 1969.
3. DYNAMO (Dynamic Models) est un langage créé par Jay W. Forrester pour fabriquer facilement sur ordinateur des simulations de modèles de retroaction.
4. Voir I. LOWRY, *A Model of Metropolis*, Santa Monica, RC. Rand Corporation, 1964.
5. D.B.Jr LEE, « Requiem for Large-Scale Models », *AIP Journal,* mai 1973, pp. 163-177.
6. Voir P. ALLEN, *Cities and Regions as Self-Organising Systems, Models of Complexity,* Amsterdam, Gordon and Breach Science Publishers, 1997 ; Voir aussi D. PUMAIN, L. SANDERS, T. SAINT-JULIEN, *Villes et auto-organisation*, Paris, Economica, 1989 ; D.PUMAIN, « Les modèles d'auto-organisation et le changement urbain », *Cahiers de Géographie du Québec*, Vol. 42, n° 117, décembre 1998, pp. 349-366. Disponible en ligne : http://www.ggr.ulaval.ca/cgq/textes/vol_42/no_117/Pumain.html
7. Voir I. PRIGOGINE, I. STENGERS, *La Nouvelle Alliance*, Paris, Gallimard, 1979 ; A.G. WILSON, *Catastrophe Theory and Bifurcation: Application to Urban and Regional System*, London, Croom Helm, 1981 ; W. WEIDLICH, G. HAAG, *Interregional Migration, Dynamic Theory and Comparative Analysis*, Berlin, Springer Verlag, 1988 ; H. HAKEN, *Synergetics, an Introduction*, Berlin, Springer Verlag, 2eme ed., 1977.
8. D. PUMAIN, *Les formes des systèmes de villes : dynamique ou évolution ?*, Première journée Complexité, 27 novembre 2003, en ligne : http://complexite.free.fr/DenisePumain.pdf

Denise Pumain

Professeur à l'Université Paris I, chercheur associé à l'INED, Denise Pumain a impulsé et animé les mouvements de rénovation de la géographie théorique et quantitative dès les années 1970. Spécialiste de la géographie des villes et de leur modélisation, pionnière de l'utilisation de la théorie de l'auto-organisation et des modèles dynamiques non linéaires transposés depuis les sciences physiques vers les sciences sociales et appliqués à la géographie urbaine, elle a publié de nombreux ouvrages parmi lesquels - *Pour une théorie évolutive des villes* (1997).

levels, between populations that are necessarily different and whose professions are making them more and more specialised. It is a question of sharing knowledge, but also creativity, and continuous learning in new forms. Along with other techniques, working at much higher speeds, and with the unbelievable increase in the number and diversity of activities that are accessible, this is a continuation of the process that began a long time ago with the invention of towns – a social game of wealth creation through the division of labour, but one that also involves the internalisation of newness and socialisation on the part of the urban individual, through interaction with many other individuals.

Notes

1. See R. GIBRAT, *Les inégalités économiques* (Economic Inequalities), Paris, Sirey, 1931.
2. See J.W. FORRESTER, *Urban Dynamics*, Cambridge MA, MIT Press, 1969.
3. DYNAMO (Dynamic Models) is a language created by Jay W. Forrester in order to make retrospective model simulations easily on the computer.
4. See for example I. LOWRY, *A Model of Metropolis,* Santa Monica, RC. Rand Corporation, 1964.
5. D.B.Jr LEE, "Requiem for Large-Scale Models", *AIP Journal*, May 1973, 163-177.
6. See P. ALLEN, *Cities and Regions as Self-Organising Systems; Models of Complexity*, Amsterdam, Gordon and Breach Science Publishers, 1997; See also D. PUMAIN, L. SANDERS, T. SAINT-JULIEN, *Villes et auto-organisation* (Towns and Self-Organisation), Paris, Economica, 1989; D.PUMAIN, "Les modèles d'auto-organisation et le changement urbain" (Self-Organisation Models and Urban Change), *Cahiers de Géographie du Québec*, Vol. 42, n° 117, December 1998, Pages 349-366, available on line at:
http://www.ggr.ulaval.ca/cgq/textes/vol_42/no_117/Pumain.html
7. See I. PRIGOGINE, I. STENGERS, *La Nouvelle Alliance* (The New Alliance), Paris, Gallimard, 1979; A.G. WILSON, *Catastrophe Theory and Bifurcation: Application to Urban and Regional System*, London, Croom Helm, 1981; W. WEIDLICH, G. HAAG, *Interregional Migration, Dynamic Theory and Comparative Analysis*, Berlin, Springer Verlag, 1988 ; H. HAKEN, *Synergetics, an Introduction*, Berlin, Springer Verlag, 2nd ed., 1977.
8. D. PUMAIN, "Les formes des systèmes de villes : dynamique ou évolution ?" (The Forms of Town Systems - Dynamics or Evolution ?), First day of the Complexity Conference, 27 November 2003, on line at: http://complexite.free.fr/DenisePumain.pdf

Translation from French by Emma Chambers.

A professor at the University of Paris I and associate researcher at the INED (French National Institute for Demographic Studies), Denise Pumain has stimulated and led movements for the reform of theoretical and quantitative geography since the 1970s. An expert in town geography and modelling and a pioneer in the use of the self-organisation theory, as well as the use of non-linear dynamic models transposed from the physical to the social sciences and applied to urban geography, she has published several works, including *Pour une théorie évolutive des villes* (For an Evolving Theory of Towns, 1997).

Prospective urbaine digitale :
la modélisation peut-elle rendre l'avenir de la Ville plus perceptible et la planification (un peu) moins aléatoire ?

Digital Urban Visioning :
Can Modelling Make City's Future More Tangible and Planning (Slightly) Less Uncertain ?

Laurent Perrin
IAURIF

Avant-propos (Les outils neufs de l'urbaniste)

« Quand la prospective territoriale se veut scientifique, elle peut éprouver le besoin de fonder ses analyses sur des types de configurations ou de dynamiques géographiques qui gagneront à être représentées à l'aide de modèles graphiques validés par la connaissance scientifique. »
B. Debarbieux, M.Vanier[1]

Planifier une ville est une démarche de projet éminemment prospective, dont il est essentiel de percevoir et, si possible, mesurer toutes les conséquences. Il fut un temps où l'on pensait l'avenir certain et où la planification était un exercice de prévision essentiellement linéaire, normatif et déductif : il s'agissait alors de mesurer des évolutions sur une certaine période puis de les extrapoler sur une autre. A partir de là, il était assez facile d'en déduire les besoins en logements, en équipements et en infrastructures et leur distribution spatiale en appliquant des standards simples. Aujourd'hui, la donne a bien changé dans les pays dits avancés (pour se limiter à eux), car l'incertitude économique, la rapidité des mutations sociales, le pluralisme des acteurs de la ville et la versatilité de l'opinion publique, ont rendu l'exercice de la planification urbaine beaucoup moins déterminé et donc beaucoup moins simple.

L'expression de *planification stratégique* s'est d'ailleurs généralisée depuis une vingtaine d'années pour désigner un mode de pilotage de projet empirique et adaptable, rendu nécessaire par ce contexte socioéconomique fortement volatile et aléatoire. Plus récemment, le terme *visioning* est apparu aux USA et au Royaume-Uni. Dérivé du verbe *to envision*, il se réfère à des démarches de prospective conçues pour envisager l'avenir d'un quartier, d'une ville, voire d'une région toute entière, de manière ouverte au

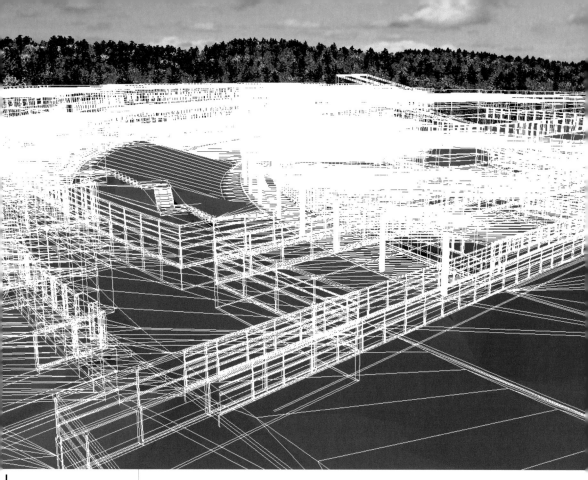

Modèle 3D du campus du Cirad
à Baillarguet (1990).
Perspective en fil de fer des
bâtiments incrustée dans une image
de synthèse du site calculée avec
le logiciel AMAP
View of buildings inserted into a
synthetic image created using the
AMAP software program.
© CIRAD-Unité de modélisation
des plantes

Foreword (The new tools of the town planner)

"When territorial futures study tries to be scientific, it can feel the need to base its analyses on geographical types of configuration or dynamics that would benefit from representation through the use of graphic models endorsed by scientific knowledge."
B. Debarbieux, M.Vanier[1]

Planning a town is an eminently prospective process, where it is essential to perceive and, if possible, measure all the consequences involved. There was a time when we thought the future was certain and when planning was an essentially linear, normative and deductive exercise in forecasting - it was all about measuring developments over a certain period and then extrapolating these onto another period. On this basis, it was fairly easy to estimate needs with regard to housing, facilities and infrastructures, along with their spatial distribution, by applying simple standards. Nowadays things have changed considerably in so called "advanced" countries (to limit ourselves to these), as economic uncertainty, the rapid pace of social changes, the diversity of the players involved in town decision-making and the changeability of public opinion have rendered the exercise of urban planning far less determined and therefore far less simple.

pluralisme des opinions et rigoureuse sur le plan de la méthode. Pour cela, il favorise une élaboration participative de *scénarios* d'urbanisme (ou visions) qui font ensuite l'objet d'évaluations comparatives sur la base de critères « objectivables ». Ces visions servent essentiellement à « spatialiser » les préférences des groupes d'acteurs concernés pour telle ou telle forme d'urbanisation, avec des cartes d'occupation des sols et de réseaux de transports. Une fois numérisées et intégrées dans un système d'information géographique (SIG), elles alimentent des modèles de simulation de trafic et d'indicateurs socio-économiques, qui permettent de jauger leurs « performances » environnementales et sociales. Le *visioning* repose ainsi sur cinq axiomes, aussi complémentaires, qu'indissociables : sensibilisation, participation, scénarisation, modélisation et évaluation. Le *visioning* est considéré comme une première phase dans un processus de planification, car il est entendu qu'une vision n'est que l'ébauche d'un plan, à laquelle il conviendra d'apporter de nombreuses précisions juridiques, techniques et financières.

Paradoxalement, alors que dans les sociétés libérales les normes sociales ont été fortement assouplies ces dernières décennies, elles ont été remplacées par d'autres normes, mais de nature environnementale. Pour répondre (partiellement) aux exigences du développement durable, les institutions et gouvernements ont ainsi développé des législations incitant à faire de la planification urbaine une *science territoriale*. Ainsi aux USA, en vertu des lois fédérales sur les transports et la qualité de l'air - ISTEA (1991) puis TEA-21 (1998) - chaque métropole de plus de 200.000 habitants est tenue d'élaborer un Plan de transport régional (RTP) et de l'actualiser tous les 3 ans, pour pouvoir bénéficier des crédits fédéraux alloués au financement des infrastructures de transport. Pour convaincre le Département fédéral des transports qu'elles réussiront à maintenir une qualité d'air satisfaisant aux critères de l'Agence pour la protection de l'environnement (EPA), les métropoles américaines sont fortement incitées à appliquer des modèles de simulation de déplacements. Cette pression législative a ainsi entraîné le développement d'importants programmes de recherche nationaux et régionaux, qui ont fait progresser la compréhension des interactions entre urbanisme, transport et environnement. Le logiciel UrbanSim, par exemple, en est directement issu. De son côté, l'Union européenne a intégré récemment dans sa législation une directive qui étend les études d'impact aux plans et aux programmes[2] et incite à mettre en œuvre des évaluations préalables de leurs incidences environnementales, établies sur la base de critères objectifs et quantifiables. L'Agence européenne de l'environnement (AEE) a récemment publié plusieurs rapports proposant des indicateurs normalisés pour caractériser l'environnement urbain et suivre son évolution dans le temps[3]. A l'instar des USA, plusieurs programmes de recherche européens ont vu le jour ces dernières années pour faire progresser la compréhension des interactions entre urbanisme et déplacements : ISHTAR, PROMPT, PROSPECTS, SUTRA, TRANSPLUS, PROPOLIS, MOLAND, etc.

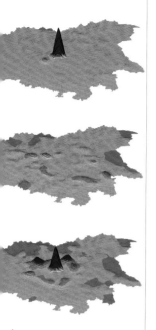

Propolis (2004).
Représentations en 3D des différences de population en 2021 entre le scénario de référence et 2 scénarios de planification pour la ville de Dortmund.
Prospective population development in 2021 using 2 different scenarios.
© IRPUD Universität Dortmund, Germany Courtesy Spiekermann & Wegener Stadt-und Regionalforschung. Dortmund.

The expression "strategic planning" has moreover become widespread over the last twenty years, and is used to indicate an empirical and adaptable method of project management. This has been made necessary by a highly volatile and uncertain socio-economic context. More recently, the term "Visioning" has appeared in the United States and the United Kingdom. Derived from the verb "to envision", it refers to foresighting approaches conceived to envisage the future of a district, a town, or even an entire region, in a way that is open to the pluralism of opinion and is rigorous with regard to method. In order to do this, visioning favours the participatory creation of "town-planning scenarios" (or visions) which are then comparatively assessed on the basis of "objectivable" criteria. These visions are essentially used to "spatialise" the preferences of the groups of players involved for this or that form of town planning, with land use and transport maps. Once they have been incorporated into a GIS, the visions feed traffic simulation models and socio-economic indicators, which means that their environmental and social "performance" can be gauged. Visioning therefore rests on five axioms, which are as complementary as they are inseparable : outreach, participation, scenarios, modelling and assessment. Visioning is considered as an initial phase in the planning process, because it is understood that a vision is merely the rough sketch of a plan, to which numerous legal, technical and financial specifications will need to be added.

Paradoxically, whilst in liberal societies social norms have been significantly relaxed over the past few decades, they have been replaced by other, environmental norms. To (partially) respond to the demands of sustainable development, institutions and governments have developed legislation to try and make urban planning into a "territorial science". Thus in the USA, due to federal laws on transport and air quality - ISTEA (1991) followed by TEA-21 (1998) - each metropolis with over 200,000 inhabitants must draw up a Regional Transport Plan (RTP) and update it every 3 years, in order to benefit from federal credits allocated to the financing of transport infrastructures. In order to convince the Federal Department of Transport that they will be able to maintain a level of air quality that satisfies the criteria set by the Environmental Protection Agency (EPA), large American cities are strongly encouraged to use transport simulation models. This legislative pressure has thus led to the development of major national and regional research programmes, which have advanced understanding of the interaction between town planning, transport and the environment. The UrbanSim software programme, for example, is a direct result of this. For its part, the European Union recently incorporated into its legislation a directive extending impact studies to plans and programmes[2] and encouraging the implementation of preliminary assessments of the environmental repercussions involved, to be established on the basis of objective and quantifiable criteria. The European Environment Agency (EEA) recently published several reports proposing standardised indicators to define the urban environment and monitor its

A une époque où la science fournit des concepts et des modèles opératoires permettant de mieux comprendre des domaines de la réalité de plus en plus variés et complexes, l'information spatiale et la modélisation peuvent-elles aider à planifier les villes, non pas en toute connaissance de cause, mais avec une plus grande fiabilité quant aux résultats attendus ? A défaut de fournir des réponses totalement objectives, ne peuvent-elles pas offrir une meilleure traçabilité des essais et erreurs, c'est-à-dire de l'ensemble des itérations suivies au cours d'un processus de planification urbaine ? Ne peuvent-elle pas constituer à la fois le fondement des propositions et la mémoire des choix qui jalonnent un tel processus ?

La planification urbaine a une forte responsabilité politique car elle engage le développement d'un territoire et les conditions de vie d'une population considérable. Cependant, l'opinion publique et les élus n'en ont que peu conscience, car elle est perçue comme une fonction hautement technique et abstraite, bref comme l'apanage de spécialistes. Il y a là un autre paradoxe intéressant, car par ailleurs l'urbanisme tend à devenir l'affaire de tous : une sorte de bien public largement débattu, controversé et, de ce fait, de plus en plus fortement scruté par les médias[4]. Mais aussi, un domaine très ouvert aux intérêts des opérateurs privés, dès lors que ce ne sont plus les «États-providence» qui financent et aménagent seuls les villes. A cet égard, ce sont les investisseurs privés et leurs urbanistes qui sont les premiers à recourir à des modélisations spatiales pour faire prévaloir leurs projets auprès des collectivités locales, voire même auprès des tribunaux lorsque ces dernières se montrent peu coopératives ! C'est une tendance qui s'observe particulièrement au Royaume-Uni, d'où le succès de sociétés spécialisées telles que Space Syntax ltd. Il serait bon que les mêmes méthodes soient plus souvent utilisées par les maîtres d'ouvrages publics pour élaborer leurs projets urbains et étayer ainsi de manière plus rigoureuse leur vision de l'intérêt général.

L'évolution de la pratique de la planification a induit une redéfinition manifeste du rôle de l'urbaniste. Inspirateur de visions prospectives, médiateur des débats d'idées, ses objectifs deviennent l'élaboration participative de projets plus en phase avec les préférences et les aspirations de la société, tout en garantissant leur faisabilité économique et technique. Longtemps parents pauvres de la révolution informatique, les urbanistes développent aujourd'hui de nouveaux outils pour remplir ces missions. A côté des SIG, devenus de fait le standard de la profession, apparaissent des logiciels expérimentaux axés sur la simulation des évolutions urbaines et l'analyse des conséquences potentielles des plans ou projets : automates cellulaires, systèmes à agents multiples, modeleurs procéduraux, etc. S'ils font généralement appel aux mêmes structures de données que les SIG, ils utilisent en revanche des règles de formalisation des territoires urbains spécifiques (et parfois contre-intuitives comme pour Space Syntax).

development over time[3]. Following the example of the USA, several European research programmes have emerged over the past few years to advance our understanding of the interaction between town planning and travel, such as ISHTAR, PROMPT, PROSPECTS, SUTRA, TRANSPLUS, PROPOLIS, MOLAND, etc.

In an era when science provides concepts and working models enabling us to better understand areas of reality increasingly varied and complex, can spatial information and modelling help to plan towns, not in full knowledge of all the facts involved but with a greater degree of reliability regarding the expected results ? They might not provide totally objective responses, but could they not offer greater traceability of the "trials and errors", i.e. all the iterations made during an urban planning process ? Could they not constitute both a basis for proposals and a record of the choices that mark out such a process ?

Urban planning entails a high level of political responsibility, since it involves the development of a significant territory and the living conditions of a sizeable population. Nevertheless, public opinion and elected representatives are barely aware of this, as urban planning is viewed as a highly technical and abstract job, in short the exclusive domain of experts. There is another interesting paradox here, since in other respects town planning is becoming everybody's business - a widely debated, controversial kind of public property that is consequently coming under increasing scrutiny from the media[4]. However it is also a field that is very much open to the interests of private operators, now that "welfare states" are no longer the only ones financing and developing cities. In this respect, private investors and their city planners are the first to turn to spatial models in order to get their projects accepted by local communities, and even by the courts when these communities prove to be uncooperative! This is a trend seen particularly in the United Kingdom, hence the success of specialist companies such as Space Syntax Ltd. It would be good if the same methods were used more frequently by public development corporations or authorities to draw up their urban projects, thereby backing up their view of public interest in a more rigorous way.

Developments in planning practice have led to definite changes in the role of the town planner. Instigators of prospective visions, mediators in the discussion of ideas, their objective is becoming the participatory development of projects that are more in step with the preferences and aspirations of society, whilst ensuring that such projects are economically and technically feasible. For a long time the poor relations of the computer revolution, town planners are now developing new tools to achieve these aims. Alongside geographic information systems (GIS), which have actually become standards of the profession, experimental software programmes are appearing centred on

Nous présentons ici trois démarches qui explorent de nouvelles procédures de définition et d'évaluation de scénarios urbanistiques et le développement des outils qui les soutiennent.

Les deux premiers projets analysés, *Compass* et *Cambridge Futures*, montrent une exploration ouverte des visions possibles d'une région. Bien que les modalités d'élaboration de ces visions diffèrent, elles mettent toutes les deux en œuvre la modélisation préalable de cartes et l'évaluation des incidences de plusieurs scénarios. Construites d'emblée par un collège d'experts, ou bien faisant appel à participation du public, les propositions de scénarios sont précisées et filtrées par des urbanistes pour aboutir à une stratégie régionale consensuelle. La modélisation permet ensuite et itérativement de comparer les performances des scénarios et ainsi de les modifier tout en faisant évoluer les critères de sélection.

Le troisième projet, *Imago Metropolis*, participe de la même philosophie, bien qu'il soit focalisé sur le développement d'une nouvelle instrumentation informatique dans l'objectif de faire de la prospective paysagère dans le cadre de la planification territoriale. Dans ce but, il développe un langage graphique complémentaire de la carte, mais mieux adapté à la représentation paysagère.

Ces trois démarches s'inscrivent pleinement dans une approche indéterminée de la planification, telle que la préconise Thomas Sievert dans *Du bon usage de l'incertitude en urbanisme*[5]. Selon lui, il faut en effet « mettre le projet urbain au service d'une politique qui supporte autant l'erreur que la correction et s'inscrive dans la perspective d'un développement durable. La transparence de cette démarche en fait d'autant mieux apparaître les faiblesses. Ainsi, les projets s'éloignent trop souvent de la dure réalité sociale. Ils contreviennent à toutes sortes de réglementations, de procédures de délégation ou de calculs techniques. Ils exigent, en outre, une tout autre forme de participation, dans laquelle les habitants, réunis dans des ateliers de projet, ne se limiteraient plus au traitement des seuls conflits quotidiens mais accepteraient de se saisir de questions engageant le long terme. C'est pour toutes ces raisons que les urbanistes se doivent de poursuivre le développement de leur instrumentation « dure », afin de l'adapter à une réalité changeante. »

Los Angeles – Compass

Confrontée à une croissance démographique, économique et urbaine, dont l'ampleur et la durée induisent des stress de plus en plus inquiétants pour son environnement, sa société et, in fine, son économie, la Californie du Sud[6] se présente sous la forme d'une immense nappe pavillonnaire, découpée par des chaînes de collines (dont les plus importantes forment des réserves naturelles) et traversée par un vaste réseau autoroutier autour duquel s'agrègent des pôles logistiques, industriels, commerciaux ou tertiaires. Le relief limite les relations entre bassins urbanisés et crée des goulots d'étranglements redou-

the simulation of urban development and the analysis of the potential consequences of plans and projects.These programmes include cellular
automata, multiple agent systems, procedural modellers and so on. Whilst
they generally use the same data structures as GIS, they also use specific
rules for the formalisation of urban territories (and sometimes these rules are
counter-intuitive, as in the case of Space Syntax).

We present here three approaches exploring new procedures for the definition and drawing up of town planning scenarios, as well as the development
of the tools supporting these approaches.
The first two projects examined, *Compass* and *Cambridge Futures,*
demonstrate an open exploration of the possible visions for a region.
Although the methods for developing these visions are different, they both
use preliminary map modelling and assess the impact of several scenarios.
Whether they are constructed immediately by a panel of experts or opened
up to public participation, the proposed scenarios are clarified and filtered by
town planners in order to arrive at a consensual regional strategy. Modelling
then facilitates the repeated comparison of scenario performances, which
means these can be modified whilst the selection criteria are developed.
The third project, *Imago Metropolis*, shares the same philosophy, although it
focuses on the development of new computer techniques with the aim of
achieving long-term landscape forecasting as part of territorial planning.
With this in mind, it is developing a complementary graphic language that is
better suited to landscape representation.

These three approaches are fully in keeping with an uncertain or fuzzy
approach to planning, such as that advocated by Thomas Sievert in "On
dealing with uncertainty in urban planning"[5]. According to Mr Sievert, "we
actually have to use this type of urban development strategy for a policy
which takes seriously the principal indeterminacy of urban development,
which remains friendly to error and open to revision and which shows new
routes to sustainability. The transparency of such an approach reveals,
however, its weaknesses : urban development projects are frequently
removed from hard social reality. They oppose legal arrangements and regu-
lations, procedures to be delegated and the possibility of technical calculation. They also demand other forms of participation in the direction of
citizens' workshops, which deal not only with day-to-day conflicts but also
with long-term issues. Consequently, planners and urban designers must at
the same time work on the further development of their "hard" tools in order
to adjust them a changing reality."

Los Angeles - Compass

Faced with demographic, economic and urban growth, the size and duration
of which are leading to increasingly disquieting strains on its environment,

tables pour la circulation automobile et pour celle des poids-lourds, particulièrement importante dans cette région en raison de sa fonction de *hub* logistique.

La congestion routière et la détérioration de la qualité de l'air sont devenus le problème n°1 des métropoles américaines. Selon René Trégouët, Président de la Commission de prospective du Sénat, « aux États-Unis, l'utilisation des véhicules automobiles impose à la société des coûts externes estimés à plus de 300 milliards de dollars »[7]. Ainsi, la région de Los Angeles se trouve non seulement menacée par un séisme ou un incendie de forêt majeurs, mais aussi, de manière beaucoup plus certaine, par une paralysie de son réseau autoroutier à laquelle s'ajoute la perspective d'une pénurie foncière !

Lancé en 2003, *Compass* est le plus ambitieux programme de *visioning* mis en œuvre aux USA. Son objectif était d'élaborer une vision de la Californie du Sud à l'horizon 2030 :

- qui décrive ce que pourrait devenir la mobilité, l'urbanité et la qualité de vie dans cette région à l'horizon 2030, avec 6 millions d'habitants et 2,7 millions d'emplois supplémentaires ;
- qui satisfasse aux principaux critères d'approbation définis par le Département des transports et l'Agence de protection de l'environnement, en matière de déplacements et de qualité d'air ;
- qui soit socialement et politiquement acceptable aujourd'hui et continue d'être portée dans les prochaines décennies par une majorité d'acteurs, par-delà leurs divergences politiques ou économiques.

Pour cela *Compass* a utilisé des outils de sondage et de communication pour sensibiliser l'opinion publique et essayer de percevoir ses valeurs, ainsi que des outils de prospective et de modélisation pour imaginer des futurs souhaitables et *faisables*.

L'atelier de planification urbaine est sans doute le plus novateur des outils prospectifs utilisés par *Compass*. Une douzaine de ces ateliers ont été organisés à l'échelle de l'ensemble de la Californie du Sud, ainsi qu'à celle de 7 territoires infra-régionaux. Au total, ils ont permis à 1300 participants issus d'horizons professionnels, sociaux, politiques et géographiques variés, de confronter leurs aspirations et avec les réalités physiques d'un territoire qu'ils habitent et pratiquent partiellement. Par équipes d'une dizaine de personnes d'obédience politique ou professionnelle différente, ils ont tenté d'imaginer ensemble une vision (ou scénario) de développement, en respectant un mode opératoire commun[8]. Au terme de plusieurs heures de discussions et de négociations, chaque groupe rendait compte de ses choix et défendait sa vision publiquement.

Les cartes exprimant ces visions ont ensuite été digitalisées pour produire un certain nombre de statistiques permettant de les analyser et de les comparer. Ce n'est qu'après avoir terminé ce travail, que la Southern California Association of Governments (SCAG) et les urbanistes de l'agence Fregonese-Calthorpe ont élaboré une «vision préférentielle de croissance régionale » intégrant :

Participants à un atelier de planification
Participants in planning workshop.
Southern California Association of Governments Compass (2003).

Représentation 3D des surfaces de planchers supplémentaires à construire en fonction des hypothèses retenues pour les deuxièmes et troisièmes scénarios.
Extra floor surfaces to be built depending on the assumptions retained for the scenarios.
Southern California Association of Governments PILUT (2004).

society and, ultimately, its economy, Southern California[6] appears in the form of an immense stretch of low rise housing, split up by hill ranges (the largest of which are nature reserves) and crossed by a vast motorway network, around which are massed logistical, industrial, commercial and tertiary centres. The hills limit relations between the built up basins and create formidable bottlenecks for automobile traffic and for the heavy goods vehicles that are particularly important in this region due to its role as a logistical hub.

Road congestion and deteriorating air quality have become the n°1 problem in large American cities. According to René Trégouët, President of the French Senate Foresighting Commission, "in the United States, the use of motor vehicles imposes external costs on the population estimated at over 300 billion dollars."[7] Thus, the Los Angeles region is not only under threat from earthquakes and major forest fires, but also, in a much more definite way, from the paralysis of its motorway network and also the prospect of land shortages!

Launched in 2003, *Compass* is the most ambitious visioning programme to be implemented in the USA. It's objective was to create a vision of Southern California for 2030 :

- which would describe the possible future of mobility, urbanity and the quality of life in the region in 2030, with an additional 6 million inhabitants and 2.7 million jobs ;

- which would satisfy the main approval criteria set out by the Department of Transport and the Environmental Protection Agency with regard to travel and air quality ;

- which would be socially and politically acceptable today and would be continued over the coming decades by a majority of the stakeholders involved, over and above their political and economic differences.

In order to do this, *Compass* used survey and communication tools to heighten public awareness and try to ascertain the public's values, along with long-term planning and modelling tools to imagine futures that were both desirable and "feasible".

"The urban planning workshop" is probably the most innovative of the prospective planning tools used by *Compass*. A dozen of these workshops have been organised on a Southern California-wide scale, as well as across the seven sub-regional territories. In total, they have enabled 1,300 participants from various professional, social, political and geographic backgrounds to compare their aspirations with the physical realities of a territory that they partially inhabit and use. Working in teams of around ten people, with different political and professional leanings, they tried together to imagine a development vision (or scenario), whilst adhering to a common operating method[8]. After several hours of discussions and negotiations, each group explained the choices it had made and publicly defended its vision.

The maps showing these visions were then digitised to produce a certain number of statistics, which enabled them to be analysed and compared. Only

- un scénario d'urbanisme renouvelant environ 2% de la surface de l'agglomération dans les secteurs les mieux desservis par les transports en commun, en proposant d'y aménager des centralités urbaines relativement denses et fonctionnellement mixtes là où il n'y en avait jamais eu[9] ;

- un ensemble d'infrastructures de transport en commun, incluant l'extension du réseau de « metrobus » testés avec succès dans Los Angeles, ainsi qu'un réseau de trains à lévitation magnétique reliant les différents aéroports aux centres d'affaires de la métropole et utilisant la technologie « Maglev ».

Les incidences de cette vision préférentielle, mesurées par des indicateurs de performance normalisés pour les transports et la qualité de l'air, ont ensuite été simulées pour être comparées avec celles de trois autres scénarios étudiés au préalable par SCAG, dans le cadre du programme intitulé *Planning for Integrated Land Use and Transportation* (PILUT). Le premier (dit *baseline alternative*) est fondé sur la poursuite des politiques d'urbanisme locales actuelles et sur l'achèvement des projets de transport engagés ou financés. Le deuxième maximise le renouvellement et la densification des secteurs centraux de l'agglomération (comtés de Los Angeles et Orange), ainsi que des centres et corridors d'emplois actuels. Le troisième maximise l'urbanisation des secteurs situés aux franges de l'agglomération et en particulier celui d'Ontario, qui pourrait dans ce cas devenir un nouveau centre métropolitain. L'ensemble de ces propositions a été présenté et discuté au cours d'une série de forums régionaux et rendu public par la presse et sur Internet, afin que leurs mérites respectifs soient débattus et que la concertation permette d'orienter la planification et la mise en œuvre ultérieures. A l'issue de cette phase, SCAG a partiellement modifié sa vision préférentielle de croissance régionale et l'a approuvée en juin 2004. Il reste désormais à l'inscrire dans les faits, c'est-à-dire à convaincre les autorités locales de la mettre en œuvre et à celles de l'Etat de Californie et du département fédéral des Transports de financer les infrastructures stratégiques.

Cambridge Futures

La deuxième démarche étudiée concerne le comté de Cambridge, souvent considéré comme la transposition de la Silicon Valley dans l'Angleterre rurale éternelle ! Cambridge est mondialement réputée pour l'ancienneté et la qualité de son université ainsi que pour le taux de création et la prospérité de ses entreprises high-tech. Cependant, au début des années 1950, le plan Holford préconisait une stratégie de développement malthusienne pour stabiliser sa population aux alentours de 100.000 habitants, en restreignant le foncier constructible grâce à une limite d'urbanisation stricte, une ceinture verte et peu de routes nouvelles. Ce plan a été assez bien respecté, à une exception notable près : au début des années 1970, l'université obtint la permission d'urbaniser quelques sites de la ceinture verte pour y réaliser des parcs d'activités de recherche scientifique, tels que le Trinity Science Park. Le succès rencontré par ces parcs d'activités fut à l'origine du miracle économique de Cambridge.

after this work was completed did the Southern California Association of Governments (SCAG) and town planners from the Fregonese-Calthorpe office draw up a "preferential vision of regional growth", which included :
- a town planning scenario renewing around 2% of the town's area in those districts best served by public transport, proposing the development of relatively dense central areas of mixed use in places where such areas had never existed[9] ;
- a collection of public transport infrastructures, including the extension of the "metrobus" network which was successfully tested in Los Angeles, as well as a network of high speed trains connecting the various airports to the city's business centres using "Maglev" technology.

The effects of this preferential vision, which were measured using standardised performance indicators for transport and air quality, were then simulated for comparison with those of the three other scenarios previously studied by SCAG as part of the programme called "Planning for Integrated Land Use and Transportation" (PILUT). The first (called the "baseline alternative") was based on the use of current local town planning policy and on the completion of transport projects that had been undertaken or financed. The second maximised the renewal and densification of the town's central districts (the counties of Los Angeles and Orange), as well as the current employment centres and corridors. The third maximises urbanisation in those districts located on the outskirts of the town and in particular the district of Ontario, which could in this case become a new metropolitan centre. All of these proposals were presented and discussed during a series of regional forums and made public through the press and on the Internet, so that their respective merits could be discussed and this dialogue could orientate planning and implementation at a later date. At the end of this phase, SCAG partially modified its preferential regional growth vision and approved it in June 2004. It now remains to make the vision fact, i.e. to persuade the local authorities to implement it and the authorities of the State of California and the Federal Department of Transport to finance the strategic infrastructure.

Cambridge Futures

The second approach studied concerned the county of Cambridgeshire, which is often viewed as Silicon Valley transplanted into eternal rural England! Cambridge is renowned throughout the world for the seniority and quality of its university, as well as for the creation rate and prosperity of its high-tech companies. However, at the beginning of the 1950s, the Holford plan recommended a Malthusian development strategy to stabilise its population at around 100,000 inhabitants, by restricting land suitable for building thanks to a strict limit on urban development, a green belt and few new roads. This plan was adhered to fairly well, with one notable exception : at the beginning of the 1970s, the university obtained permission to develop a

L'essentiel de la croissance démographique s'est déroulée depuis dans les communes du comté de Cambridgeshire situées à moins de 40 km du centre de la cité universitaire. Ainsi, en 50 ans, la population de cette région a doublé pour passer à 0,5 million d'habitants. Cette politique eut deux conséquences notables :

- l'augmentation des migrations domicile-travail à destination de Cambridge (+500% soit 40.000 déplacements quotidiens en grande majorité automobiles), créant des embouteillages importants sur les quelques grands axes de pénétration et détériorant la qualité de l'air et les temps d'accès aux heures de pointe. Ce problème semble d'ailleurs être devenu la principale préoccupation de la population à l'instar de Los Angeles ;

- l'augmentation de la valeur du foncier et de l'immobilier (les prix ont augmenté en moyenne de 300% en valeur actuelle, contrairement aux salaires universitaires moyens !), engendrant le remplacement progressif des anciens habitants des villages périphériques par des familles de cadres à hauts revenus.

Si l'attractivité et le dynamisme de son économie perdurent et si le nombre d'emplois et de ménages continue d'augmenter au rythme des deux dernières décennies, la région de Cambridge devrait voir son emploi et sa population croître respectivement de 150% et 260% dans les 50 prochaines années, ce qui nécessitera la construction d'environ 1,8 M de m² de locaux d'activités divers et 145.000 logements[10].

C'est pour réfléchir aux conséquences potentielles d'une telle croissance sur les grands équilibres régionaux qu'a été formé en 1996 *Cambridge Futures*. Il s'agit d'un consortium à but non lucratif réunissant patrons, élus, fonctionnaires, professionnels de l'aménagement et universitaires, autour d'un comité d'experts dirigé par le professeur Echenique, du département d'Architecture. Il s'inspire d'un modèle de *partenariat public-privé* assez unique en matière de planification, dont l'origine remonte probablement au tout début du XXe siècle, à l'initiative du Commercial Club of Chicago[11].

Dans un premier temps, Cambridge Futures a consisté à étudier les interactions entre différentes visions globales d'urbanisme et de transport au cours des 50 prochaines années. Sept scénarios de développement alternatifs ont été élaborés et cartographiés dans un SIG, afin d'être simulés et évalués avec une dizaine d'indicateurs démographiques, économiques et de déplacement. Les résultats de cette étude ont été rendus publics au cours d'une consultation lancée en 1999, dans le cadre d'une exposition itinérante, largement médiatisée et illustrée grâce à des simulations 3D de principe portant sur certains sites stratégiques. Les deux scénarios les moins plébiscités ont été ceux qui prolongent les politiques d'urbanisme restrictives menées depuis les années 1950. Ce qui a fait dire à Marcial Echenique que « le public a compris les principaux enjeux débattus et rejeté le scénario de croissance minimum. Il a bien réalisé qu'une absence de changement dans la structure de la région ne signifie pas qu'il n'y aura aucun changement dans la vie des gens, bien au

few sites on the green belt in order to create scientific research business parks, such as the Trinity Science Park. The success of these business parks lie at the root of Cambridge's economic phenomenon.

The bulk of the demographic growth has taken place since then in those districts of the county of Cambridgeshire and Huntingdobshire situated within 40km from the centre of the University City. Thus, in 50 years, the population of this region has doubled to 0,5 million inhabitants. This policy has had two particular consequences :

- an increase in commuter travel to Cambridge (+500 %, i.e. 40,000 trips daily, mostly by car), creating major traffic jams on the few large access roads and impairing air quality and journey lengths at peak times. Moreover, this problem seems to have become the major concern of the population, following the example of Los Angeles ;

- an increase in the value of land and property (on average prices have risen by 300% at present value, in contrast to average university salaries !), leading to the progressive replacement of the former inhabitants of outlying villages by high-income executive families.

If the attractiveness and dynamism of its economy last, and if the number of jobs and households continues to rise at the pace of the last two decades, the Cambridge region should see its employment and population increase by 150% and 260% respectively over the next 50 years, which will necessitate the construction of around 1.8 million m^2 of diverse business premises and 145,000 homes[10].

Cambridge Futures was formed in 1996 to reflect on the potential consequences of such growth on the major regional balances. It is a non-profit consortium uniting local business leaders, elected representatives, civil servants, and planning and university professionals, around a committee of experts led by Professor Echenique of the University Architecture Department. It was inspired by a public-private partnership model that is fairly unique as far as planning is concerned, whose origins probably go back to an initiative of the Commercial Club of Chicago dating back to the very beginning of the 20th century[11].

At first, *Cambridge Futures* studied the interactions between various global visions of town planning and transport over the next 50 years. Seven alternative development scenarios were drawn up and charted in a GIS, so that they could be simulated and assessed using around ten demographic, economic and travel indicators. The results of this study were made public during a consultation launched in 1999, as part of a roving exhibition which was widely publicised and illustrated thanks to provisional 3D simulations regarding certain strategic sites. The two scenarios that gained the least support on a wide scale were the two that continued the restrictive town planning policies followed since the 1950s. This prompted Marcial Echenique to state that "it has been illuminating to see that the public have understood the main issues under debate and rejected the Minimum Growth option. It has

contraire. [...] Les scénarios impliquant de grands changements dans l'aménagement de la région n'ont pas été franchement rejetés car il est devenu clair qu'ils pourraient améliorer l'environnement. Un consensus général s'est formé en ce qui concerne le développement futur : favoriser l'implantation de sociétés basées sur la connaissance, mais dans le cadre d'un développement mûrement réfléchi et durable, au sens le plus large du terme. »[12]

Au terme de cette consultation, une deuxième phase a été lancée en 2001 (*What Transport For Cambridge ?*) pour approfondir les questions de transport et de déplacement soulevées par le premier exercice de *visioning*. En effet, les modélisations ont montré que quel que soit le scénario d'urbanisation retenu, la congestion routière risquait d'empirer dans des proportions variables et inquiétantes pour l'efficacité du fonctionnement de la région de Cambridge. Cinq stratégies de transport alternatives ont donc été étudiées et testées à un niveau assez fin puis comparées à celle qui est implicitement contenue dans le *Structure Plan* du comté de Cambridgeshire[13]. Comme dans la première phase, ces stratégies et leurs performances ont été présentées au public dans le cadre d'une campagne de débats et de consultations qui a mis en évidence une forte préférence pour celles qui favorisent les modes de déplacements doux et les transports en commun.

Pour estimer les impacts de chacun des scénarios envisagés, deux modèles ont été interfacés. Le premier, *Cambridge Transport Model*, est un modèle de prédiction de déplacements tout modes, développé pour les besoins du service des routes du comté de Cambridgeshire et fonctionnant avec la suite de logiciels SATURN. Le deuxième, MENTOR, gère l'évolution des logements et locaux d'activités, ainsi que des ménages et des emplois. Il intègre des paramètres de coûts (logement, transport, biens, services, etc.), d'accessibilité (aux emplois disponibles ou aux clients des entreprises) ainsi que d'attractivité. Les données prises en compte par MENTOR doivent être agrégées par zones, selon les besoins du projet et leur disponibilité. MENTOR est une évolution de MEPLAN, un modèle développé depuis 1978 par l'équipe du Professeur Echenique et basé sur trois principes :
- l'équilibre des importations et des exportations des zones considérées ;
- la théorie du maximum d'utilité appliquée aux choix des acteurs ;
- la concurrence spatiale conformément à la théorie d'Alonso.

Le choix de localisation des activités primaires se fait dans un premier temps. Les ménages et les secteurs de service se localisent ensuite en fonction des forces de la concurrence et de l'accessibilité. Le prix de l'immobilier et le coût des transports issus de l'équilibre entre l'offre et la demande ainsi que l'interaction spatiale constituent les éléments de choix de localisation.

En rendant explicites les hypothèses retenues et leurs relations de cause à effet, ces outils de modélisation ont permis d'objectiver un peu plus le fonctionnement d'un système régional et de donner une certaine « traçabilité » à l'évaluation des scénarios étudiés. Ils leur restent cependant à intégrer des indicateurs environnementaux devenus aujourd'hui très sensibles, tels que la pollution atmosphérique ou le bruit routier.

Metaphorm, Cambridge Futures, (1996).
© Courtesy The Martin Centre
Simulation de principe avant-après d'un nouveau quartier urbain mixte qui pourrait être aménagé
sur l'aérodrome de Cambridge selon l'un des scénarios envisagés.
Before and after simulation of a new mixed urban district planned on the Cambridge aerodrome site.

been realised that lack of change in the structure of the region does not mean that there will be no change to people's lives- quite the contrary. […] Those options which involved big changes in the physical fabric of the region were not rejected outright because it became clear that they could improve the environment. A general consensus emerged on the direction of future development : the encouragment of knowledge-based firms but within carefully considered and sustainable - in the widest sense of the word -development."[12] Following this consultation, a second phase was launched in 2001 ("What Transport For Cambridge ?") to examine the transport and travel issues raised by the first visioning exercise in more detail. In fact, the models showed that whatever town planning scenario was retained, road congestion was likely to get worse in varying and worrying proportions, harming the efficient functioning of the Cambridge region. Five alternative transport strategies were therefore studied and tested at a fairly minute level, then compared with the strategy implicitly contained in the Cambridgeshire County Structure Plan[13]. As with the first phase, these strategies and their respective performances were presented to the public as part of a campaign of debates and consultations, which highlighted a strong preference for those strategies favouring the development of cycling and walking paths and public transport. To estimate the impact of each of the scenarios envisaged in the first phase of *Cambridge Futures*, two models were combined. The first, Cambridge Transport Model, is a prediction model for all modes of transport, developed for the service needs of the roads of the county of Cambridgeshire and working with the "SATURN" software suite. The second, MENTOR, manages the development of accommodation and local businesses, as well as households and employment. It includes parameters of cost (e.g. housing, transport, goods, services, etc.), accessibility (e.g. to available jobs or to company clients) and attractiveness. The data taken into account by MENTOR has to be aggregated by zones, according to the project's needs and data availability. MENTOR evolved from MEPLAN, a model that has been

Si, de l'avis général, *Cambridge Futures* a remporté un tel succès, c'est parce qu'elle a permis :
- aux partenaires du consortium, de construire en commun une prospective exploratoire, spatialisée et « systémique », dont les résultats ont guidé la révision d'un document de planification territoriale ;
- à l'opinion publique, de s'informer et de s'exprimer sur des choix stratégiques concernant l'aménagement d'un territoire en meilleure connaissance de conséquences ;
- aux élus, d'arbitrer sur des documents ou des projets d'aménagement après avoir pris la température de la population et donc évalué les risques politiques de certains choix.

Imago Metropolis[14]

La dernière démarche présentée s'attache à un projet de R&D sur la simulation des évolutions des paysages urbains. Le grand paysage d'une région est l'un des principaux fondements de son identité car c'est l'un des patrimoines sensoriels communs à ses habitants. Or ce paysage se transforme constamment, en particulier aux franges des grandes agglomérations, sans généralement qu'une réflexion prospective sérieuse n'y soit consacrée. Il est vrai que cette dimension était jusqu'à présent trop souvent laissée de côté, faute d'instruments de représentation permettant d'apprécier convenablement les enjeux de ces transformations à l'échelle de la planification.

Au début des années 1990, l'Institut d'aménagement et d'urbanisme de la Région Ile-de-France (IAURIF) s'est posé la question de savoir comment rendre visibles les incidences paysagères des schémas directeurs locaux[15], en particulier dans les secteurs subissant de fortes pressions urbaines comme ceux de la Ceinture Verte d'Ile-de-France. La carte étant habituellement l'unique instrument pour exprimer ces plans d'aménagement —privilégiée pour sa rigueur et son caractère quantifiable mais malheureusement aussi très limitée pour aborder les nuances du paysage—, il fallait réussir à fabriquer des images du *grand paysage*.

La référence aux plans cavaliers réalisés à la Renaissance s'est naturellement imposée. Mais la volonté de représenter le territoire avec une exactitude scientifique (à partir du XVIIe siècle en France), a fait perdre l'alliance de la carte et de l'image qui faisait la force d'expression de ces admirables documents. Sur de vastes territoires, les urbanistes sont moins à l'aise avec l'image qu'avec la carte. La photographie ne leur permet pas de schématiser un site, ni de représenter un état projeté sans de coûteux photomontages. Ce procédé, comme le dessin, ne leur fournit en pratique qu'un choix limité de points de vue, et surtout, il est sans lien direct avec la carte et les informations signifiantes qu'elle contient.

Pour l'IAURIF, l'enjeu était donc de représenter des paysages, jusqu'ici décrits par la seule carte, en recourant à l'image photo-réaliste[16] et en assurant la cohérence des informations fournies par ces deux médias. En termes

IAURIF, *Imago Metropolis* (2002-2006).
Simulation du projet d'aménagement du secteur du Vieux Pays à Tremblay-en-France à différentes étapes de sa réalisation.
Simulation of the planning project for the Vieux Pays area in Tremblay-en-France, at different stages of its completion.

developed since 1978 by Professor Echenique's team and is based on three principles :
- the balance of imports and exports in the zones under consideration ;
- the theory of maximum benefit applied to the choices made by the players involved ;
- spatial competition in accordance with Alonso's theory.

The choice of location for primary activities is made first of all. Households and service sectors are then located depending on the forces of competition and accessibility. The price of housing and the cost of transport arising from the balance between supply and demand, as well as spatial interaction, constituted elements informing choice of location.

By clarifying the assumptions retained and their relationship of cause and effect, these modelling tools have meant that the functioning of a regional system can be clarified a little more, and that the assessment of the scenarios studied has a certain level of "traceability". Nevertheless, they still need to integrate environmental indicators that have now become highly sensitive, such as atmospheric pollution and traffic noise.

If, by general consensus, *Cambridge Futures* has been such a success, this is because it has :
- enabled the consortium partners to jointly build an exploratory, spatialised and "systemic" long-term plan, whose results have guided the revision of strategic and statutory planning documents ;
- enabled the public to stay informed and to express themselves on the strategic choices involved in the planning of a territory, with a better knowledge of the consequences involved ;
- enabled elected representatives to arbitrate on planning documents or projects once they have gauged the feelings of the population and therefore assessed the political risks involved in certain choices.

Imago Metropolis[14]

The last approach presented is devoted to an R&D project on the simulation of urban landscape development. The "broad landscape" of a region is one of the main bases for its identity because it is one of the sensory assets shared by its inhabitants. Now this landscape is constantly changing, particularly on the outskirts of large towns, and generally without any serious consideration of long-term planning. It is true to say that until now, this dimension was all too often left out, due to a lack of representation tools facilitating a proper assessment of the challenges involved in these changes on a planning scale.

At the beginning of the 1990s, the Institute for Urban Planning and Development of the Ile-de-France region (IAURIF) asked itself how it could make the impact of local structure plans[15] on the landscape visible, particularly in those sectors coming under heavy urban pressure, such as those in the Ile-de-France's "Green belt". As maps were generally the only instruments used to express these landscaping plans - favoured for their rigour and

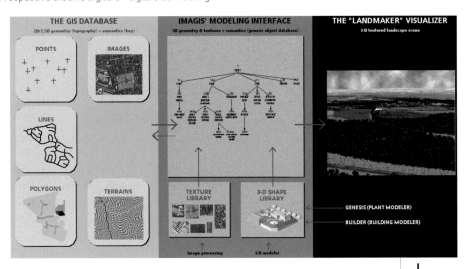

informatiques, le défi était d'arriver à générer à partir d'un SIG, des modèles géométriques 3D (ou *scènes*) et des images de synthèse permettant de préfigurer les évolutions possibles d'un site assez vaste et complexe, en fonction d'hypothèses d'aménagement étudiées. Pour y parvenir de manière efficace, la modélisation « procédurale » s'est imposée car, selon Claude Puech, « à moins de disposer de techniques procédurales qui construisent d'elles-mêmes des objets complexes […], le travail de construction de telles scènes est terriblement long et requiert le plus souvent des mois de travail. »[17]

L'IAURIF s'est associé au Centre International de Recherche en Agronomie pour le Développement (CIRAD) afin de tester son modeleur AMAP[18] dans le cadre de la simulation des évolutions du paysage de Tremblay-Vieux-Pays. Il s'agit d'un site situé au sud de l'aéroport de Roissy, qui présente d'importants enjeux d'urbanisme et d'environnement. C'est ce projet-pilote qui a inspiré le logiciel IMAGIS, dont le développement a pu se faire grâce au soutien du programme Innovation de la Commission européenne et à la participation active de chercheurs du Politechnique de Milan et de la société Eurosense[19]. IMAGIS se présente en fait comme une interface dédiée à la «modélisation procédurale» de scènes paysagères en 3D complexes, aussi bien en terme de contenu que de taille. Il permet d'importer depuis un SIG, dans l'un des modules d'AMAP, des Modèles numériques de terrain (MNT) et des couches de données vectorielles décrivant les différents éléments du paysage d'un site, puis d'y implanter procéduralement des objets 3D ou des textures stockées dans des librairies. IMAGIS est développé selon une architecture orientée-objet arborescente, gérant les héritages uniques parent/enfants. Le jeu de paramètres d'un objet donné est ainsi réutilisé par tous les objets qui lui sont liés à l'étage inférieur de la hiérarchie, ce qui présente l'avantage d'être assez économique en termes de programmation. Il comprend une quinzaine d'objets « génériques », répartis en trois familles (ponctuelle, linéaire et surfacique), correspondant aux types d'entités que l'on trouve dans un SIG.

Pour construire une scène de paysage, l'utilisateur établit des liens entre les classes d'un SIG (ou certains éléments de ces classes) et un ou plusieurs objets génériques d'IMAGIS. Ces liens initialisent les procédures de disposition de « formes 3D » en fonction de la géométrie des éléments du SIG et des

IAURIF, *Imago Metropolis* (2002-2006).
Schémas représentant l'architecture d'IMAGIS et sa fonction d'interface entre un SIG et AMAP
Diagrams representing the architecture of IMAGIS and its role as an interface between a GIS and AMAP.

quantifiable nature but unfortunately also very limited when it came to approaching the nuances of landscape -, it was necessary to make "broad landscape" images.

Reference to the perspective maps of the Renaissance seemed natural. However, the desire to represent a territory with scientific precision (which began in the 17th century in France), led to a loss of the combination of map and image that gave these admirable documents their strength of expression. Over vast territories, town planners are less at ease with images than with maps. Photography does not allow them to schematise a site, nor to represent a projected state, without expensive photomontages. This process, like drawing, only provides them in practice with a limited choice of viewpoints, and above all has no direct links with the map and the significant information it contains.

For IAURIF, the challenge was therefore to represent landscape, which until now had been described by maps alone, using photorealist images[16] and ensuring the consistency of the information provided by these two media. In computing terms, the challenge was to generate 3D geometric models (or *scenes*) and global images using a GIS, which would mean that the possible developments of a vast and complex site could be predicted, depending on the planning assumptions studied. In order to achieve this in an efficient way, *procedural modelling* was used because, according to Claude Puech, "unless you have procedural techniques that construct complex objects by themselves [...], the construction of such scenes is terribly long and most often requires months of work."[17]

IAURIF joined forces with the French International Agricultural Research Centre for Development (CIRAD) in order to test its AMAP[18] modeller as part of a simulation of developments in the Tremblay-Vieux-Pays landscape. This is a site located south of Roissy airport, presenting significant town planning and environmental challenges. It was this pilot project that inspired the IMAGIS software programme, whose development was made possible thanks to the support of the European Commission's Innovation programme and the active involvement of researchers from the Polytechnic University of Milan and the Belgian company Eurosense[19.]

IMAGIS is actually presented as an interface dedicated to the *procedural modelling* of complex 3D landscape scenes, in terms of both content and size. It allows users to import Digital Elevation Models (DEM) and layers of vectorial data describing the various landscape elements of a site from a GIS into one of the AMAP modules, and then to procedurally implant into this 3D objects or textures stored in libraries. IMAGIS was developed using an object-oriented tree structure, managing simple parent/children inheritance relationships. The set of parameters for a given object is thus re-used by all objects linked to it on the lower level of the hierarchy, which has the advantage of being fairly economical in programming terms. It includes around fifteen generic objects, divided into three families (point, linear and surface), which correspond to the kind of entities found in a GIS.

IAURIF, *Imago Metropolis* **(2002-2006).**
Exemples de modélisation d'éléments du paysage urbain ou rural.
Modelling of urban or rural landscapes elements.

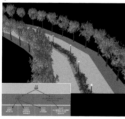

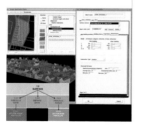

:
:

valeurs particulières assignées aux paramètres des objets génériques. Ainsi, depuis une simple ligne matérialisant l'axe d'un boulevard planté et un identifiant fournissant le type de cette entité dans le SIG, on peut par exemple intégrer automatiquement dans un réseau de triangles irréguliers représentant le terrain, l'ensemble des éléments nécessaires à la représentation complète et réaliste de ce boulevard (trottoirs, chaussées, îlot central, ginkos bilobas...). Qui plus est, grâce aux fonctionnalités d'AMAP, il est possible de faire pousser la végétation et de montrer ainsi la physionomie possible d'un site à plus long terme.

IMAGIS a été testé sur 3 projet-pilotes représentatifs de problématiques d'aménagement ou de représentation très diverses :
- la planification urbaine dans un secteur des franges de l'agglomération parisienne de 4000 ha, à proximité du site de Disneyland Paris (équipe IAURIF). Un SIG intégrant des données régionales de l'Iaurif (en particulier le Mode d'occupation des sols - MOS), de l'IGN (BDAlti) et de l'Inventaire forestier national (IFN) a été réalisé à cet effet avec le logiciel ArcInfo ;
- l'archéologie paysagère, avec la reconstruction du site étrusque de Sovana en Toscane, aux époques protohistoriques ;
- l'intégration d'une nouvelle ligne à haute tension dans un site fluvial de Wallonie.
Le projet *Imago Metropolis* a été abandonné en 2000, faute de possibilité d'industrialiser facilement IMAGIS à cette époque. C'est d'autant plus regrettable que le développement du *visioning* montre que les urbanistes ont réellement besoins d'outils de simulation itératifs, permettant d'éviter la rupture conceptuelle que l'on observe hélas trop souvent entre la planification territoriale à grande échelle et le projet urbain à moyenne échelle.

Notes

1. B. DEBARBIEUX, M.VANIER, « Les représentations à l'épreuve de la complexité territoriale : une actualité ? une prospective ? » in B. DEBARBIEUX, M.VANIER (Eds.), *Ces territorialités qui se dessinent*, La Tour d'Aigues, L'Aube-DATAR, 2002.
2. Directive 2001/42.
3. Voir en particulier A. BOLLI ET AL., *Environmental benchmarking for local authorities: From concept to practice*, European Environment Agency, Environmental Issues Report n°20, 2001.
4. Qu'on en juge par les débats enfiévrés qui accompagnèrent la publication des grands concours d'aménagement urbain tels que celui des Halles à Paris, de Ground Zero à New York ou de la Potsdamer Platz à Berlin.
5. T. SIEVERTS, *Du bon usage de l'incertitude en urbanisme*, in T. SIEVERTS, *Zwischenstadt. Zwischen Ort und Weit, Raum und Zeit, Stadt und Land*, Weisbadew, Vieweg Veriag, 1998 ; trad.fr. *Entre-ville. Une lecture de la Zwischenstadt*, Marseille, Editions Parenthèses, 2004, pp. 181-188.
6. Nom donné à l'aire métropolitaine de Los Angeles qui s'étend sur 6 comtés et 187 communes « incorporées ». Voir C. GHORRA-GOBIN, *Los Angeles. Le mythe inachevé*, Paris, CNRS, 1997. Voir aussi J. LEVY, « L'horreur urbanistique ? Apprendre de Los Angeles », *Pouvoirs Locaux*, n°38 III, 1998.
7. *La ville dans le futur*, Actes des rencontres internationales de prospective du Sénat, février 2004.

Laurent Perrin

Architecte DPLG et docteur en urbanisme. Il exerce au sein de l'Institut d'aménagement et d'urbanisme de la Région Ile-de-France (IAURIF) depuis 1991. Urbaniste qualifié OPQU, formé aux USA, il connaît bien les questions théoriques et pratiques du développement et de l'aménagement urbain. Il a une expérience diversifiée de la direction d'études et du conseil auprès des collectivités locales, tant en France, qu'à l'étranger. Par ailleurs, il a développé des recherches dans le domaine de la modélisation et de la représentation des projets urbains et a publié sur ce sujet à de nombreuses reprises.

In order to construct a landscape scene, the user establishes links between the data groups of a GIS (or certain elements of these groups) and one or more generic IMAGIS objects. These links initialise procedures for laying out "3D forms" depending on the geometry of the GIS elements and the particular values assigned to the parameters of the generic objects. Thus, from a simple line indicating the axis of a tree-lined boulevard and an identifier providing the type of this entity in the GIS, you can for example automatically integrate all of the elements needed for a complete and realistic representation of this boulevard (e.g. pavements, roads, central islands, ginko bilboas and so on) into a network of irregular triangles representing the terrain. What is more, thanks to AMAP's features, it is possible to make vegetation grow and thus to show the possible appearance of a site in the longer term.

IMAGIS was tested on 3 pilot projects representing both landscaping and very diverse problems :
- urban planning in a 4,000 ha sector on the fringes of the Parisian urban area, near the site of Disneyland Paris (IAURIF team). A GIS including data from the regional GIS of IAURIF (particularly the land use inventory MOS), from the French National Geographic Institute, IGN (BDAlti) and from the French National Forest Inventory, IFN, was created to this effect using the ArcInfo software programme ;
- landscape archaeology, with the reconstruction of the protohistoric Etruscan site of Sovana in Tuscany ;
- the integration of a new high-tension line at a river site in Wallonia.
The *Imago Metropolis* project was abandoned in 2000, for want of possible ways to easily industrialise IMAGIS at the time.
This is all the more regrettable in that the development of visioning shows that town planners have a real need for iterative simulation tools, which will enable them to avoid the design ruptures we see alas all too often between large-scale territorial planning and medium-scale urban development strategies.

Notes

1. B. DEBARBIEUX, M.VANIER, "Les représentations à l'épreuve de la complexité territoriale : une actualité ? une prospective ?", in B. DEBARBIEUX, M.VANIER (Eds.), *Ces territorialités qui se dessinent*, La Tour d'Aigues, L'Aube-DATAR, 2002.
2. Directive 2001/42.
3. See particularly A. BOLLI ET AL., *Environmental benchmarking for local authorities : From concept to practice*, European Environment Agency, Environmental Issues Report n°20, 2001.
4. Judging from the fevered debates that have accompanied the publication of major urban planning contests such as those of les Halles in Paris, Ground Zero in New York and Potsdamer Platz in Berlin.
5. T. SIEVERTS, *Du bon usage de l'incertitude en urbanisme*, in T. SIEVERTS, *Zwieschenstadt. Zwischen Ort und Weit, Raum und Zeit, Stadt und Land*, Weisbadew, Vieweg Verlag, 1998 "Cities Without Cities : an Interpretation of the Zwischenstadt." (pages 158 - 166)
6. Name given to the metropolitan region of Los Angeles which has almost 18 million inhabitants spread across 6 counties and 187 "incorporated" municipalities. See C. GHORRA-

urent Perrin is an architect th a PhD in urbanism. He has en practising at IAURIF, the stitute for Urban Planning and velopment of the Ile-de-ance region, since 1991.
u urban planner trained in the A, he is very familiar with the eoretical and practical issues ked to urban development d planning. He has wide-nging experience in directing udies and providing advice to cal communities, both in ance and abroad. He has also veloped research in the field the modelling and represen-tion of urban projects and has blished numerous works on is subject.

8. *Destination 2030. Mapping Southern California's Transportation Future*, Southern California Association of Governments, 2004. A propos de *Compass* voir *Southern California Compass. Growth Vision Report*, Southern California Association of Governments, 2004. Disponible en ligne : http://www.socalcompass.org ; L. PERRIN, « Compass, un programme visionnaire face à l'étalement de Los Angeles », IAURIF, Note Rapide *Territoire de l'Aménagement* n°372, 2005.

9. Selon les principes de « Smart Growth » défendus par les tenants du « New Urbanism ». Voir B. KATZ, *Smart Growth : The Future of the American Metropolis ?*, CASE Paper 58, London School of Economics. Voir aussi *Sprawl Hits the Wall. Confronting the Realities of Metropolitan Los Angeles*, USC Southern California Studies Center, 2001.

10. Ces prévisions sont basées sur des extrapolations « raisonnées » des différents taux de croissance sectoriels observés au cours du demi-siècle précédent. Elles ne sont pas exemptes d'incertitudes en ce qui concerne les durées prises en compte. Voir *Cambridge Futures*, University of Cambridge, Department of Architecture, 1999.

11. Voir http://www.chicagometropolis2020.org/5_3.htm

12. M. ECHENIQUE, « The Cambridge Futures Process : Communicating Model Results », in Second Oregon Symposium on Integrating Land Use and Transports Models, Oregon State University, 2000.

13. Document d'urbanisme orientant le développement et l'aménagement des comptés au Royaume-Uni, qui s'apparente à un Schéma de Cohérence Territoriale ou SCOT.

14. Cf. IAURIF, SIMAURIF, *Modèle dynamique de simulation de l'interaction urbanisation-transports en Région Ile-de-France, application à la Tangentielle Nord*, Laboratoire Théma, 2004, Rapport final de 1ere année, Programme PREDIT 2002-2006. Voir aussi L. PERRIN, « Imago Metropolis. Modèle de représentation et outils de visualisation des grands paysages », *Les Cahiers de l'IAURIF*, n°106, 1993 ; L. PERRIN ET AL., « Procedural Landscape Modeling with Geographic Information : the IMAGIS Approach » (1999), in *Landscape and Urban Planning*, n°54, 2001.

15. Aujourd'hui appelés Schémas de Cohérence Territoriale ou SCOT.

16. L'image photo-réaliste est sans doute l'un des média visuels qui nécessite le moins de code pour être interprété par des personnes d'horizon très différents.

17. Voir C. PUECH, « Tendances actuelles de la recherche en synthèse d'images », in *Science et Défense*, n. 93, Nouvelles avancées scientifiques et techniques, Paris, Dunod, 1993.

18. AMAP est un logiciel de modélisation procédurale de l'architecture des plantes développé par l'Unité de modélisation des plantes du CIRAD à Montpellier. Il est remarquable, en particulier, pour sa capacité à simuler de manière botaniquement réaliste un grand nombre de variétés de plantes à différentes étapes de leur croissance. Voir http://www.amap.cirad.fr

19. Voir http://www.cordis.lu/itt/itt-en/01-1/notes

Un extrait de cet article a été publié L. PERRIN, « Prospective : la science et l'intuition », in *Le Moniteur*, numéro du 17 juin 2005.

GOBIN, *Los Angeles. Le mythe inachevé*, Paris, CNRS, 1997. See also J. LEVY, "L'horreur urbanistique ? Apprendre de Los Angeles", *Pouvoirs Locaux*, n°38 III, 1998.

7. Act from the French Senate international conference on prospective planning "The town in the future" (February 2004).

8. *Destination 2030. Mapping Southern California's Transportation Future*, Southern California Association of Governments, 2004. To find out more about *Compass* see *Southern California Compass. Growth Vision Report*, Southern California Association of Governments, 2004, on line : http://www.socalcompass.org

See also L. PERRIN, "Compass, un programme visionnaire face à l'étalement de Los Angeles" ("Compass, a visionary programme faced with the spread of Los Angeles"), IAURIF, Note Rapide *Territoire de l'Aménagement* n°372, 2005.

9. According to the principles of "Smart Srowth" championed by the supporters of "New Urbanism". See B. KATZ, *Smart Growth : The Future of the American Metropolis ?*, CASE Paper 58, London School of Economics. See also *Sprawl Hits the Wall. Confronting the Realities of Metropolitan Los Angeles*, USC Southern California Studies Center, 2001.

10. These predictions are based on the "reasoned" extrapolation of the various sectorial growth rates observed over the course of the previous half century. They are not exempt from uncertainty with regard to the timespans taken into account. See *Cambridge Futures*, University of Cambridge, Department of Architecture, 1999.

11. See http://www.chicagometropolis2020.org/5_3.htm

12. M. ECHENIQUE, "The Cambridge Futures Process : Communicating Model Results", in Second Oregon Symposium on Integrating Land Use and Transports Models, Oregon State University, 2000.

13. Town planning document orientating the development and planning of UK counties, which is similar to a French Schéma de Cohérence Territoriale (Territorial Consistency Plan).

14. See IAURIF, *SIMAURIF, Modèle dynamique de simulation de l'interaction urbanisation-transports en Région Ile-de-France, application à la Tangentielle Nord*, Laboratoire Théma, 2004, Rapport final de 1ère année, Programme PREDIT 2002-2006. See also L. PERRIN, "Imago Metropolis. Modèle de représentation et outils de visualisation des grands paysages", *Les Cahiers de l'IAURIF*, n°106, 1993 ; L. PERRIN ET AL., "Procedural Landscape Modeling with Geographic Information : the IMAGIS Approach", in *Landscape and Urban Planning*, n°54, 2001.

15. Now called Schémas de Cohérence Territoriale or SCOT.

16. Photorealist images are probably one of the visual media necessitating the least amount of code in order to be interpreted by people from very different backgrounds

17. See C. PUECH, "Tendances actuelles de la recherche en synthèse d'images", *Science et Défense*, n. 93, Nouvelles avancées scientifiques et techniques, Paris, Dunod, 1993.

18. AMAP is a procedural software modelling progamme for the architecture of plants, developed by the Plant Modelling Unit of CIRAD in Montpellier. It is remarkable, particularly for its ability to simulate in a botanically realistic way a large number of plant varieties at different stages of their growth.
See www.amap.cirad.fr

19. See www.cordis.lu/itt/itt-en/01-1/notes

Translation from French by Emma Chambers.

An extract of this article has been published L. PERRIN, "Prospective : la science et l'intuition", in *Le Moniteur*, June 17th 2005.

Perception de la ville :
le sans-fil et l'émergence de systèmes urbains en temps réel

Sense of the City :
Wireless and the Emergence of Real-Time Urban Systems

Carlo Ratti & Daniel Berry
MIT, SENSEable City lab

« Le chaos est entré dans les villes. »
Le Corbusier[1]

Si nous commencions par un exemple ? Lorsque nous sommes arrivés au MIT Media Lab en 2001, il y régnait une activité effervescente. Chercheurs et étudiants partageaient le même espace, au milieu des câbles et des gadgets high-tech, formant une communauté de travail ininterrompu, 24 heures sur 24, 7 jours sur 7. Aujourd'hui, si vous avez l'occasion de visiter les salles du bâtiment d'Ieoh Ming Pei qui donnent sur la façade Kenneth Nolan, vous aurez sans doute l'impression que l'endroit est désert sous-utilisé. Cela signifie-t-il pour autant que les étudiants et le personnel enseignant ont cessé de travailler ? Pas vraiment ! Il se pourrait que ce soit le contraire...

Alors que nous écrivons cet article, nous sommes attablés au Steam Café[2]. C'est le nouveau point de rencontre de la MIT School of Architecture and Planning. Il a été conçu par les étudiants et encourage, par son architecture « Open Source », les interactions au sein de l'école. Même le menu change tous les jours, en fonction des suggestions que les consommateurs peuvent apporter via le site Internet qui y est consacré. Nos ordinateurs portables sont posés sur la table, reliés à l'Internet grâce à une connexion WiFi ; du thé et du café nous attendent. Il y a beaucoup de monde, et nous échangeons de temps à autre quelques mots avec des connaissances qui passent par là (ce qui est facilité par la disposition des tables et des chaises, surélevées de telle sorte qu'elles permettent une communication les yeux dans les yeux entre les consommateurs assis et les passants).

Les modes de vie et de travail sur le campus connaissent un changement radical avec la démocratisation de l'ordinateur portable et le développement de l'Internet sans fil. De nouveaux espaces hybrides apparaissent, mi-travail, mi-vie quotidienne[3].

:
:

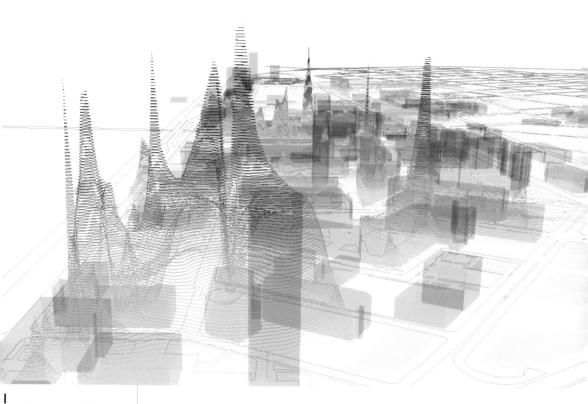

SENSEable City Lab (2005).
Représentation 3D de l'intensité
d'utilisation du Wifi sur le campus du
MIT (en rouge=utilisation intensive,
vert=faible utilisation)
3 dimensional depiction of WiFi
usage intensity on MIT campus
(red= high use, green=low use)

"Le chaos est entré dans les villes".
Le Corbusier[1]

Let's start with an example : when one of us arrived at the MIT Media Lab in 2001, it was bustling with activity. Students and researchers were sharing the same space amidst wires and high-tech gadgets, creating a continuous, 24/7 working community. Today, if you have the opportunity to visit the same sleek rooms facing the Kenneth Nolan façade in the I.M. Pei building, you'll probably have the impression that the space is rather underused. Does this mean that students and staff have stopped working ? Hardly. In fact, the opposite might be happening; but let's take a closer look.

As we write this paper, we are sitting at the Steam Café[2]. It is a new public space at the MIT School of Architecture and Planning. It was (play)fully designed by students and it promotes community engagement through its Open Source structure – even its menu changes daily based on the input received by customers via a dedicated website. Our laptops are on the table, linked to the Internet via active WiFi connections. Many people pass by, and we occasionally pause to exchange a few words with acquaintances who spot us (this is facilitated by the design of the tables and chairs, which are raised

:
:

La MIT School a été l'une des premières à reconnaître le potentiel de la technologie Internet sans fil et à lui ménager une place sur son campus. Avec plus de 2300 points d'accès depuis 2001, l'espace y est déjà largement couvert ; les projets prévoient une couverture totale. En termes d'utilisation pratique, c'est comme si c'était déjà fait : on aurait du mal à y trouver un endroit sans connexion. Le nombre d'ordinateurs portables devenant toujours plus important parmi les étudiants, tout point du campus – que ce soit le Steam Café, une cage d'escalier tranquille face à la Charles River ou la vaste pelouse de Killian Court – est susceptible de devenir un lieu de travail.

Ces développements ont de nombreuses répercussions sur les disciplines de l'architecture et de l'urbanisme. En effet, les récentes évolutions permettent d'entrevoir une utilisation différente, et peut-être meilleure, de l'espace. Par « meilleur » on entend en premier lieu, « optimisé » ou « mieux pensé ». Avant sa reconversion en 2005, le Steam Café n'était que peu fréquenté ; seule l'heure des repas le voyait se remplir. À présent, l'installation du WiFi et un nouveau design, facilitent le cumul des activités quelle que soit l'heure. Appliquez le même concept à la ville entière : vous entrevoyez comment notre environnement pourrait être optimisé.

On pourrait également parler de « meilleur » dans le sens de « plus humain ». Souvenons-nous des salles informatiques des années 1960 : en général, il s'agissait de sous-sols sombres agencés bien plus selon les contraintes imposées par les machines qu'en fonction de leurs utilisateurs. Une vingtaine d'années plus tard, on assistait à la naissance des bureaux paysagers, ces (tristement) célèbres espaces de travail divisés en petits bureaux individuels surmontés d'un énorme moniteur flanqué de son unité centrale. Certes, l'environnement de travail était un peu moins inhumain, mais son agencement était encore fortement dicté par les exigences de l'ordinateur de bureau. Nous voici encore vingt ans plus tard, et il semblerait que l'apparition du sans-fil commence enfin à libérer l'espace de travail des contraintes de la machine.

Mais alors, si vous pouviez travailler n'importe où, quel endroit choisiriez-vous ?

Au niveau de la ville, il semblerait que ces récentes évolutions suscitent l'apparition de modes d'habitation plus complexes dans les zones urbaines : on remarque des systèmes organisationnels moins centralisés, moins prévisibles, moins simples aussi. Envolé, le truisme de Le Corbusier, avec ses arguments modernistes autoritaires énoncés dans la Charte d'Athènes ; finie la division de l'espace urbain en secteurs bien distincts, organisés selon des fonctions spécifiques : « Les clefs de l'urbanisme sont dans les quatre fonctions : habiter, travailler, se recréer (dans les heures libres), circuler. [...] Les plans détermineront la structure de chacun des secteurs attribués aux quatre fonctions clefs et ils fixeront leur emplacement respectif dans l'ensemble. »[4]

Positions des antennes WiFi sur le campus du MIT (Juin 2005)
Location of WiFi antennae on the M[...] campus (June, 2005)

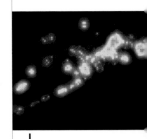

Représentation 2D de l'intensité d'utilisation du WiFi sur le campus d[...] MIT (en rouge=utilisation intensive, gris=faible utilisation)
2 dimensional depiction of WiFi usa[...] intensity on MIT campus (red= high use, gray=low use)

Carte des nœuds de connection Wi[...] principaux sur le campus du MIT
Map showing major WiFi connectio[...] paths on MIT campus

:
:
:

on the floor level and allow peer height communication between people sitting and people passing by).

As wireless Internet and portable computers become increasingly common, it is clear that the patterns of living and working on campus are radically changing. New hybrid living-working places are emerging[3].

MIT was one of the first campuses to recognize the potential of wireless Internet technology. With over 2300 access points deployed since 2001, there is already extensive coverage of its space; and there are plans to achieve full coverage[4]. In terms of practical usage, however, it's as if full coverage were already in place – one would be hard-pressed to find a location without some degree of connectivity. This situation is combined with the ever-increasing presence of laptops in the campus community. As a consequence, any place on campus – whether it's Steam Café, a quiet stairwell facing the Charles River, or the ample green at Killian Court – is a potential workspace.

Such developments have numerous consequences for the disciplines of architecture and planning. First, they point towards a different and potentially better use of space. "Better" refers here, in the first instance, to "optimized" or "less wasteful". The predecessor to Steam Café was a scantily used space that lay idle at most periods other than lunch time. After its conversion, WiFi and a new design have facilitated the overlapping of different uses and activities, it is active "round the clock". Extend the same concept to the whole city and you see how a more optimized environment could emerge.

A second meaning of "better" could be "more humanized". Think about the computer rooms of the '60s : they were usually dark basements whose environmental qualities were imposed by the necessities of the machine, not its users. A couple of decades later saw the emergence of the (in)famous cubicle : a partitioned office space with a small desk with its towering monitor and computer on the side. It was a slightly more human environment, although its configuration was still strongly conditioned by the requirements of the desktop computer. Another two decades later, it appears as though the emergence of wireless might finally begin to free working space from the constraints of the machine.

If everywhere is a potential place for working, where would you like to be ?

From an urban perspective, the result of the above condition seems to be the emergence of more intricate patterns of dwelling in urban areas : more decentralized systems of organization exhibiting higher levels of complexity and unpredictability. Gone is the truism of the clear-cut modernist arguments postulated by Le Corbusier in the Charte d'Athènes, which called for the partitioning of city spaces into distinct sectors, organized according to

:
:

En opposition aux principes rationalistes, le paradigme d'une urbanisation mixte semble avoir été adopté sans hésitation par les urbanistes au cours des dix dernières années. Aujourd'hui, un nouveau type de mixité est en train de voir le jour dans les espaces urbains contemporains, alimenté par la profusion des nouvelles technologies de l'information et de la communication : l'« hybridation » ou l'entremêlement plus serré – certains parleraient d'effacement des frontières – de la vie quotidienne, du travail et du jeu[5].

Pour les architectes et les urbanistes, ce concept d'« hybridation » a pour conséquence directe d'accroître la complexité des systèmes qui organisent la vie en ville et alimentent le métabolisme urbain[6]. Avons-nous développé les bons outils pour pouvoir mesurer pleinement les implications de ces mutations structurelles et de ces changements de paradigmes ? Avons-nous développé des modes de conception adéquats ?

Il est intéressant de noter que la technologie qui introduit une plus grande complexité à travers la ville, pourrait également être employée pour détecter de nouvelles tendances. La ville prend de plus en plus l'aspect d'un système en temps réel, c'est-à-dire d'un système dont les conditions peuvent être testées et contrôlées instantanément[7]. La technologie mobile est un grand pas vers la mise en place de la ville en temps réel et sa compréhension, en ce qu'elle permet de centraliser des données agrégées très rapidement. De plus, ce processus ouvre la possibilité de détecter, de reconnaître et de réagir à des situations locales dans des temps de plus en plus courts.

Cet article présente trois projets qui questionnent la ville en temps réel et sa pertinence pour l'urbanisme. *iSPOTS* explore les dynamiques spatiales de l'utilisation du WiFi sur le campus de la MIT School, pour construire en ligne une carte animée de cette activité ; *Mobile Landscape : Milan* et *Mobile Landscape : Graz* étudient le lien entre l'utilisation du téléphone portable et la mobilité urbaine dans deux grandes villes européennes. A l'exception de *Mobile Landscape : Milan* qui a commencé en 2004, ces projets ont été développés entre 2005 et 2006, avec la collaboration d'étudiants, de spécialistes de l'industrie ainsi que d'enseignants.

iSPOTS
> Équipe : Caroline Chou, Daniel Gutierrez, Sonya Huang, David Lee, Xiongjiu Liao, Jia Lou, Carlo Ratti, Andres Sevtsuk.
> Coordination : Carlo Ratti et Andres Sevtsuk, SENSEable City Laboratory, MIT.
> Fin de la première phase du projet : 1 Novembre 2005.
URL : http://ispots.mit.edu

Alors que des villes post-industrielles telles que Philadelphie envisagent de fournir un accès public à l'Internet sans fil à l'échelle de la ville, il devient urgent de mener des recherches empiriques concernant l'impact de ces technologies sur la répartition de l'utilisation d'Internet dans l'espace urbain[8]. *iSPOTS* est un projet de cartographie qui met à profit l'étendue du réseau WiFi sur le site de la MIT School pour mieux évaluer la répartition spatiale

specific use : "Les clefs de l'urbanisme sont dans les quatre fonctions : habiter, travailler, se recréer (dans les heures libres), circuler. [...] Les plans détermineront la structure de chacun des secteurs attribués aux quatre fonctions clefs et ils fixeront leur emplacement respectif dans l'ensemble"[4]. In the wake of the rationalist planning principles, 'mixed-use' has been the paradigm that the planning profession seems to have adopted without an afterthought over the course of the past decade. But now another type of mixing seems to be emerging in contemporary urban spaces, fueled in no small part by the profusion of new information and communication technologies : "mixed-life", or the more intricate interweaving – some would say blurring of the boundaries – of living, working, and playing[5].

The direct consequence of the "mixed-life" concept for the professions of architecture and planning is a significant increase in the complexity of systems that sustain city life and the urban metabolism[6]. But have we developed the proper tools to grasp the full implications of these structural changes and shifting paradigms, let alone design for them ?

Interestingly enough, the same technology that introduces a new level of complexity into the urban sphere could also be used to reveal emerging trends taking place within it. The city looks more and more like a real-time system, that is a system where conditions can be tested and monitored instantaneously[7]. Mobile technology allows a great leap towards achieving and understanding the real-time city, because it enables aggregated data to be collected and interpreted quickly and in a centralized fashion. This process opens the possibility of detecting, recognizing and reacting to local conditions in progressively reduced time-frames.

This article reviews three projects that engage the real-time city in relation to the field of urban planning. *iSPOTS* explores the spatial dynamics of WiFi usage on the MIT campus to create a real-time, on-line map of this activity; *Mobile Landscape : Milan* and *Mobile Landscape : Graz*, chart the relationship between cell phone usage and urban mobility in two prominent European cities. With the exeption of *Mobile Landscape : Milan*, which began in 2004, these projects were developed from 2005 to 2006, with the assistance of a broad cross-section of students, university faculty and staff, and industry specialists.

iSPOTS

> Team : Caroline Chou, Daniel Gutierrez, Sonya Huang, David Lee, Xiongjiu Liao, Jia Lou, Carlo Ratti, Andres Sevtsuk.
> Coordination : Carlo Ratti et Andres Sevtsuk, SENSEable City Laboratory, MIT.
> Project completion, initial phase : November 01st, 2005
URL : http://ispots.mit.edu

At a time when cities like Philadelphia are setting out to provide public wireless Internet access at a citywide level, there is an urgent need to conduct

de cette utilisation dans un environnement entièrement connecté.

La première étape du projet consiste à répertorier sur une modélisation 3D de l'université toutes les antennes 802.11 du réseau WiFi implantées sur le campus. Par la suite, les fichiers LOG anonymes des connexions, qui décrivent l'activité des antennes, sont utilisés pour détecter en temps réel l'intensité d'utilisation de chacun des *iSPOTS* (les emplacements physiques depuis lesquels l'Internet est utilisé). On se sert ensuite de ces informations pour construire une carte en couleur et automatisée de l'étendue du réseau WiFi et de l'intensité d'utilisation de certains terminaux du campus ; ces informations sont transmises en temps réel sur une page Web. En poursuivant cette étude sur une période suffisamment longue, nous serons à même d'étudier comment les événements de la vie du campus, les mutations des technologies et les modifications spatiales, affectent les usages des espaces de l'institut.

Le projet prévoit au cours de sa seconde étape le développement d'un système de participation volontaire qui permettra aux étudiants et aux enseignants, s'ils le désirent, de repérer avec précision le point où ils se trouvent sur le campus et de retracer leurs déplacements dans l'enceinte de l'université, en fonction de leur consommation WiFi. Au-delà de l'étude des déplacements, cette application pourrait se révéler utile pour repérer des amis, se rendre plus facile à localiser, faciliter les rencontres, etc. Au bout du compte, ce sont les utilisateurs de cette technologie qui en révèleront le véritable potentiel.

Grâce à ce projet, nous aurons une meilleure connaissance des nouvelles formes d'étude et d'apprentissage possible dans les environnements de travail basés sur l'Internet. En s'appuyant sur les premières interprétations des cartes d'intensité, nous pourrons analyser les caractéristiques spatiales spécifiques des *iSPOTS* afin de comprendre pourquoi certains lieux sont plus prisés que d'autres, et pourquoi certains ne sont que très peu fréquentés. Les stratégies futures des services d'informatique et d'aménagement de la MIT School prendront en compte les résultats de cette analyse, qui peuvent aider à mieux comprendre les modes d'occupation des bâtiments, et à concevoir des environnements plus adaptés aux attentes de leurs utilisateurs. La perspective de ce projet serait d'instaurer de nouvelles stratégies de planification dynamique, une stratégie en temps réel, qui fait aujourd'hui défaut dans une société en perpétuelle évolution.

Utilisation des données de localisation fournies par les téléphones portables.

« À Dublin, aujourd'hui, l'omniscience du romancier n'est plus indispensable pour suivre Leopold Bloom, Stephen Dedalus et Buck Mulligan à travers la ville ; il suffit de repérer leur utilisation de téléphone portable. Et si Leopold parvenait à accéder aux historiques des communications, il saurait immédiatement et avec précision ce que manigance Molly... » W. Mitchell[9]

empirical research that studies the impact of these technologies on the spatial patterns of use in the urban sphere[8]. *iSPOTS* is a mapping project that takes advantage of MIT's extensive WiFi coverage to better understand the spatial patterns of Internet usage that emerge in an environment with ubiquitous connectivity.

In the initial phase of the project, all 802.11 WiFi network antennae on campus are mapped onto a three dimensional plan of the university. Subsequently, the anonymous LOG files of antenna traffic are employed to monitor the use intensities of all *iSPOTS* – the actual physical locations where wireless Internet is being used – in real-time. This data is then used to construct an electronic colour-field map showing the WiFi coverage and use intensity of specific campus terminals; the information is displayed graphically and statistically on a webpage in real-time. Continuing this monitoring process for an extended period of time will allow us to study how campus events, technological changes and spatial alterations affect the use of the Institute's spaces

The second phase of the project will develop a voluntary opt-in system whereby individual students, faculty, and staff will be able to track their specific location on campus, as well as their cumulative movements through the Institute's facilities, based on their patterns of WiFi usage. Beyond helping us to study the patterns of movement within the university, this application could also serve as an effective tool for tracking friends, making oneself more visible, meeting people, etc. The ultimate potential of this technology will be revealed by the users themselves.

As a result of this project we will gain significant insight into the changing patterns of studying and learning in Internet-based working environments. Based on preliminary results of the intensity maps, we analyze the specific spatial qualities of iSPOTS in order to understand what makes one location more popular than another and why certain locations are seldom used. The results of this analysis will inform MIT's planning and technological service strategies and can be used to develop a better understanding of buildings' use patterns, as well as to design more responsive environments. Most importantly, however, this project seeks to introduce a new real-time feedback planning strategy, urgently needed in today's rapidly changing society.

The Use of Location Data from Mobile Phones

"In today's Dublin, you wouldn't need a novelist's omniscience to follow Leopold Bloom, Stephen Dedalus, and Buck Mulligan around the city; you could just track their cell phone usage. And if Leopold could get access to the logs, he could figure out precisely what Molly was up to."
W. Mitchell[9]

Whether or not you're a techno-enthusiast, Mitchell's *E-topia* has certainly become a reality in the field of mobile communications. Just look at data

Que l'on soit ou non convaincu par les technologies, l'*E-topia* de William J. Mitchell est devenue une réalité en ce qui concerne la communication mobile. Il suffit de voir les chiffres de la téléphonie mobile : cette industrie est en plein essor. D'après l'EITO[10], le nombre d'abonnement de téléphonie mobile en Europe de l'Ouest a atteint les 350 millions en 2003 (contre 157 millions aux États-Unis). En Italie, où l'étude du *Mobile Landscape : Milan* a été menée, ce nombre s'élève à près de 54 millions, ce qui fait de ce pays le deuxième marché le plus important d'Europe après l'Allemagne. Dans le reste du monde, en particulier dans les pays où l'utilisation de l'Internet est peu élevée, l'engouement pour la téléphonie mobile est de plus en plus prononcé parmi la population urbaine.

Dans le même temps, les données référencées géographiquement sont de plus en plus accessibles et les applications qui en découlent font actuellement l'objet d'une grande attention dans l'industrie de la téléphonie mobile. On parle couramment de *Location Based Services* (LBS), options fournies avec les mobiles permettant d'avoir accès à des infos spécifiques à la localisation du mobile. Parmi les exemples de ces services, déjà en circulation ou à l'état de projet, on trouve des systèmes qui fournissent des informations sur l'environnement de l'utilisateur (restaurants ou musées à proximité, centres d'hébergement d'urgence les plus proches, etc.), des lignes de dialogue électronique visant à favoriser les rencontres virtuelles entre personnes correspondant au même profil, ou encore des « tissus numériques » (*digital tapestries*) qui associent à des lieux physiques divers types d'informations.
À la lumière de ces évolutions, il est assez surprenant de voir que l'ensemble des données géo-référencées fournies par les moyens de communication peu onéreux et produits en série n'ont encore jamais été utilisés pour décrire les systèmes urbains. Les efforts de recherche dans ce domaine sont très limités ; d'une manière générale, la littérature scientifique n'aborde pas les thèmes tels que la réalisation de cartes décrivant l'activité des téléphones portables dans les villes, ou la visualisation du système urbain en matière de téléphonie fixe. Comment cet état de fait s'explique-t-il ?

Le manque de recherches universitaires sur ce sujet a une explication pratique : il est difficile d'accéder aux données nécessaires pour interpréter la manifestation spatiale de l'utilisation des téléphones portables. En fait, la plupart du temps, il ne suffit pas de rassembler les données pour mener à bien une analyse utile ; il est souvent nécessaire, en plus, de développer des applications spécifiques en partenariat avec les fournisseurs d'accès pour être capable d'interpréter ces données. Les deux projets que nous allons décrire ci-dessous ont entrepris d'inciter les opérateurs européens à engager des études ponctuelles sur la dynamique spatiale de la téléphonie. Ces études n'auraient pas pu être menées à bien sans leur aide.

from the booming mobile communications industry. According to the European Information Technology Observatory[10], cell phone subscriptions in Western Europe reached 350 million in 2003 (compared with 157 million in the USA). In Italy, where the *Mobile Landscape : Milan* case study was conducted, the number of users is approximately 54 million; i.e., the second largest market in Europe after Germany. Elsewhere in the world, especially in countries with lower levels of Internet use, mobile phones are becoming increasingly popular amongst the urban populace.

Concurrently, geo-referenced data are becoming more readily available and their applications are currently the focus of much attention in the cell phone industry. They are generally referred to as Location Based Services (LBS) – value-added services for individuals in the form of new utilities embedded in their personal devices. Examples, both implemented and speculative, include systems providing information about one's surroundings (neighbouring restaurants, museums, emergency shelters, etc.); distributed chat lines aimed at allowing people with similar profiles to encounter each other in space via a technologically augmented serendipity; and "digital tapestries" that attach different types of information to physical spaces.

In light of these facts, it is surprising that aggregated location data derived from inexpensive, mass-produced communications devices have not been used to describe urban systems. Research efforts in the area are minimal; the scientific literature mostly ignores themes such as the mapping of cell phone activity in cities or the visualization of the urban system based on handset movements. How could this be ?

One practical reason for the lack of scholarly research on this subject is the difficulty of accessing the necessary data to interpret the spatial expression of cell phone usage. In fact, in most cases collecting the data itself is not sufficient to conduct a useful analysis, as it is often necessary to develop ad-hoc software in partnership with telecommunications providers in order to bun-derstand the data's spatial manifestations. The two projects described below have engaged leading cell phone operators in Europe to develop discrete studies exploring the spatial dynamics of phone usage. They could not have been realized without the help of these providers.

Mobile Landscape : Milan

> Team : Riccardo Pulselli, Carlo Ratti, Sarah Williams.
> Coordination : Carlo Ratti, SENSEable City Laboratory, MIT.
> Project completion, initial phase : October 1st, 2005.

The *Mobile Landscape : Milan* project represents the SENSEable City Laboratory's first effort to map urban dynamics based on cell phone activity in a specific geographic area. For this study, the research team has established a partnership with a leading Italian mobile network operator, thus

Mobile Landscape : Milan

> Équipe : Riccardo Pulselli, Carlo Ratti, Sarah Williams.
> Coordination : Carlo Ratti, SENSEable City Laboratory, MIT.
> Fin de la première phase du projet : 1 Octobre 2005.

Avec le projet intitulé *Mobile Landscape : Milan*, le laboratoire SENSEable City tente pour la première fois de dresser une carte des dynamiques urbaines développée à partir de l'activité des téléphones mobiles d'une zone géographique spécifique. À l'occasion de cette étude, l'équipe de chercheurs a établi un partenariat avec un grand opérateur italien ; cette situation leur permet d'observer en quoi l'ensemble des données fournies par les téléphones portables peuvent éclairer les dynamiques des systèmes urbains. C'est la zone métropolitaine de Milan qui a été choisie comme premier site d'étude pour ces caractéristiques d'urbaines et parce qu'elle constitue l'un des marchés de téléphonie mobile les plus développés au monde.

Les résultats actuels de cette étude semblent pouvoir ouvrir la voie vers une nouvelle interprétation des systèmes urbains, que nous avons appelée *Mobile Landscapes* (paysages mobiles). Celle-ci pourrait proposer de nouvelles réponses à certaines questions de l'architecture et de l'urbanisme : 1) comment dresser la carte de la provenance et de la destination des véhicules ? 2) comment interpréter les déplacements des piétons ? 3) comment mettre en relief les points essentiels de l'infrastructure urbaine ? 4) comment peut-on établir des rapports entre la forme de la ville et les flux qui s'y dessinent ?

À cet égard, l'étude menée dans le cadre des *Mobile Landscapes* pourrait avoir un impact important sur la syntaxe spatiale[11], en complétant les enquêtes de rue traditionnelles, voire en s'y substituant. En fait, ce concept pourrait peut-être révolutionner, volontairement ou non, le domaine des études d'urbanisme dans son ensemble, car les *Mobile Landscapes* mettent à jour les comportements et les déplacements réels sur le territoire urbain, de nouveaux « réflexes » du système urbain, en temps réel.

La recherche est en cours, mais voici quelques résultats préliminaires; des données plus détaillées, ainsi qu'un débat sur les implications en termes de vie privée, suivront[12]. Les images ci-contre montrent la continuité de l'activité téléphonique dans la ville de Milan ; les différentes intensités sont représentées sur une carte logarithmique classique présentant une gamme de couleurs allant du bleu au rouge (le bleu indique les zones de faible activité des téléphones portables, le rouge les zones de forte activité). Les variations d'intensité apparaissent par une série de cartes dressées entre 9:00 et 13:00 heures. De fait, cette série met en lumière les migrations cycliques dans la ville de Milan : en début de matinée, l'intensité relative des appels téléphoniques est à son maximum dans les banlieues ; elle se déplace progressivement vers

Carte de densité des appels portables dans la région de Milan entre 09:00 et 13:00 d'une journée d'avril 2004.
Maps showing areas with different cell phone call density in the metropolitan region of Milan. Data show activity between 09:00 and 13:00 for one day in April, 2004.

:
:

Carte de densité des appels
portables autour de la gare de
Milan entre 16:00 et 20:00
d'une journée d'avril 2004.
Maps showing areas with different cell phone call density
around the train station in
Milan. Data show activity between 16:00 and 20:00 for one
day in April, 2004.

gaining a privileged insight into how aggregated data from mobile devices could reveal the dynamics of urban systems. The metropolitan area of Milan, Italy has been selected as the initial case study site; it combines a number of interesting planning features with one of the most developed markets for mobile phones.

The current results obtained from the study seem to open the way for a new approach to the understanding of urban systems, which we have termed "mobile landscapes". Mobile landscapes could give new answers to long-standing questions in architecture and urban planning such as 1) how to map the origins and destinations of vehicles; 2) how to understand patterns of pedestrian movement; (3) how to highlight critical points in the urban infra-structure; (4) how to establish the relationship between urban forms and flows, etc. In this sense, the study of mobile landscapes could have a great impact on space syntax[11], complementing and possibly substituting tradi-tional pedestrian surveys in the future. In fact, the whole field of planning and urban studies could be revolutionized (wittingly or unwittingly) by the concept of mobile landscapes, as they yield the potential to reveal – in real-time, as a new 'reflex' of the urban system – actual patterns of movement and behaviour in the urban territory.

Research is still in progress, but some preliminary results are presented here; more detailed data, as well as a discussion of privacy implications, is forth-coming[12]. These images show a continuous surface of cell phone activity in Milan; intensities are represented by a standard logarithmic colour map that ranges from blue to red (blue indicates zones of low cell phone activity, while red indicates zones of high activity). The variations are shown in a series of these maps over the whole Milan case study area between 9:00 and 13:00. As it turns out, the series clearly highlights Milan's general commuting patterns : the relative intensity of calls is maximum in the suburbs early in the morning, while it progressively moves towards the city-center and peaks at the core central district (mostly offices) at noon. However, the maps also depict urban activities with a finer grain. Next series represent a zoom into the area around Milan's Stazione Centrale, a key railway-commuting node. Here, again it is possible to clearly identify rush hours, with 16:00 and 17:00 showing a great yellow area (the last image of the sequence shows low levels of activity, as in fact happens once daily commuters have departed).

The underlying assumption is that the activity of a cell phone station is somehow related to the number of people in the neighbourhood. This would be correct if all people were using cell phones at regular intervals. Almost everyone carries a cell phone in Italy, but patterns of use depend on the type of users (age, socio-economic traits, etc.) and on the activity they are involved in (working, shopping). Still, our hypothesis is that the patterns of cell phone use intensity correlate with the intensity of urban activity;

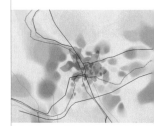

le centre-ville, et elle atteint son point culminant au cœur de la ville (constitué pour l'essentiel de bureaux) à midi. Par ailleurs, les cartes décrivent l'activité urbaine avec plus de précision. La série suivante est un zoom sur les abords de la Gare Centrale de Milan, centre clé pour les trajets quotidiens. Là encore, on peut déterminer de façon très précise les heures de pointe : une large zone de couleur jaune couvre la plage horaire de 16:00 à 17:00 heures (la dernière carte de la série montre de faibles niveaux d'activité, qui correspondent en fait au départ des navettes quotidiennes).

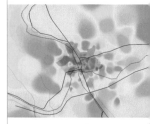

Selon l'hypothèse de cette recherche, l'activité des téléphones portables dans un espace donné serait liée d'une manière ou d'une autre au nombre d'individus qui s'y trouvent. Ce serait vrai si tous utilisaient leur téléphone portable à intervalles réguliers. Or si tout le monde ou presque en Italie possède un appareil de téléphonie mobile, les modes d'utilisation diffèrent néanmoins en fonction des individus (de leur âge, de leurs caractéristiques socio-économiques, etc.) et de leur activité du moment (s'ils travaillent, s'ils font leurs courses…). Quoi qu'il en soit, nous posons comme hypothèse que l'intensité d'utilisation des téléphones portables est en corrélation avec celle de l'activité urbaine ; les mettre en lumière peut aider à comprendre d'importantes dynamiques urbaines. Les points d'infrastructure urbaine particulièrement utilisés sont plus faciles à localiser, tout comme les évènements provoquant une activité de communication intense ou les quartiers « branchés » de la ville. Nous pouvons enfin nous attaquer à un problème de longue date : celui de l'estimation de la circulation entrante et sortante de la ville. Nous faisons ici référence non seulement aux migrations cycliques, mais aussi aux changements d'activités du week-end par rapport à la semaine et aux mouvements en période de vacances. Les potentiels de ces applications en temps réel peuvent avoir de vastes implications, elles pourraient même jouer un rôle dans l'aide humanitaire d'urgence. Pensez-vous que le désastre provoqué par le tsunami dans l'Océan Indien, en décembre 2004, aurait présenté un bilan aussi lourd si l'on avait pu identifier ceux qui se trouvaient près de la côte et leur donner des informations pour l'évacuation ?

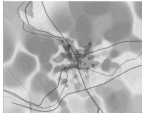

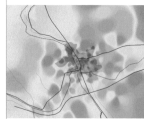

Les applications potentielles sont nombreuses, mais ce ne sont pour l'instant que des hypothèses. Telles qu'elles sont présentées, les cartes établies par SENSEable City Lab se limitent à la représentation des dynamiques d'intensité de la téléphonie mobile. Dans leur état actuel, elles sont précises et révélatrices ; mais elles nécessitent une étude plus large. Les données, actuellement en cours d'analyse, sont obtenues par le suivi des portables à intervalles réguliers (par exemple, toutes les cinq minutes) ; ces données mettront en évidence le lien entre l'activité des antennes répertoriées et les mouvements urbains.

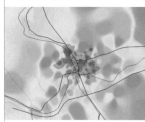

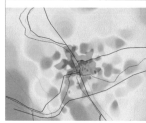

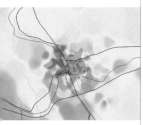

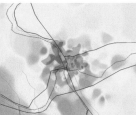

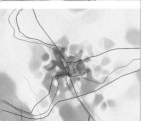

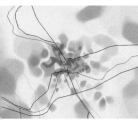

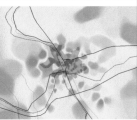

Séquence représentant l'évolution de l'intensité d'utilisation des téléphones portables sur la journée du 10 octobre 2005 dans la ville de Graz.
Sequence of Graz images showing areas with different cell phone call density for one day on October, 10th 2005.

revealing them can help monitor important urban dynamics. Critical points in the use of the urban infrastructure become more evident, as well as communications-intensive events and "hot" areas in the city. Finally, a long-standing problem can be addressed : that of estimating flows in and out of the city. We are referring to patterns of daily commuting, weekday versus week-end activities and holiday movements. Real time applications could be broad and far reaching and might even play a role in emergency relief. Would the Indian Ocean tsunami disaster of late 2004 have taken as sharp a toll as it did if people near the sea coast had been identified and given evacuation instructions via their cell phones ?

A wide array of potential applications can only be postulated at this stage. As presented, the maps undertaken by the SENSEable City Lab limit themselves to showing the dynamics of cell phone intensity. In their present state, they are accurate and revelatory; however, they need further validation. The new data that are currently being processed, based on the tracing of the displacement of hand-held devices in the city at regular intervals of time (i.e., every five minutes), will provide evidence of how urban movements relate to the registered antenna activity.

Mobile Landscape : Graz

> Team : Daniel Berry, Sonya Huang, David Gutierrez, David Lee, Xiongjiu Liao, Andrea Mattiello, Eugenio Morello, Carlo Ratti, Andres Sevtsuk.
> Coordination : Daniel Berry, Andrea Mattiello, Eugenio Morello, Carlo Ratti, Andres Sevtsuk, SENSEable City Laboratory, MIT.
> Project completion October 1st, 2005.

Mobile Landscape : Graz is a project developed for the exhibition MCity : European Cityscape at the Kunsthaus Graz, operating from October 2005 through January 2006. It harnesses the potential of mobile phones as an affordable, ready-made and ubiquitous technology that allows the city to be sensed and displayed in real-time, revealing the opportunities, patterns and potential hazards that this technology harbors.

Mobile Landscape : Graz (re)presents the city through two maps or channels, displayed simultaneously in the Kunsthaus Graz and in a publicly accessible website.

The first channel of the Real-Time City Map shows the changes in volume and geographic source of cell-phone usage within Graz. To construct it, the users of a leading mobile communications operator in Graz are tracked anonymously by "pinging" their handsets as they move through the city. The record of this movement is then collected, processed and finally displayed as a set of dynamic fields that show the fluctuation of phone use in the city at specific points in time.

The second channel of the map relies on a tracking application that allows willing individual users to trace their own movement through the city vis-à-vis their handsets. By sending a SMS, a user can request to be tracked on the

Mobile Landscape : Graz

> Équipe : Daniel Berry, Sonya Huang, David Gutierrez, David Lee, Xiongjiu Liao, Andrea Mattiello, Eugenio Morello, Carlo Ratti, Andres Sevtsuk.
> Coordination : Daniel Berry, Andrea Mattiello, Eugenio Morello, Carlo Ratti, Andres Sevtsuk, SENSEable City Laboratory, MIT.
> Fin du projet : 1 Octobre 2005.

Mobile Landscape : Graz a été présenté à l'occasion de l'exposition MCity : European Cityscape qui s'est tenue au Kunsthaus Graz entre octobre 2005 et janvier 2006. Ce projet exploite le potentiel des téléphones portables en tant que moyen de communication bon marché, prêt à l'emploi et omniprésent qui permet de visualiser et de percevoir la ville en temps réel ; il expose ainsi les perspectives que peut ouvrir cette nouvelle technologie autant que les risques qu'elle peut comporter.

Mobile Landscape : Graz (re)présente la ville de Graz, en Autriche, à l'aide de deux cartes ou canaux qui seront affichés simultanément au Kunsthaus Graz et sur un site Internet public.

La première source de la *carte de la ville en temps réel* montre l'évolution statistique et géographique de l'utilisation de téléphone portable dans Graz. Elle est constituée grâce au repérage anonyme des abonnés d'un grand opérateur, dont on suit les déplacements à travers la ville en détectant leur téléphone. Les enregistrements sont ensuite collectés, examinés puis transmis en un ensemble de champs mouvants retraçant les fluctuations de l'utilisation de portable dans la ville à certaines heures de la journée.

La seconde source de la carte dépend d'une application qui permet à des volontaires de suivre leurs propres mouvements grâce à leur téléphone. En envoyant un SMS, ils peuvent demander d'être suivis pour 24 heures ; ils peuvent aussi décider d'interrompre à tous moments. La trace de chacun des volontaires s'affiche alors sur la carte avec un alias confidentiel et la vitesse de leurs déplacements.

Mobile Landscape : Graz est donc un instrument d'écoute, d'observation et de lecture de la ville, un outil qui interprète la ville en tant qu'entité mouvante formée d'interactions humaines dans l'espace et dans le temps, plutôt que comme un environnement figé strictement physique. D'une part, ce projet propose un mécanisme d'analyse destiné à mieux comprendre les situations urbaines en temps réel. D'autre part, il informe ses utilisateurs, leur permettant de passer de l'état d'entité passive et observée à celui de participant.

En appréhendant les téléphones portables comme des appareils permettant de repérer et de suivre leurs utilisateurs, mais aussi d'ouvrir des perspectives de participation, *Mobile Landscape : Graz* suscite également des interrogations quant au rapport de la ville contemporaine aux technologies d'information et de communication. Dans quelle mesure la technologie influe-t-elle sur nos modes de description et de représentation de la condition urbaine

Capture d'une représentation en temps réel de l'activité des téléphones portables dans Graz superposée au plan de la ville (octobre 2005)
Real-time image of cell phone activity in Graz, superimposed over city map (October, 2005)

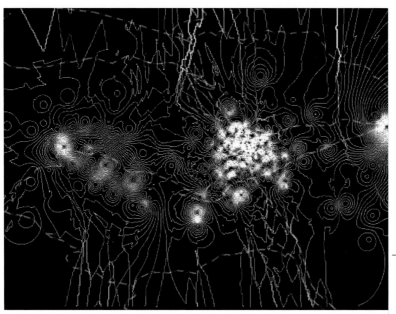

SENSEable City Lab,
Mobile Landscape : Graz, (2005).
Représentation en temps réel de l'activité
des téléphones portables à Graz.
Real-time image of cell phone activity in
Graz, superimposed over city map.

actuelle ? Quels sont les effets de cette technologie en tant qu'instrument d'enquête et d'analyse, et quel est son potentiel en la matière ? Quelles nouvelles formes, quelles nouvelles interprétations peuvent aujourd'hui être adoptées par la cartographie, et comment les citoyens peuvent-ils répondre et participer activement à celle de leur environnement ? Quelles réponses cette nouvelle technologie apporte-t-elle aux questions du contrôle, de la liberté individuelle, de l'hégémonie, de la vie privée, de la dépendance géographique[13] ?

Enfin, en ayant une approche active – et non pas simplement théorique – de ces questions, ce projet confirme sa fidélité à la recherche empirique et la pratique démocratique. Parallèlement, il complique les notions traditionnelles d'intentionnalité et d'auteur, notions qui s'effondrent dès lors que les usagers maîtrisent des cartes numériques.

Conclusions

Les trois projets que nous avons décrits dans le présent article se fondent sur le fait que les nouvelles technologies d'information et de communication, telles que l'Internet sans fil ou la téléphonie mobile, opèrent actuellement de profonds changements dans les comportements et l'organisation structurelle du système urbain. *iSPOTS*, *Mobile Landscape : Milan* et *Mobile Landscape : Graz* sont des initiatives dinstinctes qui répondent à l'urgente nécessité de développer de nouveaux outils de recherche pour mieux comprendre les implications de ces technologies émergentes sur l'espace urbain et ses habitants. Dans une certaine mesure, les mêmes technologies qui modifient actuellement les différents aspects de la vie urbaine, pourraient être utilisées pour rendre ces changements plus intelligibles.

map of Graz for 24 hours; the user can also stop the tracking at any time. The traces of each registered user are then layered over the general map alongside a confidential profile, showing the speed and pathways of his/her movement through space and time within Graz.

Mobile Landscape : Graz is thus a means of listening, observing, and reading the city, a tool that interprets the city as a shifting entity formed by webs of human interactions in space-time, rather than as a fixed and purely physical environment. On the one hand, it provides an analytical mechanism to further understand the urban condition in real-time. On the other hand, it provides feedback, allowing the user to change from being a passive/observed entity to an active participant.

By harnessing cell phones as devices that can track/monitor its users and simultaneously offer new opportunities for participation, *Mobile Landscape : Graz* also raises questions about the relationship between information and communication technologies and the contemporary city. How does technology shape the way in which we describe and represent the contemporary urban condition ? What effects and possibilities does this technology generate as a tool of analytical inquiry ? What are the new forms and interpretations that mapping can adopt today, and how can citizens actively respond and participate in the process of mapping their surrounding environment ? How does this technology respond to issues of control, freedom, hegemony, privacy and geo-slavery[13] ?

Finally, by engaging these questions in an active – not simply theoretical – way, the project asserts its allegiance to empirical research and democratic practice. Simultaneously, it complicates the traditional notion of authorship and intentionality, which breaks down as the digital maps fall into the hands of their multiple users.

Conclusions

At their core, the three projects discussed in this article engage the fact that new ICTs such as wireless Internet and mobile phones are profoundly changing the structural conditions and behavior of the urban system. *iSPOTS, Mobile Landscape : Milan,* and *Mobile Landscape : Graz* are discrete initiatives that respond to the urgent need to develop new knowledge tools that mobilize these technologies to better understand the urban domain. In a certain sense, it can be said that the very technology that is changing urban patterns can be used to make them more intelligible.

Projects that engage the city in its present, technologically-enhanced state could begin to provide architecture and urban planning with new channels to intervene in the urban realm. They also seem to open the way to a new

De tels projets, s'attachant à la ville actuelle et aux évolutions que la technologie lui apporte, pourraient conférer à l'architecture et à l'urbanisme de
nouvelles possibilités d'intervention dans l'espace urbain. Ils semblent également ouvrir la voie à un nouveau paradigme, celui de la « ville en temps
réel ». L'affirmation est de A.M. Townsend : « les systèmes en temps réel sont
fondés sur l'utilisation de la rétroactivité d'une partie du système pour
encourager ou décourager, selon le cas, l'activité d'une autre partie du système, amenant ainsi celle-ci à un état de stabilité optimale déterminé par l'entité faisant autorité. Pourtant, la ville en tant que système n'a encore jamais
fonctionné selon un principe ne serait-ce qu'approchant du temps réel.»[14]

Depuis un certain temps déjà, les dispositifs de surveillance et de détection
électronique n'ont cessé de se multiplier dans les zones urbaines ; on pense
notamment aux caméras de surveillance ou à la situation londonienne (le
citoyen londonien est filmé en moyenne plus de 300 fois par jour par les
caméras CCTV).[15] Mais c'est uniquement grâce au sans-fil que les capteurs
peuvent commencer à agir en système et faire de la « ville en temps réel »
une réalité. Parfois, ce processus se construit de manière déconcentrée et
l'« intelligence centrale » se constitue selon un procédé pyramidal, comme
cela s'est vu, un peu partout dans le monde, avec l'exploitation du sms par
certains manifestants à l'occasion de grands rassemblements[16]. Parfois, les
données sont rassemblées et centralisées, puis examinées, comme c'est le cas
dans les études que nous avons présentées dans cet article.

Quelles sont les implications de cette nouvelle condition urbaine ? En un
sens, celle-ci soulève presque autant de questions qu'elle n'apporte de réponses : serait-il possible d'envisager une pratique urbanistique plus dynamique,
plus ajustée ? d'injecter dans la vie quotidienne le flux des données perçues,
instaurant ainsi une dimension rétroactive continue quant aux processus de
prise de décision ? La « ville en temps réel » annonce l'avènement de (ou la
lutte pour) l'« urbanisme temps réel ». Là encore, Townsend illustre clairement ce point : « La décentralisation massive des moyens de contrôle et de
la coordination des activités urbaines menace les fondements mêmes de l'urbanisme. En effet, cette profession repose sur l'idée selon laquelle c'est en
agissant depuis une agence centralisée que les techniciens peuvent prendre
les décisions les plus adaptées quant à l'attribution des ressources et l'administration, et qu'ils peuvent réellement appliquer ces décisions à l'échelle de
la ville».[17]

À un niveau plus général, les résultats décrits dans cet article, exercent une
influence sur l'image que la ville a d'elle-même. Ils permettent une nouvelle
approche critique de la condition urbaine d'aujourd'hui, mettant en lumière
aussi bien les perspectives qu'ils offrent (par exemple, un élargissement des
possibilités d'expression personnelle) que leurs dangers potentiels (par
exemple, les abus de surveillance). Voici le sens de la *ville en temps réel*.

Carlo Ratti

Architecte et ingénieur, il enseigne
au MIT où il dirige le laboratoire
SENSEable City.
L'agence carlorattiassociati,
dont il est le fondateur
et le directeur, a été sélectionné
pour la Biennale de Venise 2004
parmi les meilleures agences
d'architecture italiennes
émergentes. Ingénieur diplômé
du Politecnico di Torino (I) et de
l'Ecole Nationale des Ponts
et Chaussées (F), il détient
également un master et
un doctorat en architecture de
l'Université de Cambridge (UK).
Junior Fellow de l'Aspen Institute,
il est le co-auteur de quatre brevets et de plus de quarante textes
scientifiques.

Daniel Berry

Il a étudié l'architecture à
l'Université de Princeton,
et la planification urbaine au
MIT, dans lequel il a intégré
le groupe City Design and
Development ansi que le
SENSEable City Lab.
Son travail se concentre sur les
modalités de changement et le
sens de l'espace public dans le
territoire urbain contemporain.
Il est membre actif du Center
for Advanced Visual Studies
MIT et collabore au projet *Mobil
Landscape : Graz.*

Carlo Ratti teaches at the MIT, where he directs the SENSEable City Laboratory. He is also founding partner and director of carlo-rattiassociati, an architectural practice that was selected for exhibition at the Venice Biennale 2004 as one of the top emerging Italian practices. He graduated in structural engineering from the Politecnico di Torino and the Ecole Nationale des Ponts et Chaussées, later specializing in architecture with MPhil and PhD degrees from the University of Cambridge in 2002. A junior fellow of the Aspen Institute, he has co-authored four patents and over fourty scientific publications.

Daniel Berry studied Architecture at Princeton University and City Planning at the MIT, where he is a member of the City Design and Development Group and the SENSEable City Lab. His current work explores the changing modalities and meanings of public space in the contemporary urban territory. He is a collaborator in the *Mobile Landscape : Graz* project and an active member of the MIT Center for Advanced Visual Studies.

paradigm : that of the "real-time city". As A.M. Townsend put it : "Real-time systems operate by using feedback from one part of the system to either induce or inhibit activity in another part of the system, pushing it towards an optimum stable state chosen by the designer. Yet the city, as a system, has never operated at anything remotely approaching real time."[14] Electronic sensors and monitoring devices have been steadily accumulating in urban areas for some time now : think about video surveillance and the situation in London, where the average citizen is captured over 300 times per day by CCTV cameras.[15] However, it is only with the deployment of wireless that sensors can start working together as a system and make the "real-time city" real. Sometimes this process happens in an atomized way and "central intelligence" is built using a bottom up process, as is the case with the use of dynamic SMS as tools used by demonstrators in rallies and large gatherings over the world[16]. In other cases, the data is collected centrally and then processed, as is the case with the studies presented in this article.

What are the implications of this new urban condition ? At one level, it raises almost as many questions as it answers : would it be possible to envision a more dynamic and adaptive planning practice ? Or to inject a feedback loop of remotely-sensed data reflecting urban "experiences" for decision-making processes ? The "real-time city" heralds the advent (or struggle for) "real-time planning". Again Townsend clearly illustrates the point : "Massive decentralization of control and coordination of urban activities threatens the very foundations of city planning – a profession based upon the notion that technicians operating from a centralized agency can make the best decisions on resource allocation and management and act upon these decisions on a citywide basis."[17]

On a more general level, results like the ones outlined in this paper are changing the self-representation of the city. They make possible a new critical approach to the contemporary urban condition by raising awareness of both the opportunities (i.e. efficiency and increased personal expression) and hazards (i.e. excesses of surveillance) that they introduce. This is the sense of the real-time city.

Notes

1. LE CORBUSIER, *La charte d'Athènes*, Paris Editions. de Minuit, 1957.
2. See http://steamcafe.mit.edu/
3. See, for instance, F. DUFFY , *The New Office*, London, Conran Octopus, 1997.
4. LE CORBUSIER, op.cit. (1).
5. Some of these aspects are discussed in W. MITCHELL, *Me++*, Cambridge MA, MIT Press, 2003 the latest of a trilogy that included City of Bits, 1995 and *E-topia*,1999. See also H. RHEINGOLD, *Smart Mobs : The Next Social Revolution*, Cambridge MA, Perseus Publishing, 2002.
Implications of increased mobility on time management are highlighted, amongst others, by the project Fluidtime at the Interaction Design Institute in Ivrea : http://www.interaction-ivrea.it/en/gallery/fluidtime/index.asp

:
:

Notes

1. LE CORBUSIER, *La charte d'Athènes,* Paris Editions de Minuit, 1957.

2. Voir http://steamcafe.mit.edu/

3. Voir, par exemple, F. DUFFY, *The New Office*, Londres, Conran Octopus, 1997.

4. LE CORBUSIER, op.cit (1).

5. Certains aspects de ce sujet sont discutés dans le troisième volet de la trilogie de W. MIT-CHELL (après *City of Bits*, 1995 et *E-topia*, 1999) : W. MITCHELL, *Me++*, Cambridge MA, MIT Press, 2003. Voir également H. RHEINGOLD, *Smart Mobs : the Next Social Revolution*, Cambridge MA, Perseus Publishing, 2002. Les implications de la mobilité croissante sur la gestion du temps sont notamment mises en relief par le projet *Fluidtime* à l'Interaction Design Institute d'Ivrea : voir http://www.interaction-ivrea.it/en/gallery/fluidtime/index.asp

6. A. M. TOWNSEND, « Life in the Real-Time City : Mobile Telephones and Urban Metabolism » in *Journal of Urban Technology*, 7 : 2 pp. 85-104, 2000. Voir aussi http://realtimecity.danielbauer.com/

7. Voir TOWNSEND (6).

8. Voir J.DAO, « Philadelphia Hopes to Lead the Charge to Wireless Future », *The New York Times*, 23 février 2005.

9. MITCHELL, op.cit. (5).

10. European Information Technology Observatory. Voir http://www.eito.com

11. La *syntaxe spatiale* est un ensemble de techniques pour l'analyse de l'influence sur les affaires humaines de la configuration de l'espace. D'abord conçue par le professeur Bill Hillier et ses collègues de la Bartlett et de UCL, dans les années 1980, comme un outil pour simuler l'impact de projets d'architecture. Il s'agit désormais d'un outil utilisé pour de nombreuses recherches. Voir http://www.spacesyntax.org

12. C. RATTI, R. M. PULSELLI, S. WILLIAMS et D. FRENCHMAN, « Mobile Landscapes : Using Location Data from Cell-phones for Urban Analysis », soumis à publication in *Environement and Planning B – Planning and Design*.

13. Pour une définition de la dépendance géographique : « geoslavery », voir J. DOBSON et P. FISCHER, « Geoslavery », IEEE Technology and Society, 22 (1), pp.47-53.

14. TOWNSEND, op.cit (6).

15. Voir l'article de D. GADHER, « Smile, you're on 300 candid cameras », *The Times*, 15. février 1999.

16. Voir http://www.txtmob.com/

17. TOWNSEND, op.cit (6).

Remerciements

Les projets décrits dans ce chapitre n'auraient pas pu être élaborés sans l'aide et l'énergie de l'équipe du SENSEable City Lab : chacun d'entre eux a participé aux trois projets. Nous remercions tout particulièrement Xiongjiu Liao pour son aide inestimable en matière de SIG. Nous devons également beaucoup à de nombreuses personnes du Massachusetts Institute of Technology, parmi lesquelles Dennis Frenchmen, William Mitchell, Susanne Seitinger, George Stiny et Lawrence Vale, pour leurs commentaires autant que pour l'environnement de travail extrêmement stimulant qu'ils ont mis à notre disposition. Bien entendu, toute erreur relève de la seule responsabilité des auteurs.

Traduction de l'Anglais d'Emilie Gourdet.

6. A. M TOWNSEND, "Life in the Real-Time City : Mobile Telephones and Urban Metabolism", *Journal of Urban Technology*, 7 : 2, 2000, pp. 85-104. See http://realtimecity.danielbauer.com
7. See TOWNSEND, op.cit. (7).
8. See J. DAO, "Philadelphia hopes to lead the charge to wireless future", *The New York Times*, February 23rd 2005.
9. MITCHELL, op.cit. 2003 (6).
10. European Information Technology Observatory. See web site http://www.eito.com
11. Space syntax is a set of techniques for the analysis of spatial configurations of all kinds, especially where spatial configuration seems to be a significant aspect of human affairs, as it is in buildings and cities. Originally conceived by Professor Bill Hillier and his colleagues at The Bartlett, UCL in the 1980s as a tool to help architects simulate the likely effects of their designs, it has since grown to become a tool used in a variety of research and areas and design applications. It has been extensively applied in the fields of architecture, urban design, planning, transportation and interior design. (For more information visit www.spacesyntax.org)
12. C. RATTI, R.M PULSELLI, S. WILLIAMS, D. FRENCHMAN, "Mobile Landscapes : using location data from cell-phones for urban analysis", submitted for publication to *Environment and Planning B – Planning and Design, 2005.*
13. For the definition of "geoslavery" see J. DOBSON, P. FISHER, "Geoslavery", IEEE Technology and Society 22 (1), 2003, pp.47-53.
14. See TOWNSEND, op.cit. (7).
15. See D. GADHER, "Smile, you're on 300 candid cameras", *The Times*, 14th February 1999.
16. See http://www.txtmob.com/
17. See TOWNSEND, op.cit. (7).

Acknowledgements

The projects described in this chapter would not have been possible without the help and energy of the SENSEable City Lab team : they are listed individually under each project. We should only like to single out Xiongjiu Liao for his invaluable help with GIS mapping. We are also indebted to many people at the Massachusetts Institute of Technology for their feedback and for providing an extremely stimulating research environment. In particular, we would like to thank Dennis Frenchman, William Mitchell, Susanne Seitinger, George Stiny, and Lawrence Vale. Of course, any shortcomings are the responsibility of the authors.

Pour un urbanisme paramétrique
Towards a Parametric Urbanism

David Gerber
Harvard GSD

Cet article est un témoignage et une analyse de la manière dont l'informatique est en train de changer les méthodes de conception des projets urbains. En effet, une trajectoire depuis les méthodes informatiques traditionnelles vers des méthodes paramétriques se dessine peu à peu. Dans certains milieux, cette progression vers la *conception paramétrique*[1] est déjà acquise. Quoi qu'il en soit, ce passage n'est pas encore effectif dans la pratique de l'urbanisme, pas plus que dans l'enseignement et nous n'en connaissons pas encore pleinement les possibilités ni les limites.

Les descriptions qui suivent présentent l'évolution de trois projets urbains et des processus numériques qu'ils utilisent pour intégrer la complexité et pour la genèse de leurs caractéristiques géométriques. Trois projets : *Spatial Alliances*[2], étude d'un quartier d'affaire au cœur de Londres, *one north masterplan*[3], développement de 200 hectares à Singapour et *Smart Cities*[4], recherche sur la mobilité et l'intermodalité, permettent de relater l'évolution des processus de conception.

Au-delà du témoignage nous nous demanderons comment les capacités de prospection des méthodes traditionnelles et des méthodes paramétriques se distinguent par leurs *espaces de solutions*[5]. Comment se distinguent-elles par leur capacité à promouvoir l'interactivité au sein de processus de conception, en tant qu'objectif en soi, aussi bien que pour l'intégration de l'émergence et de la complexité ? Comment se distinguent-elles pour la gestion, l'organisation et l'intégration de l'information ? Nous étudierons les innovations de ses projets dans les domaines de la gestion, de leur organisation et de l'intégration de l'information par des méthodes de recherche et de conception numériques.

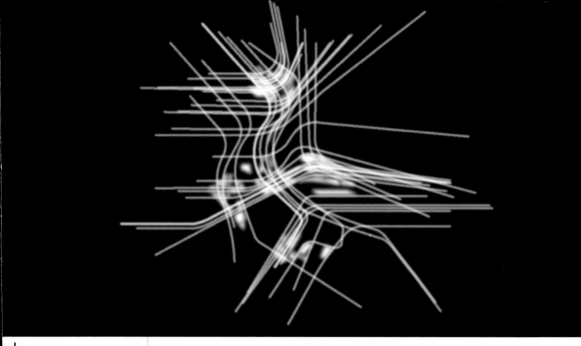

ZAHA HADID ARCHITECTS,
one north masterplan (2002).

This article is an analysis of the way in which computation is changing the methods of conceptualization of urban design projects. It describes a trajectory from the use of traditional or explicit methods towards those of parametric methods. This progression towards *Parametric Design*[1] is in some circles old news; however it is a progression that remains to be fully embraced in practice, pedagogy, nor is it fully understood for its limitations and possibilities.

The descriptions which follow present the evolution of three urban projects and their use of computation. These projects enumerate the evolving processes used to integrate urban complexity and generative approaches to the design of their formal characteristics. Three projects: *Space Alliances*[2], a study for a business epicenter in downtown London, *the one north masterplan*,[3] a technopole development of 200 hectares in Singapore and *Smart Cities*,[4] research on mobility and intermodality, make it possible to report on the evolution towards a parametric set of processes for designing complex urban projects.

Through these project descriptions we will ask how the traditional methods and those of more recent parametric methods are differing in their ability to generate and explore solution spaces[5]. How are they distinguished by their capacity to promote interactivity within urban design ? How can we discern their success in achieving a common urban design objective; that of the integration of physical and socially emergent interactivity and system complexity into the process of urban design ? We also look to these projects for how they are innovative in their management, organization and integration of information through computational cognition and design techniques.

:
:
:

EXECUTIVES
BUSNESS DEVELOP
MANAGERS

EXECUTIVES
BUSNESS DEVELOP
MANAGERS: linear surface study

SALES
MARKETING

SALES
MARKETING
linear surface study

Un modèle paramétrique peut être compris comme une simulation numérique du projet, constituée d'un ensemble d'éléments géométriques, de leurs relations manipulables par des paramètres et d'un ou plusieurs ensembles d'associations subordonnées. Par exemple : un mur dont la longueur (dans ce cas le paramètre principal) déterminerait le nombre de fenêtres qui à son tour en déterminerait la forme ; Ou bien, le projet volumétrique d'un quartier pour lequel la réduction du recul sur les parcelles induirait l'augmentation de l'enveloppe bâtie et par conséquence diminuerait le volume d'autres zones du projet qui y seraient reliées en tant que variables subordonnées.

Le modèle paramétrique permet d'actualiser automatiquement tous les liens et les associations. En rationalisant au préalable le modèle ou sa logique de conception en tenant compte des changements potentiels et des associations, nous aurons une série d'effets intentionnels qui permettent de produire des solutions innovantes. En urbanisme, les paramètres pertinents concernent le placement des nœuds de transports, l'ensoleillement des espaces publics, la densité de population ou encore les besoins en places de parking.

Il est aisé de décrire de longues listes de relations de hiérarchie et de dépendance au sein des projets urbains. Pour illustrer les progrès des méthodes de conception vers le paramétrique, je décris ici les intentions, les processus de conception et les défis technologiques de trois projets. Il s'agit à la fois de faire le point sur des projets qui partagent des objectifs de développement

DAVID GERBER,
Spatial Alliances (2000).
Thesis Team : David Gerber, Emmanuel Bringer, Freyr Frostason
AA DRL Tutor : Brett Steele
Exploration de la conception du programme par un diagramme des types d'employés, des configurations spatiales et des opérations conceptuelles qui utilisent le pliage comme moyen de faciliter les interactions entre les sociétés. La technique fut de modéliser des zones, de fusionner les planchers en fonction de leur proximité spatiale et des champs de vision envisagés.
Design exploration of the corporate program, through a matrix of different employee types, spatial configurations, and design operations emphasizing folding as a means to facilitate corporate interaction. The technique was to model areas and to morph floor plates based on physical adjacency requirements and desired visual connectivity.

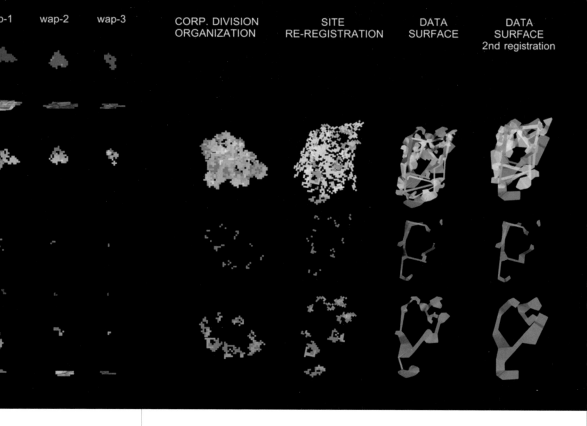

A simple parametric model can be understood as a digital simulation of a project constructed in the computer as sets of geometry and relationships which have driving parameters and a singular or set of driven associations. An example might be a model where the length (an independent or design parameter) of a wall drives the number of windows which in turn drives the shape of these windows. A more complex example might be an urban design massing model where as we shrink the set back for the parcel we increase the quantum of building envelope and furthermore we decrease the linked quantum (dependent variables) in other areas of the masterplan.

What is important to distinguish from the traditional model is the concept of change propagation within a parametric urban simulation. The Parametric Design model will update all the links and associations automatically. By pre-rationalizing the model or design logic with these changes and design associations in mind we will have a series of purposeful and sometimes generative downstream effects; including the placement and re-routing of transportation nodes, shadow and light effects upon open spaces, population per parcel and required parking spaces. It is easy to imagine a long list of possible driving and driven relationships within urban projects.

To illustrate this progression of the methods of urban design towards parametric ideation I describe here the architects' intentions, each team's processes of design analysis and description, and the technological challenges of three projects. This article is in part a progress report on large scale urban

social et d'émergence de dynamiques urbaines, et de démontrer la nécessité d'une approche paramétrique pour des processus de conception toujours plus interactifs et itératifs.

Animation et itération explicite : prélude à la conception paramétrique
AA DRL *Spatial Alliances*

Achevé en 2000, le projet *Spatial Alliances* a été développé dans le cadre du Design Research Laboratory de l'école Architectural Association, Londres, sous la direction de Brett Steele.

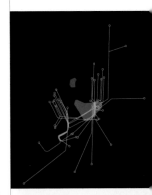

Ce projet a été développé dans le contexte de la volatilité des affaires entre 1998 et 2000. Ces années de bulles boursières annonçaient le développement de nouvelles conditions architecturales et urbaines que nous avons analysées sous l'angle de la théorie des organisations. A la suite d'une recherche sur la morphogenèse de l'environnement des affaires (que nous avons pris l'habitude d'appeler « mergemania »[6] - manie des fusions et des absorptions), *Spatial Alliances* a énoncé une liste de clients « émergents », faite d'entreprises existantes, de fusions ou de partenariats. Le projet avait pour objectif d'enregistrer les spécificités des entreprises tout en modelant leurs relations et leurs alliances dans une forme urbaine élastique. L'enjeu était de développer un équipement dont le programme pourrait non seulement évoluer au fur et à mesure des fusions, des absorptions et des évolutions des entreprises mais aussi en accélérer la dynamique. Le quartier entre Kings Cross et Saint Pancras apparaissait alors comme une opportunité foncière où nous avons conçu un nouveau type d'équipement hybride, entre le siège social, la zone industrielle et la pépinière d'entreprises.

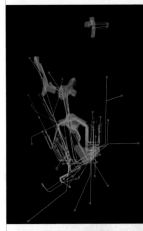

Nous avons développé une stratégie programmatique et spatiale qui s'approprie les notions d'informel, de pli et de morphogenèse pour s'adapter aux besoins de locaux flexibles d'un ensemble mouvant d'entreprises. Il s'agissait aussi de stimuler la croissance de l'entreprise par les interactions spatiales, la fusion d'entreprises et la coopération.

Plutôt que de concevoir un projet avec les méthodes et les outils traditionnels de l'architecture (de l'esquisse au projet détaillé par une succession de documents graphiques de plus en plus précis), nous avons inventé un dispositif qui interprète et donne forme à l'analyse de la structure des entreprises - personnels, équipements, surfaces nécessaires et flux d'information. Ce dispositif a pris la forme d'un tableau d'analyse dynamique de données et de boucles de modélisation rétroactives.

Trois types d'espaces composent ce dispositif : Le tissu connectif - espace de circulation -, les surfaces des entreprises - espace de travail -, la structure - ici conçue comme un réseau métallique tridimensionnel.

projects which share common objectives of social development in support of the contemporary condition of emergent dynamic urbanisms. It is at the same time a testimony illustrating the need for a continual progression towards a parametric approach for urban design, one which is by its very nature, explorative and increasingly more interactive and iterative.

A Prelude to Parametric Design: Animation and Explicit Iteration
Spatial Alliances AA DRL

Completed in 2000, the project *Spatial Alliances* was developed within the milieu of the Design Research Laboratory of the Architectural Association, London, under the direction of Brett Steele.

Spatial Alliances was conceived within the volatile business atmosphere between 1998 and 2000. These were the years of the stock market bubble a significant impetus for needing new architectural and urban project solutions. It was a further impetus to re-address architectures use of organizational theory. Through research of the morphogenic corporate environment (what we called at the time "mergermania"[6]) *Spatial Alliances* brought to the project brief an emergent client list, one made of existing, merging, and cooperating clients. It was a project which sought a registration of company specificity while intentionally smoothing their alliances and relations into an elastic urban formalism. The challenge was to develop an urban infrastructure whose program could not only evolve or grow but one which could ameliorate the dynamics of this volatile corporate growth and business refocusing on the center of the city. The site, a district between Kings Cross and Saint Pancras stations in London appeared as a perfect test bed to experiment with urban re-vitalization through a new type of hybrid project, an intentional mix of public amenity, infrastructure, office park and incubator space.

Spatial Alliances developed a programmatic and spatial strategy which appropriated the concepts of the informal, of the fold, and morphogenesis in order to accommodate the needs for buildings to be flexible. It also served to drive a company's growth through spatial interaction, and corporate merger and cooperation.

Rather than conceive the project with the traditional methods and tools for architecture (explicitly sketching the project successively with un-linked and increasingly more complex models), we invented a methodology which interprets and gives form to the analysis of the structure of the companies. We began to ideate through a pre-parametric method devised through an analysis of personnel, equipment, necessary floor areas for flows of occupants and information. It took the form of a data driven matrix and modeling feedback loop.

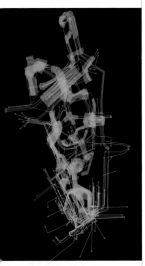

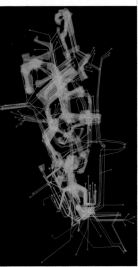

DAVID GERBER,
Spatial Alliances (2000).
Thesis Team : David Gerber, Emmanuel Bringer, Freyr Frostason
AA DRL Tutor : Brett Steele
Nature morphogénique de la croissance architecturale et urbaine du projet. Les séries d'images successives sont emblématiques de l'utilisation de l'animation comme méthode de conception pré-paramétrique pour la recherche formelle et la visualisation de la complexité urbaine. Morphogenic nature of the urban and the projects architectural growth. The image series are emblematic of the use of animation as a design technique both for pre-parametric form finding and visualization of urban complexity.

:
:

L'assemblage de ces espaces n'est pas déterminé par un programme fixe mais par l'interprétation de bases de données non seulement sur la structure des fusions et des créations entreprises mais aussi sur le contexte (information sur les caractéristiques du site et sur les moyens de transports disponibles). Ces bases de données n'étaient pas déterminées une fois pour toute. Au contraire, l'exploration de leurs variations faisait partie du processus de conception.

L'enjeu était alors de déterminer une méthode et des outils qui assistent la conception de scénarios de planification des infrastructures de ce centre d'affaire. Nous avons cherché des outils qui nous permettent de mélanger, de superposer et de reconfigurer les assemblages des 3 types d'espace. En 2000, nous n'avions pas encore d'outils paramétriques disponibles. Pourtant, nous avons conçu *Spatial Alliances* comme un projet qui explore des espaces de solutions formelles en fonction de données, de relations programmatiques et contextuelles fluctuantes.

Nous avons donc utilisé des outils logiciels[7] que nous définirions aujourd'hui comme explicites, nécessitant la mise en œuvre manuelle des itérations et des relations entre les données. Les maquettes numériques du projet n'étant pas reliées entre elles ni associées aux bases de données, chaque modification devait être répercutée « manuellement », sur l'ensemble des maquettes, l'une après l'autre.

Alors que l'équipe appréhendait peu à peu la dimension morphogénétique du projet, quasi cinématique, nous avons étudié les possibilités et les limites des logiciels et des méthodes que nous utilisions.

L'animation par image-clé s'est révélée être une technique pertinente pour la recherche formelle des assemblages des différents composants spatiaux. Bien qu'elle ne soit pas paramétrique, l'équipe a analysé l'animation comme moyen de visualiser les problèmes et leurs solutions formelles. Les surfaces programmatiques s'amalgamaient, se superposaient et se reconfiguraient en fonction de notre simulation de l'adhocratie (configuration consistant en particulier en une structure temporaire suscitée pour accomplir une tâche). Les logiciels calculaient alors les stades successifs entre chaque état/image-clé. Ainsi nous pouvions étudier des états intermédiaires en nous épargnant les modifications manuelles. L'équipe a ainsi exploré le projet, à partir de l'animation utilisée comme outil de visualisation de données dynamiques et d'autre part a posé la première pierre d'une conception de projet urbain par l'exploration d'un *espace de solution*.

Spatial Alliance est certainement un des premiers projets dont la démarche est résolument paramétrique. A partir d'outils « explicites », la tentative

The project was comprised of three types of spaces: the connective tissue - circulation space-, the corporate surfaces - workspace -, and its structure - conceived of as a growing and adaptable three dimensional lattice.

The aggregation of these systems was not determined by a fixed program but by the observation and interpretation of the changing data sets. The metamorphosis was occurring not only due to the structure of merging and off-shooting companies but also due to the evolving complex infrastructural urban context including data sets of changing site and transportation hub requirements. These data sets were not fixed and determined. On the contrary, the exploration of their variations became a primary driver of the need to find a new process of ideating the *Spatial Alliances* urban design.

The challenge was then to devise a method and tool set to assist the design, conceived through multiple scenarios of the volatile infrastructural business district. We sought tools which would enable us to amalgamate, to superimpose and to reconfigure the assemblies of these three spatial systems. In 2000, we did not yet have access to parametric design tools. However, we conceived *Spatial Alliances* as a project which explored multiple configurations and formal solutions based on malleable and fluctuating data sets, relational, contextual and programmatic.

Our invented computational structure and methodology was wholly based on explicit tools, requiring manual iteration and manual relationship and associativity building. Most simply stated, the design tools and technologies[7] used in the project were not capable of linking data, numeric tables, to digital three dimensional visualizations. When data sets changed, shrank or expanded new digital mock ups and physical models were required to be made again.

As the design team began to understand the project as morphogenic, and in a sense in motion, or even kinematic, we looked to the capabilities and more importantly the limitations of the software and methodology we were using.

One significant alternative form finding technique used was that of key frame animation. Though not parametric the project team sought out animation as a means to visualize the argument and solution space for our formalism: one where programmatic areas were intended to merge, overlap, and reconfigure depending on the dynamic adhocracy we were simulating. This animation technique allowed us then to calculate and visualize the successive stages between each configurations time-key. Thus we could study intermediate and unforeseen or generative conditions without having to model explicitly each manual modification. The technique afforded us a new ability to design for urban and corporate fluctuations but was limited to a linear evolution of possible solutions. The teams' methodology allowed us to explore the project

était d'intégrer la complexité de bases de donnée pour développer un projet urbain performant qui s'adapte le plus finement possible à une situation en perpétuelle évolution. Cependant, le manque d'association entre les données et les maquettes ne nous a pas permis de développer les automatismes qui auraient évité des manipulations manuelles longues et fastidieuses qui limitaient significativement l'exploration des solutions possibles.

Pseudo-Parametric Design : Zaha Hadid *one north* masterplan, Singapour[8]

C'est pour dépasser les limitations d'approches normatives de l'urbanisme que Zaha Hadid Architects a conçu et spécifié un nouvel outil et une méthodologie pour répondre au concours lancé par la Jurong Town Corporation à Singapour – *one north*[9].

one north est un très important projet de développement urbain dont la réalisation a débutée il y a plus de cinq ans. Commissionné à l'équipe de Zaha Hadid, en 2001, par la Jurong Town Hall Corporation à Singapour, le projet concerne le développement de 200 hectares de terrain pour accueillir 150 000 résidents et employés sur une période de 30 ans.

Le premier objectif du projet était d'accueillir et d'encourager la récente croissance de l'économie, les interactions entre les industries et le développement des affaires pour favoriser l'établissement d'une technopole de pointe. La proximité avec l'université polytechnique et l'existence d'un parc des sciences sont d'importants atouts du site. Pour optimiser cette opportunité, *one north* a été conçu pour dépasser l'isolement du site par le développement très volontaire d'infrastructures routières et une stratégie spatiale qui insiste sur les connections avec les alentours.

Contrairement au projet précédent, nous étions contraints par un client réel, un calendrier contraignant et des ensembles de données concrètes. *one north* fut l'objet de la collaboration complexe de nombreux participants. Chacun avec ses propres enjeux et données a pu orienter la conception. Ce projet a nécessité une quantité folle d'hypothèses et d'itérations entre les décisions et les interactions : de la petite échelle (par exemple les porte-à-faux des bâtiments) jusqu'à la grande échelle (par exemple la voirie). Nous avons alors réalisé à quel point nous avions besoin d'un processus rigoureux d'exploration, de cartographie, d'acquisition et de modification des données. Nous nous sommes trouvé confrontés à la nécessité de gérer de vastes bases de données qui exigeaient la visualisation rapide des modifications.
La stratégie de projet et l'approche de Zaha Hadid Architects pour une telle échelle, à la fois temporelle et spatiale, s'est concentrée sur des arrangements flexibles pour favoriser les activités commerciales et la croissance urbaine et sur quelques principes conceptuels. Les principes fondamentaux s'attachent à créer un parc d'activités d'une très grande mixité et une atmosphère dyna-

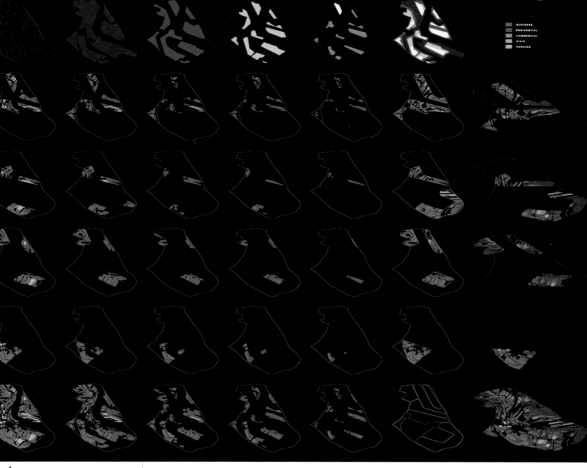

ZAHA HADID ARCHITECTS,
one north masterplan (2002).
Tableau des typologies de
programme, d'agrégation et de
relation de la stratégie du concours
pour le plan masse. La stratégie a
développé une mixité extrême selon
l'hypothèse qu'elle permettrait de
générer des activités dynamiques
et durables. Le tableau a été réalisé
manuellement grâce à la
modélisation 3D en conjonction avec
des données avec une méthode
paramétrique unidirectionnelle.
Matrix of program type, aggregation
and mixing relationship of the
masterplan's competition strategy.
The operative strategy aggregated
and visualized a highly mixed use
plan which was emphasizing the idea
that urban mixing would generate a
sustainable city vibrancy. The matrix
was made through 3d modeling in
conjunction with data tabulations
as a unidirectional parametric
approach done by hand.

through visualizing changing data driven forms and more importantly set a
precedent for urban ideation through solution space exploration.

Spatial Alliances was certainly one of our first projects whose ideation was
resolutely parametric. Though conceived entirely with explicit tools, the
team attempted to integrate complex data bases, numerical and spatial, to
develop a performative urban project; one capable of adapting and furthermore facilitating the urban and corporate condition of a perpetual evolution.
However, the lack of parametric association between the numerical data and
the spatial models restricted us in our ability to develop design automations
or efficiencies in which we would have avoided tiresome manual design
iteration which in turn limited the exploration of the possible solution
spaces significantly.

Pseudo-Parametric Design : Zaha Hadid Architects *one north* masterplan, Singapore[8]

In order to exceed the limitations of normative urban design methods Zaha
Hadid Architects sought to ideate and specify a new methodology and tool set
in response to the call and competition brief announced by Jurong Town
Corporation Singapore – for the *one north* masterplan.

mique et urbaine caractérisée par les ondulations de ses bâtiments, de ses voies, de ses vides et par l'intensité de ses carrefours.

Plusieurs éléments composent les principes stratégiques du projet :
- Une série de centres, appelés Xchanges, très denses en activités et en industries, localisés et organisés pour catalyser une vie publique active en insistant sur leur lien physique et social.
- Le parc Buona Vista, très peu dense, dont La continuité est conçue non seulement pour introduire de la variété et des équipements publics dans l'effervescence urbaine mais aussi pour structurer la croissance et élargir efficacement le réseau d'espaces publics et de liaisons piétonnes.
- Une géométrie fluide et dynamique qui ondule, à partir de la déformation d'une grille urbaine contextuelle, à la fois horizontalement et verticalement. La stratégie caractéristique de l'architecture de Zaha Hadid oriente le développement du projet et devient son principe identitaire pour une technopole animée et durable.

L'intensité des Xchanges est équilibrée par le parc. Il est conçu pour encourager l'évolution des nœuds de la nouvelle économie en une grille urbaine plus flexible et plus adaptable. Cette flexibilité est encore appuyée par de subtiles variations des caractéristiques spatiales des sept quartiers. Leurs différences permettent de s'adapter aux fluctuations des capacités financières sans altération radicale du projet. De plus, la diversité des quartiers a aidé à élargir les choix de style de vie et à promouvoir un sentiment d'intégration de la mixité dans *one north*. L'intention était de rendre possible l'effervescence, ou autrement dit, les interactions urbaine.

Une approche intégrative lie ensemble l'enveloppe des bâtiments, le plan d'occupation des sols, le plan des espaces publics et la réglementation, en insistant pour toutes ses dimensions sur les mouvements et les activités au niveau des rues. Le résultat et la vision d'ensemble instaurent une densité moyenne, des masses urbaines étroitement entrelacées, constituant un paysage urbain clairement indentifiable. Ce plan d'ensemble est ponctué par des places, des poches de végétations et des tours, mettant l'accent sur la vie public au niveau des rez-de-chaussée et sur les activités économiques autour des Xchanges et des nœuds de transports.

Ces intentions conceptuelles, autant que les données contextuelles et économiques, nécessitaient d'être intégrées dans le processus de conception de l'équipe et permetaient ainsi d'explorer itérativement les modifications du projet. Se posait alors la question de la traduction de ces objectifs en processus opérationnel. Nous avons recherché une méthode de conception paramétrique, pour laquelle les données et le modèle numérique sont directement connectés et associés de manière à ce que les modifications d'une part affectent automatiquement l'autre.

one north is a massive urban development now five years under construction. It is being built based on a 30 year master plan which Zaha Hadid Architects were commissioned to produce for Jurong Town Hall Corporation, the master developer. The project in its initial design phases incorporated 200 hectares of area for a new development intended to accommodate 150,000 residents and work force.

The primary aim of the overall spatial strategy at *one north* was to encourage and accommodate new economy growth, industry interaction and business development; to facilitate escalation of a next generation technopole[8]. The nearby presence of the university and polytechnic, as well as the existing science parks, gave tremendous advantage to this site. But, to maximize this advantage *one north* was designed to overcome the physical isolation of the site through aggressive infrastructural development and a spatial strategy that emphasized connections to surrounding areas.

Unlike the previous project, we were no longer free of real clients, schedules, and rough or intuited data sets. *one north* was a complex collaboration of many participants each with their own agenda and data to influence the design. It required exorbitant amounts of iterating through decisions and interaction: from the small (e.g. building overhangs) through to the large (e.g. roadways). Early on the project team realized the need to follow a rigorous path of datascaping, mapping, tracking and versioning. Furthermore, we were confronted with the need for managing vast data bases which required the fast visualization of the modifications.

Zaha Hadid Architects design strategy and approach to such a large scale and long term plan which fundamentally sought out flexible and adaptive schemes to foster global commercial interaction and urban growth was composed of a number of key design observations and iterative principles. The key principles focused on creating a business park which emphasized programmatic mix, a vibrant urban atmosphere, which was guided by intentionally undulating building fabric, street patterns, voids and nodes of intensity.

The masterplan was devised through several strategic principles :
- A series of Xchanges (a term for high density industry epicenters) were located and configured to help generate an active public life around them emphasizing their physical and social connectivity through density, mix and as hubs of transportation and amenity.
- The Buona Vista Park, opposite to the high density Xchanges, was conceived not only to introduce public variety and natural amenity into urban activity but also to structure the long term growth and to effectively widen the network of public spaces and pedestrian connections.
- A fluid and dynamic geometry, based on a contextually morphed urban grid and a three dimensional undulation of building density. The strategy and

En accord avec la vision de notre client, nous avons proposé de développer, avec B Consultants[10], ce qui est devenu un outil de planification pseudo-paramétrique : un outil capable de gérer les versions successives des bases de données et qui permette de modéliser graphiquement, en 2D et en 3D, les modifications du projet qu'elles impliquent. Cet outil a été développé en parallèle du projet avec l'intention de l'utiliser comme un participant à part entière dans le processus de conception.

Il est important de souligner ici l'intention de la méthode et du processus de conception de définir des relations directes entre les données et la géométrie des modèles. L'outil de planification lisait et analysait les données numériques avec des tableaux de fonctions, des graphiques, et même des modèles dxf en 3D[11]. Les données concernaient les surfaces, les densités, les flux, la consommation d'énergie, les ressources, la population et enfin les contraintes formelles et contextuelles. Il utilisait des algorithmes de type *hunter gatherer* (chasseur-cueilleur)[12] pour estimer et projeter l'affluence dans les transports et les zones d'attraction commerciales et informait des cartes de densité avec l'interactivité projetée.

Au-delà des intentions de l'équipe de Zaha Hadid Architects, et de celles du client, d'utiliser cet outil de manière paramétrique, pour respecter les contraintes de délais, de budgets et de validation de ce projet, l'équipe de conception a été obligée, malgré tout, de modifier et de répercuter un grand nombre de modifications *explicitement* (c'est-à-dire manuellement). L'équipe de conception a construit ses modèles numériques en fonction des principes conceptuels et des interactions des données avec la géométrie du projet. L'équipe manipulait des bases de données qui permettaient d'évaluer et d'analyser les dessins et les maquettes du projet. Cependant les discontinuités de liaison entre les formats d'informations parallèles ont été à l'origine d'ambiguïtés, en partie productives, mais qui prêchent avant tout pour l'intégration du design paramétrique. Les itérations explorant les intentions principales et de très grandes quantités de données étaient un véritable défi. La nécessité d'harmoniser un jeu de données fluctuantes avec les évolutions des représentations du projet était laborieuse, inefficace et sujette aux erreurs. Avec le recul, nous pouvons imaginer un outil de planification complètement intégré à nos environnements de modélisation où la distribution des données orienterait la forme urbaine.

Bien que nous ne l'ayons pas entièrement aboutie, cette méthode d'étude en parallèle de plusieurs propositions et de leurs modifications a été productive. Je la considère comme une avancée significative dans notre réflexion et dans la conception d'outil et de processus paramétriques. L'équipe a pu *itérer* avec des données de plus en plus complexes et de plus en plus fluctuantes, pour aboutir à un parti qui a joué un rôle d'armature volontairement flexible : à la fois pour la mise en œuvre par le développeur et pour l'évaluation de nos

form characteristic of the architecture of Zaha Hadid, functioned as means to guide the developments' growth but as well to perform as a brand and compelling identity for a new and sustainable and vibrant 21st century technopole.

The high-intensity life of the Xchanges is balanced by the low-density Buona Vista Park. It promoted the evolution of new-economy nodes into a more flexible and adaptable urban grid. This flexibility was further encouraged through the subtle variation of spatial patterns among seven districts. Their differences enabled the client to accommodate changing business conditions fluidly and without radical alteration to the programs of the key Xchanges. In addition, the diversity of the districts helped broaden the choice of lifestyles and promote a feeling of inclusivity at *one north*. The intention was of designing for vibrancy, in other words urban interaction.

The design methodology was an integrated approach linking massing and land-use guidelines with an open-space plan and design guidelines, all placing strong emphasis on street level movement and activity. The overall pattern and vision emphasized a medium-density, closely knit massing, presenting a clearly defined urban landscape. This pattern was punctuated by plazas and pocket parks, emphasizing ground-level public life, and by towers, highlighting the strong orientation toward business development around the Xchanges and transport nodes.

These design intentions as data sets, interaction intentions, and formal diagrams all needed incorporation into the team's iteration structure and process. The translation of these design goals into a performative process was a question. In other words, the project team again sought a method of design which was in fact parametric. A Parametric Design method, in which data and digital model are directly linked and associated and where iterations in one affect the other directly, was the intended process and the initial mental model behind the project.

In conjunction with our client's[9] vision, we proposed the development of what was to become a pseudo-parametric planning tool[10]: a tool that would create and track versioning of tabulations of planning data and would give three dimensional and two dimensional graphical outputs. The planning tool was developed in parallel with the project and was meant to have acted as a design participant.

What is again important to note is the intended design methodology and process, one which drew direct relationships between tables and 3D geometries. The planning tool read and parsed the numeric planning data into worksheets of calculations, charts, graphs, and even 3D dxf[11] output. The tool

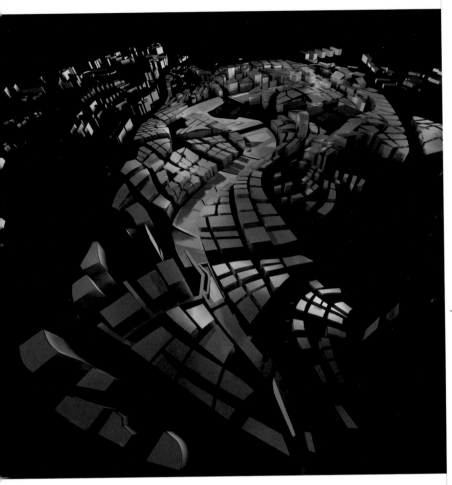

ZAHA HADID ARCHITECTS,
one north masterplan (2002).
Vision du développement de *one north*
dans 30 ans, vue depuis le nord du site
dans le prolongement du parc.
Cette image souligne la texture urbaine
planifiée par le dessin d'une densité
ondulatoire et de ses vides.
30 year vision for the one north
development as seen from the north
along the central park or main urban
void. The image emphasizes the planned urban texture through the designed
undulating building density and voids.

propositions. En même temps, cette armature flexible a protégé et concréti-
sé les décisions formelles essentielles, notamment les zones sélectionnées
pour la mobilité et la mixité des activités.

Le succès du projet au cours des 30 prochaines années reste à découvrir.
Mais nous pouvons d'ors et déjà considérer l'idée d'itération dans un processus paramétrique et interactif permettant d'intégrer des données complexes
comme une innovation très prometteuse.

Espaces de solution paramétriques : *Smart Cities*, Mobilité et Intermodalité

La troisième et dernière étude de cas est une recherche en cours conduite
par William J. Mitchell avec le laboratoire *Smart Cities* du MIT Media Lab[13].
Le thème de cette recherche concerne le problème général de la mobilité et
de l'intermodalité. Nous avons constaté que les systèmes de transport sont
mal conçus pour les transferts d'un mode à l'autre, sans confort, peu effica-
ces, nuisibles pour l'environnement. D'autre part, ils ne répondent pas aux

incorporated data sets which included areas, densities, flows of energy, resource and people, and ultimately formal and contextual constraints. It utilized 'hunter gatherer' algorithms[12] for estimating and projecting rider-ships and catchments areas which iteratively informed the predictable interactivity of our density mappings. The planning tool was entirely parametric in its initial proposal, though uni-directional, from data to geometry.

Though the intention for both Zaha's team and the client was to utilize the tool in a parametric fashion, in order to meet the real schedule, budgets, and approvals of this project, the design team was forced to iterate explicitly. This was done in parallel with tabular data sets, 3D models, and drawing sets. The design team built computer models based on conceptual and brief guidelines and the current distribution and interaction of the data. The team inserted and manipulated the data tables, which created a feedback to the drawing and modeling for design evaluation. These un-linked formats of parallel information may have produced opportunities for productive ambiguities but exhibit a prime argument for a future of integrated Parametric Design. Iterating through the prioritized design concepts and massive amounts of data was the challenge. Having to reconcile one evolving set with another evolving visualization was inefficient and arduous and prone to discrepancy. In retrospect, we can imagine the planning tool as fully integrated into our modeling environment where data distributions would drive the urban form and projective diagramming would re-distribute the data.

Though this was not fully achieved, the design methodology of running parallel iterative approaches was productive and incorporative. What I argue was a significant breakthrough in our thinking was the intention and conception of a tool and processes which were in fact parametric and variable. The team iterated through increasingly complex and mutable data, resulting in a scheme that acted as a purposefully flexible armature for both the developer's implementation and the designers' evaluative iteration. At the same time, it was a flexible scheme which protected and concretized essential formal decisions, such as chosen zones for movement and interactivity. one north was a complex collaboration of many participants: human, technological, and informational. It required an operative and open modeling and data system through which the design team could coordinate and arrive at a scheme that would enable their ultimate agenda of interactive urbanism as the catalyst for commercial growth.

The 30 year result remains to be seen but the idea of iterating through an interactive and incorporative parametric process was to us a successful innovation.

impératifs de sécurité qui deviennent aujourd'hui des enjeux politiques et l'énoncé du problème ajoutait le manque d'intelligence (faible présence des technologies numériques), le peu de conscience citoyenne (sécurité, pollution, recyclage) et l'inefficacité des véhicules en terme de consommation matérielle et spatiale (embouteillages, étalement du stationnement, décharges).

L'objectif de cette recherche est de développer des propositions innovantes pour le futur de la mobilité et des projets urbains. Notre objet était d'explorer un ensemble diversifié de problèmes à partir d'un questionnement radical et de propositions développant des concepts allant des paramètres intelligents, des interfaces sociales, des véhicules, des bâtiments jusqu'aux concepts d'infrastructures de partage automobile auto-organisées.

De la même manière que pour les deux projets précédents, un des défis majeurs était celui d'assimiler de grands ensembles de données concernant aussi bien des informations sur les déplacements, les modes de transport, les questions de biens communs, que sur les combustibles comme par exemple ceux à base d'hydrogène.

Pour répondre à ce défi et à un spectre de problème si large, William Mitchell a proposé un cadre pédagogique extrêmement collaboratif et multidisciplinaire. Le sujet de la conception de la mobilité et de l'intermodalité était volontairement étendu dans un environnement réflexif très libre. La conception de la mobilité (par exemple des voitures intelligentes pour des villes intelligentes), et la recherche sur l'intermodalité (par exemple le transfert médiatisé des voitures aux avions) sont fondées sur une méthodologie interactive, croisant des urbanistes, des architectes, des designers, des ingénieurs mécaniciens, des informaticiens ainsi que de chercheurs d'un certains nombres d'autres disciplines. Dans l'objectif de renouveler entièrement la conception de la mobilité et de l'intermodalité, nous avons tenté de définir de nouveaux *espaces de solution* par l'utilisation de logiciels paramétriques et une approche multidisciplinaire. Les *espaces de solution* que nous avons développés concernaient des projets dont les intentions, les échelles et les degrés de résolution étaient fortement disparates.

Deux approches ont été encouragées : 1) L'approche « top-down », descendante, qui inclut par exemple la création de modèles paramétriques qui envisagent toutes les configurations possibles des sièges d'un véhicule : frontale, en ligne, en losange à la manière d'un groupe de rock, la configuration normale de deux à quatre ou cinq personnes. 2) L'approche « bottom-up », ascendante, qui inclut de repenser les éléments particuliers du véhicule comme la suspension ou les interfaces.

Parametric Solution Spaces: *Smart Cities,* Mobility and Intermodality

The third and last case is on-going research, conducted at MIT's Media Lab *Smart Cities* group under the direction of Prof. William J. Mitchell, centered on the ideas of mobility and intermodality[13]. Current systems of transportation are poorly designed for mode to mode transfer, for comfort, for efficiency, for environmental, security and political necessities. The problem statement furthermore includes that vehicles are not smart (computationally mediated), nor good citizens (safe, non-pollutant, recyclable), nor efficient in terms of material or space usage (traffic jams, parking garages, junkyards).

The objective of the research topic is the foremost analysis of transportation and propositions for the future of the urban project. These propositions include designing radically different schemes, ranging from smart parking meters, social interfaces, vehicles, buildings, to that of self-organizing, shareable car infrastructures.

Similarly to the previous cases, the research and design process needed to incorporate and manage large amounts of design intentions and data sets ranging from trip data, incongruent mode capacities, hydrogen fuel cell ranges, to that of ideas of good citizenship.

To answer the challenge of such a broad spectrum problem, William J. Mitchell proposed an extremely collaborative and multidisciplinary pedagogical framework. The overall approach has been to conduct a purposefully expansive, open-ended research into mobility design and intermodality. Mobility design (e.g. smart cars for smart cities), and intermodality design research (e.g. mediated transfer of car to plane) is predicated on a human and technological interactive methodology, mixing planning, architecture, mechanical engineering, computer science and other disciplines. The objective to entirely rethink the design of mobility and intermodality, to define new solution spaces was supported by the use of parametric software and this highly multidisciplinary group of individuals. The resultant solution spaces of the varied researches were composed of a disparate set of projects with variable scales, intentions, and resolutions.

Two key research methodologies have been promoted. 1) Top-down redesign which includes the creation of parametric models that accommodate all conceivable vehicular seating arrangements: ski lift-like, four-in-line, rockband four-person diamond configurations, normative two-person or four/five-person arrangement. 2) bottom-up redesign, which includes the re-thinking of singular car components, in-wheel suspension, and interfaces. (See : Axel Kilian Image)

add envelope   add frame   position wheels   compostion of
                                                needed spaces

Volume is place holder for one passenger. It
can be chaged parametrically to allow for
different seating variations

Volume can be replaced with a fully detailed
seating configuration following the overall
dimensions

Adjacent units could be implemented with
shared features like a bench instead of two
seats...

In the composition of the
individual element, parametric
variations in the respective
height is possible

In the composition of the
individual element, parametric
variations in the alignment or
spacing is possible

Diesel//engine

Battery

Generator

Wheel placeholder

Cargospace - variable
omited in current diagram for
clarity

Variable use of space - seating
turns into cargo space, for instance

Example for one person
transportation iterating all the way
through to frame and envelope -
showing some precedents -
variation of wheel number might

suggested explorative track for possile vehicle
designs - focusing on implications of minimal
footprint and passsenger arrangements

refinement and
finetuning of all
elements to define
overall style

envelope design to
provide exterior
surface etc..

A. KILIAN, *Smart Cities Concept Cars* (2003).
MIT Medialab

:
:

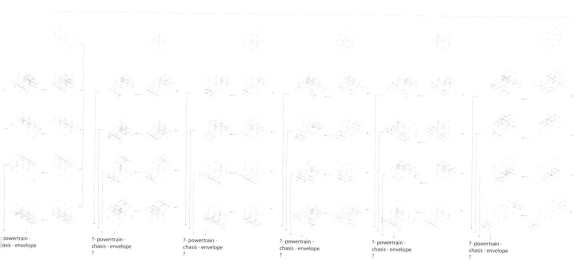

powertrain -
chasis · envelope

?- powertrain -
chasis - envelope
?

?- powertrain -
chasis - envelope
?

?- powertrain -
chasis - envelope
?

?- powertrain -
chasis - envelope
?

?- powertrain -
chasis - envelope
?

ionding wheel Positioning of   define passenger
ent   powertrain in relation relation and degree
               to passengers and   of variability
               footprint

example two passengers

Easy cargo access is
apparent in the Signia
multi-activity car.

Dans un premier temps, nous avons repensé le futur de la mobilité urbaine par l'étude paramétrique des automobiles. Une deuxième phase a concernée l'analyse diagrammatique des nœuds d'échanges. Parmi les projets étudiés, nous pouvons citer entre autres, des lignes de bus médiatisées, la conception d'un aéroport, des voitures compactes, aussi bien que la reconfiguration de véhicules particuliers à partir des positions des places assises, de suspension pneumatique.

Pour ce faire, nous avons étudié les logiciels paramétriques eux-mêmes, comme CATIA[14], pour les solutions qu'ils fournissent en terme d'itération, d'interactivité et de la possibilité d'intégrer la complexité et pour évaluer les variations dans les *espaces de solution*. L'utilisation des logiciels paramétriques a été fructueuse. Cependant, elle a révélé des limites dans les modèles mentaux que nous avons appris a utilisées en tant que designers. Les modèles paramétriques requièrent la clarté des intentions de conception en terme de ce qui est déterminant et de ce qui est déterminé, de la hiérarchie d'assemblage des composants et des *espaces de solution* attendus : en d'autres termes il est nécessaire d'effectuer une exploration pré-rationalisée de la logique de conception.

Malgré la complexité des environnements logiciels que nous avons utilisé, des enjeux pédagogiques, des problèmes envisagés et de l'organisation des participants, l'utilisation du portail collaboratif Studio MIT et le grand nombre de moyens numériques dont nous disposions ont permis la génération d'un grand nombre d'analyses et d'innovations. Grâce à l'usage continu de CATIA, de nombreuses innovations sont apparues ainsi qu'une nouvelle prise en compte des possibilités d'une pédagogie collaborative à la fois itérative et interactive. Nos capacités à concevoir des armatures souples pour l'étude d'un ensemble de problèmes sur la mobilité, se sont développées grâce à la mise en relation d'outils explicites, de données, et à une pédagogie ouverte et paramétrique.

CONCLUSION

Les trois projets que nous venons de décrire ont en commun la nécessité impérative d'intégrer de vastes ensembles de données soit parce qu'ils font face à un contexte mouvant et multiple (*Spatial Alliances, one north*), soit pour intégrer et partager des connaissances multidisciplinaires (*Smart Cities*). Pour intégrer et gérer ces ensembles de données, l'approche paramétrique apparaît comme une solution prometteuse permettant d'accélérer les études, d'étendre leur champ de solutions et d'encourager plus d'interactivité et de collaboration.

The first emphasis of the research has been on rethinking the future of mobility for the city through an analytic and parametric study of the automobile. A second emphasis has been a diagrammatic analysis of transportation exchange. Other proposals or conclusions range from ideas for airport design, mediated bus routes, in-wheel suspension, compact cars, and design tools for exploring vehicle seating patterns, drive trains, and body-shape configurations, to name but a few.

In order to design and explore these large and varied solution spaces we looked to the parametric software, CATIA[14], for the solutions it provides in terms of geometry, data integration, design iteration, interactivity, and incorporations of complexity. In using and collaborating through this software environment we were further enabled to integrate project complexities and evaluate project variations in the solution spaces. Though the use of parametric modeling software has been fruitful, it has revealed limitations in the mental models we as designers are trained to use and its ability to support abstraction and diagram-making. Parametric design models require clarity of design intention in terms of the driving and driven, component assembly hierarchy, and intended solution space: in other words a pre-rationalized exploratory design logic.

Despite complexity of the software environments, of project and pedagogical agenda, and of participant organization, the use of the collaborative portal Studio MIT, Parametric Design methodology, and the numerous other digital medium, have allowed for a large generation of innovations and analysis. Through the continued use of CATIA as our parametric engine many innovations have arisen, and most importantly a new respect for the possibilities of such an iterative and interactive collaborative pedagogy. Our ability to design flexible armatures for the study of such a range of transportation problems is continually progressing through the linking of design engines / parametric logics to that of traditionally disassociated explicit tools, data sets.

CONCLUSION

These three projects illustrate an imperative to integrate and iterate through vast data sets either because of multiple and evolving contexts (*Spatial Alliances, one north*), or because of a need to incorporate and share multidisciplinary knowledge (*Smart Cities*). To incorporate, manage and design with these data sets, the evolving parametric methodology seems to be a promising solution. The projects have shown that a parametric design methodology makes it possible to accelerate the process of generating large arrays of design studies, to extend solution spaces and promote more interactivity and collaboration.

Si les outils utilisés sont très différents pour chaque projet, tous se sont orientés vers une méthodologie paramétrique. *Spatial Alliances* est un projet avant-coureur du développement des logiciels paramétriques. Les efforts *manuels* que nous avons réalisés, répétant des centaines de fois les mêmes opérations, simulaient en effet les itérations rendues possibles par la formalisation des relations entre les données des modèles paramétriques. L'animation numérique est apparue comme un autre moyen de simuler une modélisation paramétrique malgré la limitation à une évolution linéaire de la géométrie.

Dans le cas de *one north*, l'outil paramétrique est devenu un des acteurs du projet. Les intentions initiales étaient de développer la possibilité d'associer des données fluctuantes à la génération des enveloppes constructibles, à la distribution des infrastructures ou, en d'autre terme, à la forme urbaine en générale. Cependant, nous pouvons remarquer que les délais ont rendu nécessaire de se limiter à des relations uni-directionnelles très contraignantes pour notre processus de conception. En effet, nous avions non seulement besoin d'intégrer l'évolution des données du client mais il était aussi souhaitable que nous puissions analyser très rapidement les conséquences quantitatives des modifications géométriques que nous opérions sur nos maquettes. *one north* représente une avancée de plus vers une méthode paramétrique, par la prise de conscience par l'équipe de l'évolution de la conception.

Avec l'équipe du MIT et de William J. Mitchell, nous avons pris le parti d'utiliser des outils paramétriques dès les prémices de la recherche. La recherche sur la mobilité et l'intermodalité a été développée d'une manière globale et multidisciplinaire, utilisant toutes les technologies existantes de collaboration, d'analyse, de prototypage et de formalisation des *espaces de solution*. De nombreux projets et innovations ont résulté de cette recherche, en particulier par l'expérimentation de la pré-rationalisation de la logique du projet et enfin de la formation des idées par une méthodologie paramétrique bi-directionnelle.

Pour tous ces projets, l'approche paramétrique a mis en évidence la nécessité d'expliciter les processus de génération des formes, des espaces ou des composants et de leurs assemblages. L'approche paramétrique est d'autant plus pertinente en urbanisme que les flux de données et leur complexité croissent et évoluent de plus en plus rapidement. D'autre part, le besoin d'interactivité pour l'élaboration des projets se développe non seulement au sein des équipes de conception mais aussi entre l'équipe de conception, ses clients et tous les acteurs concernés. Face à la diversité des enjeux et aux incertitudes sur les évolutions du contexte économique, social et environnemental, l'approche paramétrique permet en effet d'étendre les champs d'étude, de croiser les processus de décision et de détermination des solutions.

David Gerber

A la suite d'un Master in Design Studies (MdesS), David Gerber est aujourd'hui doctorant de Harvard University Graduate School of Design où il mène une recherche sur les *espaces de solution* paramétriques. Il a étudié l'architecture à l'Université de Berkeley Californie. Diplômé de AA à Londres (M.Arch), il a travaillé aux Etats-Unis, en Europe et en Asie pendant plus de huit ans, notamment pour Moshe Safdie, Gehry Technologies et comme chef de projet pour Zaha Hadid. Chargé de recherche pour le groupe Smart City du MIT Media Lab, allocataire de recherche Frederick Sheldon, il a enseigné à AA, Londres et à Innsbruck University. Il est régulièrement invité comme conférencier à Harvard et au MIT.

David Gerber is a doctoral candidate at the Harvard Design School, researching parametric solution spaces. He received his architectural training at the University of California Berkeley (BA), his professional degree from the AA in London (M.Arch) and his first research degree (M.DesS) from the Harvard Design School. Professionally he has worked in the US, Europe and Asia for over 8 years, including working for Moshe Safdie Architects, Gehry Technologies and as a Project Architect for Zaha Hadid. He currently holds appointments at MIT's Media Lab as a research Fellow in the Smart Cities Group and Harvard University's Frederick Sheldon Fellowship. He has taught at the AA, London and at the Innsbruck University, and is an invited speaker and critic at Harvard and MIT.

Though the technologies and methods may have differed for each of these projects they can all be seen as key steps in the evolution *towards a parametric urbanism*. *Spatial Alliances* is a forerunner project to the development of a parametric methodology. Through repeating hundreds of explicit operations the project anticipated the rapid iterations made possible by the formalization of the relationships between data and geometry. The team's efforts previewed the need to more efficiently ideate through linking analytical and numerical models to that of visualized three dimensional designs. As a first step in this evolution *towards a parametric urbanism*, we relied upon key frame animation as substitute for a true parametric design technique. Though limited to a single time line, and therefore to linear evolution, animation did enable the generation of a more expansive and productively varied solution space.

In the case of *one north*, the development of a uni-directional parametric tool became an active objective and partial participant of the design process. The initial intentions were to develop the possibility of associating fluctuating data sets to that of the corresponding generation of urban massings, infrastructural layouts, and ultimately overall urban forms. However, due to the time constraints of a fast-tracked master planning process the development of the tool was restricted to a uni-directional or pseudo-parametric technology, where data drove geometry and not visa versa. The project team was required to integrate ever changing client data sets and asked to re-visualize resultant urban formations for re-analysis of quantitative results, in a perpetual cycle. The project represents a significant leap forward not for its full implementation of a parametric methodology but for the teams realization and change in design cognition.

William J. Mitchell's MIT Media Lab Smart Cities group in contrast to the previous projects set out to initiate the design research through the use of parametric technology and cognition from the start. It furthermore set out to research mobility and intermodality in an exhaustive and multi-disciplinary manner, utilizing all the technologies of collaboration, analysis, fabrication and solution space forming possible. The research generated numerous projects, and innovations, ranging broadly in scope, scale, resolution and completion. The precedent has been to experiment with notion of pre-rationalized design logics and finally the ideation through a bi-directional parametric methodology.

For all these projects, the parametric design approach has made apparent the necessity to make explicit the procedure of form generation, their elements and hierarchy. The parametric approach allows for an expansion of the solution spaces as the flux of data and its complexity multiplies and evolves ever-more rapidly demonstrating it as increasingly pertinent to urbanism.

Notes

1. Dans ce texte, la conception paramétrique se distingue de la modélisation 3D paramétrique en ce qu'elle définit une méthode de projection et d'exploration des idées. Il ne s'agit pas ici de décrire l'utilisation de la modélisation 3D paramétrique mais l'évolution des pratiques que cette méthode rend possible.

2. Spatial Alliances 2000 a été conçu par Emmanuel Bringer, Freyr Frotason, David Gerber et notre directeur d'étude Brett Steel dans le cadre du AA DRL (http://www.aaschool.ac.uk/aadrl/). Ces travaux ont été publiés dans : Architectural Design Vol. 71 No. 1, Neil Spiller (ed.), London: Wiley Academy, 2001, 14-17.
Corporate Fields, Brett Steele (ed.), London: AA Publications, 2005, 238-245.

3. Le projet one north masterplan a été l'objet d'un concours organisé par JTC Corporation à Singapoure et remporté par Zaha Hadid Architects en 2000. Les membres de l'équipe lauréate incluait l'atelier de Zaha Hadid et de nombreux consultants à Londres, au Japon et à Singapoure. David Gerber était alors chef de projet avec Dillon Lin pour ce concours. Voir : http://www.one-north.com/

4. Smart Cities est un laboratoire de recherché du MIT Media Lab dirigé par le doyen William J. Mitchell. David Gerber a participé au groupe de recherche Smart Cities en tant qu'allocataire et moniteur de recherche pendant deux ans. Voir : http://cities.media.mit.edu/

5. Solution Space décrit le champ des hypothèses valides satisfaisant une logique de conception modélisée. Il s'agit de l'ensemble des variations déterminées par une méthodologie explicite (manuelle) ou paramétrique.

6. Mergemania est un néologisme de l'équipe de Spatial Alliances. Il décrit les phénomènes de fusion acquisition et d'alliance des sociétés particulièrement nombreux dans le domaine des technologies dans les années 1998-2000. Notre projet fut achevé et présenté juste deux mois avant que la bulle n'éclate.

7. Parmi lesquels nous pouvons citer AutoCad, Excel et 3D Studio max. A l'exception d'Excel qui est un outil paramétrique, ces programmes créent et contrôlent des géométries que nous appelons explicites.

8. Le Projet one north masterplan a été conçu pour la prochaine génération de technopole (activités de très haute technologie et industries de l'information) en se distinguant intentionnellement du style pavillonaire des zones industrielles en priviligeant la mixité et l'intégration durables des logements et des activités.

9. Jurong Town Corporation: Science Hub Development Group incluait Andrew Ho, Arthur Aw, BK, Kok Huat et Philip Su qui étaient à la fois nos clients et nos collaborateurs.

10. B Consultants dont Tom Barker et Graeme Jennings ont implementé la technologie et le development du programme de l'outil de planification. Voir http://bconsultants.co.uk/.

11. DXF est un format d'échange désormais classique de documents graphiques en particulier entre AutoCad et d'autres logiciels de dessin.

12. Dans l'outil de planification, l'algorithme « chasseur-cueilleur » est une fonction clé. Elle calcule la zone d'attraction de chacune des stations des transports. En effet, le « chasseur » analyse l'affluence probable en fonction de la densité des constructions proches et l'attribue à une station. Cet algorithme permet de concevoir par itération un plan des transports avec le plan masse et garanti une distribution des stations cohérentes avec les évolutions du projet.

13. Moshe Safdie and Associates ont contribué à ce travail par l'attribution de deux allocations de recherche sur le thème de l'avenir de l'urbanisme, de la pratique architecturale et en particulier les questions d'intermodalité. Voir http://www.msafdie.com.

14. CATIA™ est une suite logicielle de Dassault Systemes. C'est un logiciel paramétrique développé pour l'industrie automobile et aéronautique qui est de plus en plus utilisé dans l'industrie de la construction et en particulier par l'architecte Frank Gehry.`

Traduction de l'anglais de Sophie Renaut et Valérie Châtelet.

Notes

1. Parametric design as opposed to 3D parametric modeling is a purposeful distinction. Parametric Design is here and throughout this essay used as a methodology for design and design exploration. We are not merely referring to the use of 3D parametric modeling software in this essay, but rather to the potential this software has to change urban and architectural practice.

2. AA DRL Team: Spatial Alliances 2000 was a team comprised of Emmanuel Bringer, Freyr Frostason, David Gerber, and our tutor and AA DRL Director Brett Steele. The work was a group design and research project which was presented as a final Masters Thesis. Published in: Architectural Design Vol. 71 No. 1, edited by Neil Spiller, (London: Wiley Academy, 2001), 14-17. Corporate Fields, edited by Brett Steele (London: AA Publications, 2005), 238-245.

3. The one north project was a competition win and commission to Zaha Hadid Architects in 2000 by JTC Corporation of Singapore. The project team included member of Zaha's Office, and numerous consultants in London, Japan, and Singapore. The author was the Project Architect and Project Manager with Dillon Lin of Zaha Hadid Architects. See http://www.one-north.com/

4. Smart Cities, MIT Media Lab: The group is lead by Dean William J. Mitchell. The author was a participant in research as a MIT Media Research fellow for two years. See http://cities.media.mit.edu/.

5. Solution Space is a term used to describe the range of valid solutions for a modeled design logic. It is the number of design variants that have been solved for through the parametric or manually explicit design methodology.

6. Mergermania, a neologism of the Spatial Alliances project team, was the observed and diagrammed corporate phenomenon of 1998-2000, where there was a large amount of merger and cooperative activity specifically in the technology market sector and the project's main client Microsoft UK. The project was finished and presented two months prior to the Bubble bursting.

7. The software programs referred to include AutoCAD, Excel, 3D Studio max. With the exception of Excel which is a parametric tool, these software programs create and control geometry explicitly.

8. Technopole refers to a center of high-tech manufacturing and information-based quaternary industry. one north project was devised as a next generation technopole an intentional design move away from pavilion style suburban business parks towards an integration of business in a socially sustaining urban mix.

9. Jurong Town Corporation: Science Hub Development Group: Andrew Ho, Arthur Aw, BK, Kok Huat, and Philip Su were the client team and our collaborators. See http://www.one-north.com/.

10. B Consultants, London UK: B Consultants, Tom Barker and Graeme Jennings, were our collaborators and implementers of the code development of the planning tool technology. See http://bconsultants.co.uk/.

11. DXF stands for drawing transfer file format; it is an old format for exchanging AutoCAD or other drafting package drawings between software environments.

12. In the planning tool one key feature was Hunter Gatherer Algorithm. It was written to calculate the catchment areas for anyone transportation node. The "hunter" calculates the number of potential riders in the overall building massing within the radial proximity and "gathers" or assigns them to a particular node. The importance of the algorithm is that it enables iterative design of transportation node planning by ensuring efficient distribution of the stations and by enabling re-calculation of riderships when design changes occur.

13. Moshe Safdie and Associates research fellowship: Moshe Safdie sponsors two research fellows to work with him in conjunction with the Smart Cities Group on topics of significance to the future of urbanism, architecture, and practice. Currently the fellowship is conducting research into Intermodality. See http://www.msafdie.com.
Intermodal is used to describe the design problem of exchange between multiple modes of transportation. For example, car to airport is an intermodal exchange where large amounts of space, transfer distances and residues need to be designed for. The research looks to improve upon inefficiencies of, for example, parking lot areas, and passenger waits, and walking distances.

14. CATIA™ is a Dassault Systemes software package. It is a parametric software platform developed for the aerospace and automotive industries primarily and has been used in the AEC industry most prominently by the architect Frank Gehry.

Espace de savoir interactif
Un projet pour l'ETH : *Science City*

Interactive Knowledge Space
The Planning of ETH *Science City*

Gerhard Schmitt
ETH Zurich

Introduction

Les données, l'information et le savoir sont immatériels mais ils ont une forte influence sur le monde réel. L'histoire de la formalisation du savoir est longue. Les efforts les plus récents pour formaliser un savoir structuré remontent à la fin des années 1950, avec l'avènement de l'intelligence artificielle (IA). Le développement des systèmes experts dans les années 1980 et au début des années 1990 montre d'une part la possibilité d'une application pratique des systèmes fondés sur le savoir, et d'autre part révèle les difficultés liées à l'effort de structuration et de formalisation du rapport entre les données et l'information. Bien que les systèmes fondés sur le savoir et les applications de l'IA aient trouvé un vaste champ d'application dans les secteurs de l'industrie et de la santé, la recherche n'a pas progressé aussi vite qu'on aurait pu le croire devant les premiers succès. Les objectifs fixés au départ étaient trop ambitieux, les résultats ne correspondaient pas aux promesses avancées par de nombreux chercheurs. Néanmoins, les progrès réalisés démontrent que certains aspects du savoir, public mais aussi privé, peuvent être formalisés dans des structures informatiques capables de suppléer à certaines activités humaines.

Les systèmes de conception intelligents sont de nouvelles applications des systèmes experts, dont l'objectif est de remplacer certaines activités de conception. En général, les approches de formalisation exigent que les relations entre les données, l'information et le savoir soient définies de manière explicite. On définit aujourd'hui les données comme les plus petites unités d'un contenu informationnel brut ; ordonnées en structures simples, assemblées et combinées en structures connues, elles peuvent générer de l'information. Les éléments d'information structurés et rassemblés dans une méta-

:
:

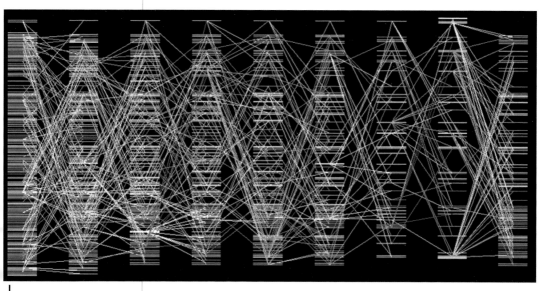

PhaseX (1996/97).
Interface de collaboration développée
par l'ETHZ. Diagramme des héritages
des projets au terme d'un studio.
Collaboration interface developped by
ETHZ. This diagram shows student's
collaboration at the end of the studio.

Introduction

Data, information and knowledge are immaterial, but they have strong influences on the physical world.

The formalization of knowledge has a long history. More recent attempts at structured knowledge formalization date to the late 1950's, with the advent of artificial intelligence (AI). The development of expert systems in the 1980's and early 1990's showed on one hand the practical applicability of knowledge-based systems; on the other, it exposed the difficulties of attempting to structure and formalize relationship between data and information. Although knowledge-based systems and AI-applications found their way into a vast number of industrial and health applications, research in this field has not progressed at the same rate as could be expected from the early successes. One reason might be that the expectations were set too high in the beginning and that the results could not fulfill the promises many researchers made. The development did demonstrate, though, that it is possible to formalize certain aspects of public and even private knowledge into computer-based constructs that can supplement human activities.

Intelligent design systems are further applications of knowledge-based systems. Their goal is to supplement and replace certain design activities. In general, formalization approaches require well-defined relationships between data, information and knowledge. Data, as we see today, is the smallest unit of the new, raw material information; ordered in simple structures, held together and combined in known structures, they can create information. Units of information structured and held together through Meta information, can form knowledge. There is an analogy between the architectural elements and the components of knowledge structures : components of building

:
:

information forment le savoir. Il existe des analogies entre ce qui compose un bâtiment et ce qui structure le savoir : les composants des matériaux de construction, les matériaux de construction eux-mêmes, et la construction globale peuvent être rapportés aux données, à l'information et au savoir. On peut établir de nombreux autres parallèles entre l'information brute et les matériaux traditionnels utilisés en architecture, même si d'importantes différences subsistent.

Appliqués à la planification stratégique et l'aménagement urbain, des parallèles et des différences entre les structures d'information, les structures du savoir et les structures matérielles apparaissent. Cet essai s'attache particulièrement à décrire *Science City* (la Cité des Sciences) qui est à la fois un projet urbain et l'expression d'une structure de la connaissance construite à partir de la structure d'information du projet *ETH World*.

Espace de savoir et visualisation des connaissances

Le concept d'espace est un des piliers de l'architecture et une donnée essentielle de l'urbanisme. L'espace architectural trouve son pendant avec l'espace du savoir. Les hommes interagissent dans l'espace architectural et dans l'espace du savoir. Bien qu'immatériel, l'espace est perçu par tout être humain. En architecture, l'espace est structuré par des éléments qui le cadrent, comme les murs, les plafonds et les sols. Dans le domaine de l'information, l'espace est structuré par des frontières comme les interfaces homme-machine, l'approvisionnement de l'information et les structures d'information. Bien que l'espace architectural et l'espace informationnel soient tous deux immatériels, ils affectent notre perception. La métaphore d'un espace de recherche définit un nouveau type d'espace. Elle a été reprise par plusieurs institutions et pays, dont l'Union Européenne[1].

Dans sa thèse de doctorat, Remo Aslak Burkhard donne une définition de l'expression « visualisation des connaissances »[2]. L'objectif de Burkhard est d'améliorer le transfert de connaissances. Dans cette optique, le savoir doit être formalisé. Burkhard considère que la visualisation des connaissances est une condition essentielle de leur transfert. Il affirme que le savoir, contrairement à l'information, doit être reconstruit par chaque individu. Ce processus est assuré par la communication et l'interaction avec une information explicite, verbale ou visuelle. Voici comment il définit la visualisation des connaissances, point de départ de sa réflexion : « la visualisation des connaissances analyse l'utilisation des représentations visuelles afin de faciliter le transfert et la création de connaissances entre au moins deux personnes »[3]. A l'aide de plusieurs exemples et d'études de cas, Burkhard a élaboré un cadre et un modèle pour la visualisation des connaissances. Il montre ainsi que la visualisation peut augmenter de manière significative le transfert de connaissances. L'un des exemples qu'il cite est celui de *Science City*, projet auquel il a

materials, building materials themselves, and the building as a whole could be related to data, information and knowledge, respectively. There are many other parallels between information as a raw material and the traditional materials we know and use in architecture. However there are also vast differences.

Applied to strategic planning and urban design, the parallels and differences between information structures, knowledge structures and physical structures become visible. The discourse in this paper focuses on *ETH World* as an information structure and *Science City* as an urban design project and a manifestation of a knowledge structure on the base of the *ETH World* information structure.

Knowledge Space and Knowledge Visualization

The concept of space is one of the foundations of architecture. With regard to the planning of cities, the concept of space is fundamental. Relating to architectural space is knowledge space. Humans interact in architectural space and interact in knowledge space. Although immaterial, space can be perceived by every human being. Space is structured in architecture by surrounding elements such as walls, ceilings, and floors. Space in the realm of information is structured by boundary conditions such as human machine interfaces, information supply and information structures. Although architectural space and information space are both immaterial, their effect on perception can be traced. A special type of space is research space. The metaphor has been taken up by several institutions, countries, and by the European Union. A good example is the emergence of the European research space in recent years[1].

The term knowledge visualization was rendered more precisely by Remo Aslak Burkhard in his dissertation[2]. Burkhard's goal is to enhance the transfer of knowledge. For this purpose, knowledge needs to be formalized. He sees knowledge visualization as one of the key factors in transferring knowledge between people. He claims that knowledge, in contrast to information, has to be reconstructed by each individual, a process that occurs through communication and interaction with explicit information, both verbal and visual. His definition of knowledge visualization is the basis : "knowledge visualization examines the use of visual representations to improve the transfer and creation of knowledge between at least two people"[3]. Burkhard generates a framework and a model for knowledge visualization through the use of several examples and case studies. He convincingly suggests that visualization significantly enhances the transfer of knowledge. One of his examples is *Science City*, where he was involved in the formative process, including the generation of images and visual information for the ETH community and other interested parties.

:
:
:

participé pendant sa phase d'élaboration, en particulier pour la production des images et de l'information visuelle pour l'ensemble de la communauté de l'ETH.

Il est impératif d'opérer une distinction entre la visualisation de l'information et la visualisation des connaissances. Si les deux exploitent la capacité humaine à traiter la représentation visuelle de manière efficace, Burkhard montre que la visualisation de l'information explore des données abstraites à partir desquelles on peut concevoir de nouvelles idées, alors que la visualisation des connaissances facilite leur transfert et leur création grâce à de meilleurs outils d'expression des savoirs. Pour lui, la visualisation de l'information facilite l'accès aux données et améliore la présentation de données importantes, tandis que la visualisation des connaissances vise à enrichir la communication de savoirs experts entre les individus. Dans ce contexte, les technologies de l'information jouent un rôle essentiel. Cependant les visualisations qui ne sont pas informatisées tendent à disparaître du champ de recherche de la visualisation de l'information, et les formes de connaissances qui ne peuvent pas être numérisées sont de plus en plus négligées. Nous examinons ici la transition entre la visualisation de l'information et la visualisation des connaissances dans une série de studios d'enseignement de l'architecture intitulés *PhaseX*.

Conception et partage des connaissances - *PhaseX*

Les studios d'enseignement de l'architecture sont, par nature, compétitifs. Un environnement où la création se ferait surtout sous une forme collaborative profiterait à la fois de ses propriétés de compétition et de collaboration. Les étudiants peuvent observer les travaux des autres, y trouver de nouvelles qualités et intégrer ainsi les idées des autres à leurs projets. Les étudiants peuvent nouer de nouvelles relations et mettent ainsi plus d'énergie dans le travail de conception. Les connaissances contenues dans les dessins et les maquettes des étudiants sont considérables. La mutualisation et l'accès à une même base de données de projets et la collaboration sur ces projets permettent un meilleur transfert des connaissances. Dans une série d'ateliers qui se sont déroulés entre 1996 et 1999, appelés *PhaseX*, les étudiants de l'ETH de Zurich ont pu expérimenter ces nouvelles possibilités.

PhaseX[4] est le nom d'un cours facultatif de CAO appliquée à l'architecture. Au début, il s'agissait d'une formation visant à l'élaboration d'une base de données collaborative qui évoluait à partir des résultats de chaque semestre. L'idée est de structurer un processus de conception en phases identifiables. A l'issue de chaque phase, les travaux des étudiants étaient enregistrés dans une base de données accessible par tout le monde. Chacun des auteurs de ces travaux était appelé à choisir le projet d'un de ses collègues et le développer. Le même projet pouvait être retenu par plusieurs étudiants, mais aucun ne

It is imperative to differentiate between information visualization and knowledge visualization. Both make use of the human ability to effectively process visual representation. Burkhard shows that information visualization explores abstract data and devises new insights from it, whereas knowledge visualization improves the transfer and the creation of knowledge among people by providing them with better means to express what they know. He claims that information visualization improves the information retrieval access and presentation of large data sets, whereas knowledge visualization aims at enriching knowledge-intensive communication between individuals. Information technology plays a pivotal role in this context : On the one hand visualizations that are not computer-based have disappeared from the research field of information visualization, and types of knowledge that are not possible to digitalize are increasingly ignored. This means that IT both plays such a crucial role in information and knowledge formalization and yet also serves to exclude certain types of information and knowledge that can not easily be converted into a digital representation. We have explored the transition between information and knowledge visualization in a series of collaborative design studios under the name of *PhaseX*.

Collaborative Design Knowledge – *PhaseX*

Design studios in educational settings are inherently competitive. An environment where creative collaboration is the rule, not the exception, can take advantage of competition and collaboration at the same time. Students can look at each others work, search for new qualities and build upon each others ideas. New relations among students can emerge and more energy can be directed towards fulfilling design tasks. The design knowledge inherent in student drawings and models is tremendous. Through the common access to a database of not only designs but also the collaboration on these designs, an improved knowledge transfer between students is possible. In a series of design studios between 1996 and 1999, with the name of *PhaseX*, students at ETH Zurich were able to experiment with these new possibilities.

PhaseX[4] was the name of an elective course for computer aided architectural design (CAAD). It was at first a database-driven collaborative teaching environment that progressively improved each semester by building on previous semesters' results. The course's design process was structured into individual phases. After each phase, each student's work was stored in a database that became visible and accessible to all. In each subsequent phase, each author had to select the design of a colleague to develop it further. Different authors could select the same design, but no one was allowed to work on their original designs. In this way, shared design and authorship was enforced.

pouvait continuer à travailler sur ses propres projets. C'est ainsi que la collaboration se trouvait mise en place.

Cette collaboration était assurée par la mise en réseau des travaux, permettant le co-développement synchrone et asynchrone d'un projet. Par son approche radicale, *PhaseX* avait pour objectif de permettre la coopération entre les étudiants et de réaliser un travail collaboratif sur un même projet sans que ses étudiants se connaissent au préalable. La seule chose qui reliait les membres du groupe était ce travail en commun. Au terme du processus, on pouvait quand même identifier la contribution de chaque étudiant. Et même si personne ne pouvait revendiquer la paternité d'un projet, la contribution individuelle n'était pas gommée.

Dans le contexte de la visualisation et de la formalisation des connaissances, *PhaseX* constitue un véritable pas en avant. Ce système évolutif met en évidence que seuls les projets les plus convaincants ou les plus attrayants sont sélectionnés pour la phase suivante. De ce point de vue, on peut relever certaines analogies avec les méthodes darwinistes. *PhaseX* procède en effet d'un mécanisme d'auto-évaluation. Avec ce système, la réussite d'un projet dépend du nombre de fois où il est sélectionné par d'autres étudiants et à la capacité de ses « descendants » à résister au cours des phases de développement. Par conséquent, la pertinence du travail individuel était sans cesse remise en question et soumise à une constante redéfinition. Mais on peut aussi considérer *PhaseX* comme une expérience ouverte où les images, mais aussi les données transmises, sont mutualisées et échangées[5].

Architecture de l'information

L'architecture de l'information est une expression qui a au moins deux acceptions. Pour Wurman[6], les champs d'application des architectes de l'information sont la conception graphique, la définition d'interfaces, la conceptualisation d'interactions et l'interaction homme-machine. L'architecture de l'information s'intéresse plus à la structure qu'aux questions relatives à la représentation, qui concerne plutôt le design de l'information[7]. Quant au second sens de l'architecture de l'information, on le voit émerger à partir du champ de l'architecture, dans lequel la chaire d'architecture et de CAO de l'ETH de Zurich a travaillé depuis 1995. Suivant cette définition, l'information est perçue comme un matériau brut qui est à la base des différentes structures d'information. Les architectes de l'information explorent de nouvelles possibilités pour l'interaction dans et avec l'espace numérique[8]. Non seulement l'architecture de l'information permet d'utiliser l'information comme un nouveau matériau, mais elle donne aussi l'opportunité de transformer des structures d'information, c'est-à-dire de transformer un espace d'information en une réalité physique[9]. Le concept d'architecture de l'information est essentiel pour la conception de nouvelles villes et de nouvelles universités. Elle est une condition nécessaire à la visualisation et à la structuration modernes de réalités complexes.

KCAP architects and planners,
Science City (2005).

This was possible through the networked design environment that enables synchronous and asynchronous co-development of design. In a radical approach, *PhaseX* had the purpose to enable cooperation between students and collaborative work on a common design task without knowing each other : The only purpose connecting team members was the common design task. However, it was still possible to identify the contribution of each person at the end of the process. And although nobody could claim single authorship of any design, the individual contribution remained evident.

In the context of knowledge visualization and knowledge formalization, *PhaseX* was an important step forward. It was an evolutionary system that demonstrated that only the most attractive or convincing designs would be selected for the next phase. In this respect, it demonstrated certain analogies to Darwinist natural processes. *PhaseX* also had a self rating mechanism. The success of any project in this system depended on how many times it was chosen by other students, and how successful the "offsprings" of these chosen projects were in the course of the project. Therefore, the relevance of the individual work was constantly challenged and redefined. *PhaseX* could also be seen as an open source experiment, because not just images, but the actual model data were shared and exchanged[5].

Formalisation d'un savoir pour la planification stratégique : l'*ETH World*

Traditionnellement, les universités et les autres centres de recherche et de formation offrent un enseignement et conduisent des recherches dans un environnement bâti. Or, l'architecture des universités a évolué : on est passé du modèle des châteaux, à une construction plus fonctionnelle et dotée d'équipements sophistiqués. La part du budget pour l'entretien des bâtiments de pointe des centres de recherche techniques prend une part de plus en plus importante dans les dépenses globales d'une université. Les salles blanches, les installations biomédicales, les centres de génomique fonctionnelle et les centres d'imagerie comptent parmi les installations les plus coûteuses. A mesure que l'espace dévolu à la recherche se spécialise, l'espace général diminue et perd en flexibilité. Par exemple, un laboratoire aux équipements sophistiqués ne pourra pas être utilisé comme bureau et réciproquement. Ceci conduit à l'augmentation des besoins d'espace physique et entraîne un cercle vicieux. Le coût de l'entretien des bâtiments et de l'équipement, ainsi que l'isolement accru des groupes de recherche indépendants, augmente les risques qui pèsent sur la viabilité financière des institutions. De plus, le savoir a tendance à rester confiné dans ces salles spécifiques. On voit dès lors apparaître un système à deux niveaux : d'un côté les bâtiments où l'espace est polyvalent, les salles pouvant aussi bien faire office de laboratoire non-expérimental que de salle de cours ; de l'autre, les espaces de recherche de pointe réservés à quelques uns. Pour gérer au mieux cette situation potentiellement dangereuse, l'appel à l'architecture de l'information s'impose. Ses objectifs sont multiples : accroître l'espace de recherche et d'enseignement disponible en augmentant l'espace physique au moyen de l'espace virtuel, réduire les coûts d'entretien grâce à une coopération intelligente et automatisée entre les bâtiments, diminuer le budget de fonctionnement général grâce à une meilleure coopération entre le personnel des différents bâtiments, les villes ou les pays, et améliorer la qualité de l'environnement bâti en augmentant l'espace physique au moyen de l'espace virtuel.

Cette intégration de l'espace physique et virtuel est construite à partir du savoir et doit être fondée sur la planification stratégique. Pour réaliser un tel environnement, l'ETH de Zurich a lancé en 2000 un concours international pour la réalisation d'un campus virtuel[10]. Plus de cinquante équipes de tous les continents ont participé. Ce concours avait pour objectif non seulement de s'interroger sur les environnements mixtes (virtuels et réels), mais aussi de créer un environnement facilitant le transfert des connaissances. Dans ce contexte, l'objectif de l'*ETH World* était de créer un langage commun à différentes facultés par l'utilisation de structures numériques, d'un accès commun au savoir et de mécanismes de distribution de l'information. Ceci supposait d'impliquer tous les membres de l'université, des étudiants de première année aux étudiants de deuxième et troisième cycles, les assistants, le personnel et les anciens élèves. Ces derniers étaient particulièrement sollici-

Information Architecture

Information architecture is a term with at least two meanings. Wurman[6] sees information architects as dealing with graphic design, interface design, interaction design and human computer interaction. The field of information architecture concentrates more on structure rather than presentational issues, which is the field of information design[7]. The second meaning of information architecture emerges from the domain of architecture itself and was refined at the chair for architecture and CAAD at ETH Zurich since 1995. In this definition, information is seen as a raw material that is at the basis of different information structures. The architects using this material are named information architects and explore new possibilities for interaction in and with digital space[8]. Not only does information architecture allow the use of information as a new material, but it also offers the possibility to translate information structures from information space back into physical reality[9]. For the design of new cities and new universities, the concept of information architecture is crucial. It is a necessary prerequisite for the modern visualization and structuring of the complex realities.

Strategic Planning Knowledge Formalization : *ETH World*

Universities and other educational and research institutions traditionally offer education and conduct research in built environments. University building types have developed from representative, castle-like structures to functional, intensively installed high-tech constructions. The operating cost of the physical infrastructure, a part of the total operating expenses of a University, are escalating rapidly for high-tech institutions that focus on research in technical fields. Clean rooms, biomedical installations, functional genomic centers and imaging centers are just a few of the expensive installations. As research space becomes more specialized, the flexibility of the overall space allocation is reduced : A highly equipped lab-space should not be used as an office and vice versa. This leads to additional demand for more physical space, thus creating a vicious cycle. The cost of maintaining buildings and equipment, along with the rising isolation of independent research groups, poses growing risks for an institution's financial viability. In addition, more and more knowledge is embedded in these special rooms created for new functions. It generates a two class system of buildings : On one hand, there are the flexible office-space type buildings that can be used for non-experimental research and teaching. On the other, there are the highly specialized research spaces that are restricted to be used by only a few. To best manage this potentially dangerous situation, a vision for information architecture is necessary. It has several goals, such as the increased availability of research and teaching space through augmentation of physical

tés à transmettre leurs expériences pour que les étudiants puissent à leur tour en tirer parti. La formalisation de l'information et des connaissances propre à une université, ici l'ETH de Zurich, ont permis cet échange.

Résultats de la conception *ETH World*

L'*ETH World*[11] a suscité des propositions de recherche ou de développement des membres de la communauté de l'ETH parmi lesquelles de nombreux projets ont été sélectionnés. Ces projets émanent non seulement de la communauté universitaire mais aussi d'autres infrastructures comme la bibliothèque, le département du personnel et le centre d'information. Les services informatiques ont aussi grandement contribué au succès de l'*ETH World*. On compte parmi eux quelques projets particulièrement réussis :

- *Neptune*[12], fondé sur un nouveau modèle économique (les étudiants ont la possibilité d'acheter leurs ordinateurs après que l'ETH ait étudié et testé les offres et le matériel de plusieurs fournisseurs), a créé une vaste communauté où les étudiants, le personnel de l'université et le corps enseignant partagent une même plateforme administrée selon la demande ;

- *E-collection*[13] qui fait partie de la bibliothèque de l'ETH et rend accessible la littérature « grise » (les thèses universitaires et les articles) ;

- la zone du savoir libre (*Free Knowledge Zone*) dans l'*ETH World* qui vise à mettre le savoir et l'information à la disposition de tous et en particulier au grand public. Dans la zone du savoir libre de *Science City*, tout le monde aura accès à l'espace d'information de l'ETH.

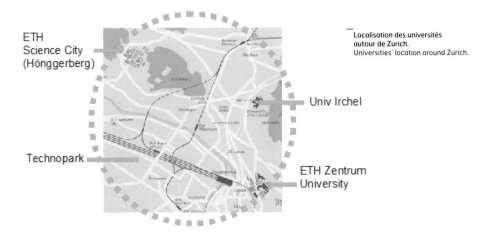

ETH
Science City
(Hönggerberg)

Univ Irchel

Technopark

ETH Zentrum
University

Localisation des universités
autour de Zurich.
Universities' location around Zurich.

:
:

with virtual space, the reduction of operating costs through intelligent and automated cooperation between buildings, the decrease of overall operating expenses through advanced IT-based cooperation between people in different buildings, cities or countries, and the quality improvement of the built environment through the augmentation of physical space with virtual space.

It is obvious that such a mixed virtual-physical environment is knowledge-driven and must be based on strategic planning. To realize such an environment, in 2000 ETH Zurich initiated an international design competition for a virtual campus[12]. More than 50 teams from all continents participated. The purpose of the competition was not only to address the problems of mixed virtual-physical environments, but also to create an environment in which knowledge transfer could easily occur. In that context, *ETH World*'s common goal was the creation of a common language for different faculties through the use of digital structures and the same knowledge access and information distribution mechanisms. This had to involve all generations connected to the university, from incoming students to master and PhD students, assistants, faculty, staff and alumni. A particular emphasis was placed on alumni so that they could contribute their experience to students and, at the same time, the students could benefit from the depth of experience of the alumni. The necessary precondition for this was a formalization of the information and knowledge inherent in a university, in this case ETH Zurich.

Results of Planning *ETH World*

ETH World[13] resulted in a large number of projects that were competitively allocated to members of the ETH community who made a research or development proposal. The projects originate both from the academic community, but also from the infrastructure, such as the library, the personnel department or the learning center. IT-services also contributed greatly to the success of *ETH World*. A few projects were particularly successful :

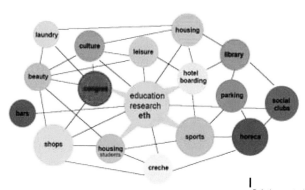

Relations entre les fonctions du programme de l'ETH Zurich.
Relationships between the functions of the program for the ETH Zurich.

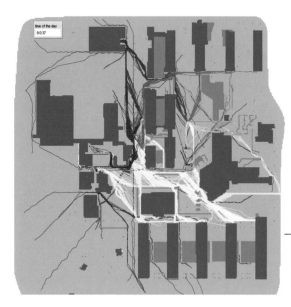

KCAP architects and planners,
Science City (2005).
Chemins piétons à 09 : 37
sur le campus de l'ETH.
Pedestrians paths at 09 : 37
in the campus of ETH.

Formalisation des connaissances en urbanisme : *Science City*

150 ans après sa fondation en 1855, l'ETH de Zurich et la ville se lancent dans un nouveau grand projet de développement. Cette fois, il ne s'agit pas de former des ingénieurs pour soutenir l'industrialisation de la Suisse, mais de préparer l'avenir, où le génie de la connaissance et les sciences de la vie joueront un rôle moteur. La ville de Zurich et l'ETH ont mis au point plusieurs scénarios. Tout comme l'espace européen de la recherche et le processus de Bologne[14], ces scénarios définissent le nouveau rôle des universités vis-à-vis de la ville et de la société. Le projet transformationnel lancé par l'ETH, *Science City*, est la plateforme utilisée pour examiner, concevoir et mettre en place ces changements.

Science City[17] est le titre provisoire pour désigner la vision d'un campus universitaire qui sera aussi un quartier de la ville, symbole d'une nouvelle culture et d'une nouvelle pensée. La priorité de *Science City* est d'améliorer les conditions de travail pour les enseignants et les chercheurs à l'ETH de Hönggerberg. Elle vise l'amélioration durable du campus comme centre de production du savoir. Elle sera un lieu d'échange pour Zurich et pour la Suisse. *Science City* fait partie du plan d'urbanisme de l'infrastructure générale de l'ETH de Zurich sur trois emplacements : l'ETH Zentrum, l'ETH d'Hönggerberg et l'*ETH World*.

Science City témoigne aussi de l'implication de l'ETH dans la création de l'Université du XXIe siècle. Cet objectif repose sur une utilisation responsable et vigilante des ressources environnementales et financières, ainsi que sur le développement conjoint d'un nouveau site universitaire.

- *Neptune*[12] which is based on a new business model, in which students would buy their own machines after ETH had thoroughly reviewed offers and equipment from different vendors. It had created a large community of students, staff and faculty that voluntarily share a common digital platform, driven by demand;
- *E-collection*[13] is part of the ETH Library and developed with *ETH World*, makes "grey" literature, such as dissertations and articles by members of ETH, accessible in a much easier and more advanced approach than in the past;
- The Free Knowledge Zone of *ETH World* is a project to make knowledge and information available not only for all ETH community members but also for the general public.

Urban Design Knowledge Formalization : *Science City*

150 years after its foundation in 1855, ETH Zurich and the city of Zurich are embarking again on a major new development. This time, the task is not to provide for the training of engineers for Switzerland's industrialisation, but to prepare for a future in which knowledge engineering and life sciences will be the driving forces. The city of Zurich and ETH are developing scenarios together with the emergence of the European research space and the Bologna process[14]. These scenarios set the context for change in the role of the universities with regard to the city and to society in general. ETH's transformation project, *Science City*, is the platform to discuss, plan and implement these changes.

Science City[15] is the working title for the university campus vision, which at the same time is a city neighborhood for a new culture of knowledge. *Science City* has the overarching goal to improve the teaching and research working conditions at ETH Hönggerberg. The end result should be the campus's sustainable improvements to enhance knowledge production and exchange for Zurich and Switzerland. *Science City* is part of the overall infrastructure concept of ETH Zurich which includes the locations ETH Zentrum, ETH Hönggerberg and *ETH World*.

Science City is also an expression of ETH's commitment to create the University of the 21st century. This includes careful and responsible use of environmental and financial resources, as well as the simultaneous further development and renewal of a university site.

The City of Knowledge as a Transformer

When the ETH was founded in 1855, one of its goals was to invent and produce what was technically feasible and possible. This was the perspective of the industrial age. Yet the visions of the University of the Future are different. At the beginning of the 21st century, the world wide production of

Science City comme agent de transformation

Quand l'ETH a été fondée en 1855, l'une de ses priorités était d'inventer et de produire tout ce qui était techniquement possible. Elle symbolisait l'esprit de la Révolution Industrielle. La vision de l'Université du futur est tout autre. Au début du XXIe siècle, la production mondiale d'informations s'est intensifiée. L'ETH de Zurich est à la pointe des développements de nombreux secteurs de la technologie et des sciences naturelles, comme l'ingénierie, l'architecture et la chimie. Donner du sens à l'information, dé-complexifier et organiser l'information en savoir, la diffuser à long terme, telles sont les priorités de l'Université du futur. L'ETH «produit» du savoir en continu et découvre de nouveaux territoires à explorer. *Science City* ouvre ses portes à la société dans son ensemble et réalise ainsi l'échange direct d'expériences, d'attitudes et d'objectifs entre les chercheurs et les citoyens. A une époque où les progrès des techniques génétiques, par exemple, apportent des possibilités impensables il y a encore peu de temps, c'est la société qui décidera des priorités de la recherche scientifique. C'est ainsi que l'ETH de Zurich revient aux intentions initiales de ses fondateurs : la démocratisation de l'enseignement. *Science City*, nouveau quartier urbain de Zurich, gardera ses portes grandes ouvertes et offrira des lieux de rencontre propices aux échanges d'idées et des connaissances, en particulier dans le domaine scientifique. Cette cité crée un cadre unique pour réunir les citoyens, les chercheurs et les entreprises, favorisant le développement d'une culture de la transformation pour l'ETH, mais aussi pour la ville de Zurich[16].

Les objectifs de *Science City* et le transfert de connaissances

Science City compte sept objectifs spécifiques qui donneront lieu à des actions concrètes. Le premier objectif consiste à renforcer la place de l'université en Suisse et à Zurich et d'en faire un lieu d'expertise. Ceci suppose une forte interaction entre l'ETH, la politique et la société pour procéder à un transfert des connaissances, où la visualisation du savoir joue un rôle essentiel. Le second objectif consiste à développer un modèle pour une nouvelle université. Il nécessite aussi un transfert entre l'ETH et la communauté universitaire favorable à l'échange d'idées et des savoirs experts. Le troisième objectif est d'améliorer l'enseignement en perfectionnant le modèle de Bologne, en soutenant la mobilité et de nouvelles formes d'enseignement et d'apprentissage. Le quatrième objectif est de faire un meilleur usage de l'infrastructure de recherche et de produire de nouveaux environnements de recherche et de simulation. Ceci devrait donner lieu à la construction d'un nouveau centre d'imagerie, d'un laboratoire de science de l'information, d'un centre sportif, de logements et d'un laboratoire de prototypage. Le cinquième objectif est le transfert de la technologie pour les prochaines générations. Si la recherche produit des résultats exceptionnels, ces derniers trouvent rarement une application au sein ou à proximité de l'université. C'est une des

information has vastly grown with the ETH Zurich at the forefront of development in many areas of technology and natural sciences, such as engineering, architecture, and chemistry. To give meaning to information, to simplify and organize information into knowledge and to make it usable on a lasting basis is one of the tasks of the new university. The ETH continually "produces" knowledge and opens up new regions to be explored. Intentionally, *Science City* opens the door for society at large, and realizes thus a long standing goal : the seamless exchange of experiences, attitudes and goals between researchers and citizens. In times when the achievements of genetic engineering, for example, confront the population with possibilities it would have only dreamt of not too long ago, society will decide about the future of scientific research priorities. Consequently ETH Zurich returns to the intentions of its founders : To democratize education. Zurich's new urban district *Science City* will have wide open doors and meeting places for the reciprocal inspiration and exchange of scientific and other knowledge. It creates a unique context that brings together citizens, researchers and companies and thus develops a transformational culture for the ETH Zurich, but also of the city of Zurich[16].

Science City Goals and knowledge transfer

Science City has seven specific goals that will result in concrete actions. The first goal is to strengthen the university's position in Switzerland and Zurich, which in itself is a knowledge intensive goal. This calls for close interaction between ETH, politicians and society in a knowledge transfer process, in which knowledge visualization plays a key part. The second goal is to develop a new university model. This requires again an information and knowledge transfer between ETH and the university community. The third goal is to improve teaching by refining the Bologna model, by supporting mobility, and new learning and teaching techniques. The fourth goal is to make better use of research infrastructure and to generate new simulation and research environments. A physical consequence of that is the construction of a new imaging center, an information science laboratory, a sports center, housing and a prototyping lab. The fifth goal is technology transfer for a new generation. It is one of the weaknesses of today's system that fundamental research produces fantastic results, but the implementation of those results does not frequently occur in or close to the university, thus missing a great opportunity to improve both research and products. The technology transfer center is one answer to this problem. The sixth goal is to improve and facilitate the dialog with society. This will be supported by the construction of a future platform and by a meeting platform between population and ETH community. The seventh goal is the intelligent networking with the city and the other university locations of Zurich such as the Zentrum, Irchel, or Technopark locations.

faiblesses du système actuel. L'occasion d'améliorer à la fois la recherche et ses applications n'est pas saisie. Le centre de transfert de la technologie est une des réponses pour remédier à ce problème. Le sixième objectif est d'améliorer et de faciliter le dialogue social. Cet objectif sera étayé par la construction d'une plateforme de rencontre entre la population et la communauté de l'ETH. Le septième objectif est la connexion intelligente de la ville et des autres bâtiments universitaires de Zurich (le Zentrum, Irchel, et le Technopark).

Le programme de *Science City*

Depuis le début, *Science City* comporte deux éléments clés : le volet « science », qui donnera lieu à un campus, et le volet « cité » qui sera un nouveau quartier de la ville. Le volet « science », qui s'appuie sur les objectifs et les nombreux ateliers animés par la communauté de l'ETH et la population riveraine, sera constitué de quatre structures : un centre d'imagerie, un laboratoire de science de l'information, un centre sportif, et un laboratoire de conception de projet. Le coût de la construction de ces bâtiments est estimé à 150 millions de francs suisses. Auparavant, un tel projet aurait reçu un financement public. Or, nous avons eu la surprise de constater qu'une partie significative du financement sera d'origine privé.

Le second volet « cité » se compose des bâtiments et des structures habituelles d'une ville ; ils animent un environnement qui, s'il avait été unique-

KCAP architects and planners,
Science City (2005)
Zurich

Science City Program

From the beginning, *Science City* had two key elements : The science element, which will result in a campus, and the city element, which will result in a city neighborhood. The science part, based on numerous workshops with the ETH community and the surrounding population, resulted in four concrete structures : An imaging center, an information science laboratory, a sports center, and a design laboratory. These buildings will require CHF 150 million to construct. In the past, this would have been based on public funding. It is surprising to see that a significant part of the previously publicly funded buildings will receive private funding as well.

The second part of *Science City* consists of those buildings and structures, which make a city and bring life into an otherwise quite stark and purely

ment dédié à la science, aurait été austère et peu attractif la nuit, les soirs et les week-ends. 1000 logements étudiants seront construits et équipés pour l'utilisation d'énergie renouvelable. Les deux autres bâtiments en projet sont un centre de congrès et un centre d'information qui abritera une bibliothèque futuriste. Dans ce bâtiment, les objectifs scientifiques et sociétaux de *Science City* seront représentés. Un cercle des professeurs et un centre d'accueil des chercheurs étrangers, des restaurants et quelques commerces contribueront à l'animation du campus. *Science City* comprendra aussi un bâtiment de transfert de la technologie, où les entreprises suisses et étrangères pourront avoir des délégations. Les étudiants pourront s'informer sur les projets de ces entreprises auprès de ces délégations et les entreprises pourront être en contact direct avec les grandes unités de recherche de l'ETH de Zurich. On pourra ainsi assister à un échange des savoirs entre le monde de l'industrie et l'ETH.

Depuis que le projet a été lancé au milieu de l'année 2003, *Science City* symbolise la capacité de l'ETH de Zurich et de l'université suisse à se distancier du passé pour forger l'avenir. Les réactions, en Suisse et à l'étranger, devant cette vision d'un quartier intellectuel ont été aussi positives que nombreuses, comme l'atteste la couverture médiatique du projet. Tissant des liens plus étroits avec les partenaires naturels de l'ETH, ce projet a rapproché l'ETH de l'université de Zurich, de la ville et de son canton. La dimension participative du projet a transformé le concept de *Science City* en un forum d'idées dynamique et ouvert pour réfléchir à l'université du XXIeme siècle.

En 2004, quatre groupes d'architectes réputés ont proposé leurs visions de cette future cité. Parmi eux, Kees Christiaanse a été retenu pour poursuivre l'élaboration du plan directeur. Les grandes lignes du concept d'origine épousent petit à petit son contenu réel. Dans ce projet, on a tenu compte des désirs, des idées, et des besoins des parties impliquées, tout comme des réserves qui ont été exprimées.

Information, savoir et média

Il est passionnant d'analyser la couverture médiatique sur *Science City* et son développement. Depuis les premières études, les médias ont manifesté un fort intérêt pour le concept de *Science City*. A cause des médias, la population dans son ensemble a eu l'impression qu'il s'agissait surtout d'un projet de construction, les évolutions sociales permises par *Science City* n'ayant pas donné lieu à beaucoup de commentaires. Par conséquent, les réactions de la population concernent davantage la partie construction que la partie sociétale de *Science City*. Manifestement, les objectifs des promoteurs de *Science City* ne coïncidaient pas avec ce que certaines parties de la population attendaient d'un campus universitaire. En 2004, les points de divergences se sont estompés grâce à un processus de négociation à long terme. C'est

scientific environment that is not very attractive at night, evenings and weekends. Planned are 1000 housing units for students with the special requirement that they should be zero energy buildings. A second important physical structure will be a congress and learning center with the library of the future. In this building, the scientific and social goals of *Science City* will be represented. A faculty club and guest houses for visiting faculty, restaurants and basic shopping possibilities are needed to sustain life on the campus. In *Science City* will be a technology transfer building, where firms from Switzerland and abroad can have corporate embassies. In these corporate embassies, students can learn about corporate plans, and the firms can be directly linked to the basic research that is going on at ETH Zurich. Thus, an exchange of knowledge can occur between industry and ETH.

Since its initiation in mid 2003, *Science City* has become synonymous with the ability of ETH Zurich and the Swiss university sector to depart from the past and to forge a successful future. The national and international response to the vision for a new intellectual neighborhood was very positive, as numerous media reports have demonstrated. It has already led to a closer cooperation with the natural partners of ETH : University of Zurich, the city of Zurich and to the canton of Zurich. The open participation process has turned the planning of *Science City* into lively and transparent ideation and speculation about the University of the 21st Century.

The test planning by four respected architectural teams in 2004 delivered a series of key insights. Chosen from the set of four entries was Kees Christiaanse to continue work on the master plan. The outline concept is starting to fill in with actual content. The wishes, the ideas, and the needs of all those involved can now once again be fed into the project - as can the various reservations that have been expressed.

Information, Knowledge, and Media

The reporting about *Science City* and the actual development process are fascinating to observe. From the very beginning, the media showed strong interest in the concept of *Science City*. Through the media, the population at large received the impression that it was mainly a construction project, whereas the transformational aspects of *Science City* were not developed very strongly. This led to reactions by the population which were mainly directed towards the construction part and less towards the societal part of Science City. Obviously, there were discrepancies between the goals of the developers of *Science City* and the expectations of parts of the population for a university campus. In 2004, a long term process started to bring the positions together. For this purpose, a series of so called echo-spaces was constructed, in which individual user groups and interested persons can directly

la raison pour laquelle des « espaces-écho » ont été construits, où des groupes individuels et les personnes intéressées pouvaient directement échanger leurs craintes, leurs idées et leurs propositions pour *Science City*. Un large public a participé à ces rencontres qui ont été extrêmement constructives. Les futurs schémas de *Science City* s'en inspireront. Le savoir et l'expérience que certains membres de la communauté de l'ETH et des quartiers riverains, ainsi que des partis politiques ont à offrir, sont impressionnants. Les débats au parlement de la ville et au sein d'autres institutions démocratiques montrent l'intérêt que les partis politiques et le gouvernement de la ville ont pour ce projet. Les médias ont eu un rôle déterminant dans l'information des personnes impliquées. En même temps, le contrôle de ce processus par un pouvoir central n'est plus tenable. C'est devenu une procédure très démocratique comme c'est le cas de beaucoup d'autres projets d'institutions publiques. Le jeu, entre l'information fournie par les architectes de *Science City* – un projet impliquant une expertise certaine – et la circulation de l'information et du savoir par les médias à l'adresse du grand public, est fascinant. Ainsi, *Science City* n'est plus un projet de l'ETH, il est devenu l'objet d'un débat public.

Conclusion

Avec les sciences de la vie, l'architecture et l'ingénierie du savoir jouent un rôle moteur pour la société du XXIème siècle. Sur le plan structurel, la forme des universités reflète dans une certaine mesure la structure et les idées du gouvernement ou de la société dont elles dépendent. Sur le plan conceptuel, les rôles du génie au XIXeme siècle, de l'équipe au XXeme siècle et du réseau au XXIe siècle trouvent leur équivalent dans la conception stratégique et l'urbanisme.

Avec *ETH World*, l'ETH a investi dans la structure de l'information ; avec *Science City*, il investit aujourd'hui dans la structure du savoir. Le projet *Science City* montrera l'utilisation responsable que l'on doit faire des ressources limitées comme la terre et l'énergie. Il montrera aussi que l'usage restrictif de ces ressources limitées peut engendrer une croissance de ressources illimitées comme l'information, le savoir, et la découverte scientifique. La singularité de *Science City* repose sur la liberté qu'elle engendre : elle ouvre un nouvel espace de réflexion, de recherche et de culture. L'idée d'un espace de transformation sera visible dans l'architecture.

A partir des besoins des étudiants, des professeurs, des chercheurs, des employés, de la population riveraine, de la ville et du canton de Zurich, nous avons élaboré une méthode participative pour inventer, concevoir et réaliser *Science City*. Cette méthode servira de modèle pour créer l'université du futur. *Science City* est davantage qu'un schéma directeur architectural ou une étape supplémentaire à l'extension de l'ETH de Zurich. Elle vise à devenir une plateforme d'exception, qui donnera un nouvel élan à l'enseignement, la recherche de pointe, la société, la technologie et le transfert de connaissances.

Gerhard Schmitt

Professeur d'architecture et de CAAD (conception architecturale assistée par ordinateur) de l'Université ETH de Zurich depuis 1992 et vice président du département de l'Aménagement depuis 1998. Il a étudié l'architecture à la Technical University de Munich, à U.C.L.A et à U.C Berkeley et a obtenu son doctorat en 1983 de la Technical University de Munich. En 1984, il intègre l'Université Carnegie Mellon de Pittsburg au département d'architecture. Il devient Professeur à l'ETH en 1988, où il est à l'origine de l'enseignement systématique d la CAAD. De 1989 à 1996, il dirige la commission des technologies de l'information à l'ETH de Zurich. Après une période en tant que professeur invité à l'Université d'Harvard, il prend la tête du pôle architecture de ETH de 1994 à 1996.

input their ideas, fears, and proposals for *Science City*. Such meetings have taken place with a large number of people by now. The input is extremely constructive and will be used directly in the further planning of *Science City*. The knowledge and experience, that people from the ETH community and surrounding quarters or political parties are willing to offer is impressive. Debates in the city parliament, and other democratic institutions show the interest of and the political parties and the city government in this project. The media have taken a decisive role to inform all those involved. At the same time, the process can not be controlled centrally anymore, but has become a very democratic procedure like many other development projects for public institutions. The fascination lies in the play between the information that is generated by the planners of *Science City* - a knowledge intensive project itself - and the transportation of both information and knowledge through the media to the public. Thus, *Science City* is not a project of ETH anymore, but has become res publica.

Conclusion

Knowledge architecture and engineering, along with life sciences, are driving forces for the 21st century society. On the structural level, the university's shape and form reflects the structure and ideas of the respective government or society to a degree. On the planning level, the role of the genius in the 19th century, the team in the 20th century and the network in the 21st century find its analogy in strategic planning and urban design.

ETH has invested in the *ETH World* information structure and is now investing in the *Science City* knowledge structure. The *Science City* project will demonstrate the responsible use of limited resources such as land and energy. It will also demonstrate that the restrictive use of these limited resources can generate the rapid growth of unlimited resources such as information, knowledge, and scientific discovery. *Science City* is different because it is creating freedom by opening up a new space for thinking, research and culture. This idea of transformation will be documented in the architecture.

Based on the needs of students, teachers, researchers, employees, the surrounding population, the city and the canton of Zurich, the participatory process of inventing, designing and implementing *Science City* will become a model project, setting the agenda for the university environment of the future. *Science City* is more than an architectural master plan or another stage in expansion of ETH Zurich. It aims at becoming an exceptional, inspiring and pulse-setting platform for teaching, cutting edge research, society, technology and knowledge transfer.

Full Professor of Architecture and Computer Aided Architectural Design (CAAD) at the ETH Zurich since 1992 and Vice President of Planning since 1998. He studied architecture at the Technical University in Munich, at U.C.L.A. and U.C. Berkeley. He earned his doctorate in 1983 at the TU Munich. In 1984 he was named assistant professor, and in 1987 associate professor of architecture at Carnegie Mellon University in Pittsburgh, Pennsylvania. Professor at the ETH since 1988, he initiated the development of systematic CAAD teaching and infrastructure. From 1989 to 1996 he directed the information technology commission of the ETH Zurich. After a period as guest professor at Harvard University, he headed the ETH Department of Architecture from 1994-1996.

Notes

1. Voir le site Internet de l'Espace Européen de la Recherche :
http://europa.eu.int/comm/research/era/index_en.html
2. R.A. BURKHARD, *Knowledge Visualization - the Use of Complementary Visual Representations for the Transfer of Knowledge. A Model, a Framework, and Four New Approaches*, thèse de doctorat, ETH Zurich, mars 2005.
3. R.A. BURKHARD, M. MEIER, « Tube Map: Evaluation of a Visual Metaphor for Interfunctional Communication of Complex Projects », in *Proceedings of I-KNOW '04*, Graz, 30 Juin - 2 Juillet 2004, pp.449-456, 2004.
4. Voir http://www.space.arch.ethz.ch/ss99/
5. U. HIRSCHBERG, *PhaseX*, in M. ENGELI (Ed.), *Bits and Spaces*, Basel, Berlin, Boston, 2001, pp.41-49.
6 R. S WURMANN, *Information Architects*, Zurich, Graphics Inc., 1996.
7. E. TUFTE, *The Visual Display of Quantitative Information*, Cheshire, Graphics Press, 1983.
8. M. ENGELI, op.cit. (5).
9. G. SCHMITT, *Information Architecture - Basis and Future of CAAD*, Basel, Berlin, Boston, Birkhäuser, 1999.
10. P. CARRARD, M. ENGELI, *Conceptual Competition ETH World - Virtual and Physical Presence*, Zurich, gta Verlag, ETH ed., 2001.
11. Voir http://www.ethworld.ch
12. Voir http://www.neptun.ethz.ch
13. Voir http://e-collection.ethbib.ethz.ch
14. Le processus de Bologne est une initiative européenne visant à établir un espace euro-péen de l'enseignement supérieur d'ici à 2010 (NDLR). Voir
http://europa.eu.int/comm/education/policies/educ/bologna/bologna_fr.html
15. Voir http://www.sciencecity.ethz.ch et G. SCHMITT, « Introduction », in R. BURKHARD, N. STAUB (Eds.), *Science City ETH Zurich*, Berlin, AEDES, 2004.
16. N. STAUB, *Transformator Wissensstadt*, in Ibid., pp.40-41.

Traduction de l'Anglais de Sophie Renaut.

Notes

1. See the website of the European Research Area :
http://europa.eu.int/comm/research/era/index_en.html
2. R.A. BURKHARD, *Knowledge Visualization - The Use of Complementary Visual Representations for the Transfer of Knowledge. A Model, a Framework, and Four new Approaches*, PhD dissertation, ETH Zurich, March 2005.
3. R.A. BURKHARD, and M. MEIER, "Tube map : Evaluation of a visual metaphor for inter-functional communication of complex projects", Proceedings of I-KNOW '04, Graz, June 30th - July 2nd, 2004, pp. 449-456.
4. See http://www.space.arch.ethz.ch/ss99/
5. U. HIRSCHBERG, "PhaseX", in M. ENGELI (Ed.), *Bits and Spaces*, Basel, Berlin, Boston, Birkhäuser, 2001, pp.41-49.
6. R. S WURMAN, *Information Architects*, Zurich, Graphics Inc.,1996.
7. E. TUFTE, *The Visual Display of Quantitative Information*, Cheshire, Graphics Press, 1983.
8. M. ENGELI, op.cit. (5).
9. G. SCHMITT, *Information Architecture - Basis and Future of CAAD*, Basel, Berlin, Boston, Birkhäuser, 1999.
10. P. CARRARD, M. ENGELI, *Conceptual Competition ETH World - Virtual and Physical Presence*, Zurich, gta Verlag, ETH Ed., 2001.
11. See http://www.ethworld.ch
12. See http://www.neptune.ethz.ch
13. See http://e-collection.ethbib.ethz.ch
14. The Bologna process is an European initiative which goal is to establish a Higher Education European Network by 2010 (Editors note), see http://europa.eu.int/comm/education/policies/educ/bologna/bologna_fr.html,
15. See http://www.sciencecity.ethz.ch and G.SCHMITT, "Introduction", in R. BURKHARD, N. STAUB (Eds.), *Science City* ETH Zurich, Berlin, AEDES, 2004.
16. N. STAUB, *Transformator Wissensstadt*, in Ibid., pp. 40-41.

Ville ouverte
Open City

Jeffrey Huang, Muriel Waldvogel
Convergeo, EPFL Lausanne

Introduction

La crise fondamentale que traverse la ville américaine est double : l'espace public disparaît et la ville est déconnectée de ses habitants. Le problème préoccupant de l'espace public s'explique surtout par la place de plus en plus grande qu'occupent les intérêts des entreprises au sein de la ville. Leurs objectifs prioritaires sont de fournir un espace pour améliorer la productivité de leurs employés et communiquer leur image de marque à une économie mondialisée. Ceci a pour effet de créer des systèmes hermétiquement clos, où l'on accorde peu d'attention et de respect à l'environnement urbain immédiat. Il est temps que la ville, jusqu'ici constituée d'un tissu urbain ouvert mais aujourd'hui fissuré, réagisse.

Il est intéressant d'établir un parallèle entre cette crise au sein de la ville réelle et l'érosion des *commons*, c'est-à-dire des espaces de libre circulation, dans le monde virtuel. Lawrence Lessig, professeur de droit spécialisé dans les nouvelles technologies à Stanford, décrit dans son ouvrage *The Future of Ideas: The Fate of the Commons in a Connected World*[1] (L'Avenir des idées : le destin des espaces libres de droit dans un monde connecté) la disparition tragique de ce qu'il appelle les « espaces virtuels de libre circulation » (*virtual commons*). Il explique que si l'Internet a initialement été conçu comme un vaste espace libre de droit propice au partage et à l'échange d'idées (caractérisé par trois valeurs: « il n'est à personne, tout le monde peut s'en servir, et chacun peut le rendre plus performant »), il a de plus en plus tendance à devenir le terrain de jeu des grandes entreprises pour servir leurs intérêts. Formats de données propriétaires, monopoles, philosophie négative (à l'image de la campagne de marketing « Peur, Incertitude, Doute » utilisée

Introduction

The fundamental crisis in American cities is twofold : A disappearance of public spheres and a disconnection between the city and the concerns of its everyday inhabitants. The urgent problem of public spheres is primarily due to the increasing dominance of the interests of corporations in the city who see as their primary real estate objective to provide generic productive space for their workers and communicate their brand to a globalized economy, resulting in hermetically closed systems with little attention or respect for the immediate urban neighborhood. The previously open urban fabric, thus fissured, has yet to respond.

There is an interesting parallel between this crisis in the physical city and the erosion of the commons in the virtual world. Lawrence Lessig, Stanford Professor of Cyberlaw, documents in *The Future of Ideas : The Fate of the Commons in a Connected World*[1] the tragic loss of what he calls the "virtual commons". Originally architected as a large commons for the free sharing of ideas (characterized by the three values : "no one owns it, everyone can use it, anyone can improve it"), the Internet, so he argues, is increasingly becoming a playground for powerful corporations and their interests. Closed data formats, monopolies, negative philosophies (like the "Fear, Uncertainty, Doubt" marketing campaign used by Microsoft) characterize this development and will soon have left little of the original idea of the commons in cyberspace.

Back in the physical city, historically, and paradoxically, the conditions for creating a commons have always been better when strong hands were in power. For example, the majestic, civic squares in European cities were the direct results of strong hands in planning : Baron Haussmann in 19th century Paris was

par Microsoft), caractérisent cette évolution. Bientôt, il ne restera quasiment plus rien de ce qu'étaient à l'origine ces espaces de libre circulation dans le cyberespace.

Historiquement, les conditions de création d'espaces publics dans la ville réelle ont paradoxalement toujours été plus favorables quand le gouvernement était entre les mains d'un pouvoir fort. Par exemple, les places publiques majestueuses que l'on trouve dans les villes européennes ont été réalisées par des hommes de pouvoir : à Paris au XIXeme siècle, le baron Haussmann a pu transformer, pour des avenues entières, des façades d'immeuble en *façades de ville* faisant désormais partie du domaine public plutôt que des immeubles eux-mêmes. Malgré l'objectif du nouvel empire de contrecarrer l'activisme clandestin des révolutionnaires, la percée de grandes avenues et la création d'espaces publics fût un don à la ville et aux citadins.

L'idée que les façades soient la propriété de la rue et de la ville plutôt que des immeubles, contraste fortement avec ce qui se passe aux Etats-Unis, où la main invisible du marché détermine l'avenir de l'espace public dans les villes. A New York, les façades autour de Times Square offrent un exemple saisissant de cette nouvelle orientation. Les façades sont louées aux entreprises les plus offrantes pour être ensuite utilisées comme panneaux d'affichage faisant la réclame de leurs produits et de leur image de marque, ou bien, avec l'installation de caméras comme systèmes de sécurité pour surveiller et contrôler les passants. La prédominance de la publicité et des systèmes de surveillance créent des espaces diamétralement opposés à ce que pourraient être des lieux publics ouverts, reflétant les préoccupations des riverains.

Grâce aux récents progrès de la communication et des technologies numériques dans la vie quotidienne, les mondes réels et virtuels tendent à fusionner et à créer de nouvelles opportunités pour rénover radicalement notre manière de concevoir l'espace public dans une ville interactive telle qu'elle semble émerger. Comment les développements spectaculaires annoncés par l'équipement numérique des villes pourront-ils être utilisés au bénéfice de la recréation d'un espace public et d'une identité commune ? Quelles leçons pouvons-nous tirer de l'expropriation des espaces de libre circulation sur l'Internet pour le futur développement de la ville hybride ? Cet essai tente d'apporter des réponses à ces questions en décrivant quatre projets d'intervention artistique en milieu urbain à l'aube du XXIe siècle. Ces études de cas sont examinées dans la perspective d'une ville interactive où le paysage urbain est enveloppé d'une couche numérique invisible mais ouverte, permettant aux citadins de reprendre possession des espaces publics et des façades urbaines aujourd'hui dominés par des intérêts purement économiques et où la technologie est majoritairement utilisée à des fins de publicité et de surveillance.

Blinkenlights
sur la *Haus des Lehrers* à Berlin
Blinkenlights
at the *Haus des Lehrers* in Berlin
Source : CCC Berlin
www.blinkenlights.de/gallery/

able to turn entire avenues of building facades into "street facades", that belong to the public (the "street space"), rather than to the buildings. Even though the building of these street facades and opening up the urban tissue was partially driven by the nascent empire's ambition to make secret revolutionary activities difficult, the creation of the large open avenues and public spheres was a gift to the city, enjoyable by all city dwellers.

The idea of facades belonging to the street space, rather than to the buildings, is in stark contrast to the recent developments in American cities where the invisible hand of the market determines the fate of public spheres in the city. The facades surrounding Time Square New York is a particular poignant case in point. The highest bidders obtain the valuable vertical real estate and can use it as billboards to advertise their products and market their brands, and, with the installation of cameras and tracking devices, as security systems to survey and control the citizens passing by. The predominance of advertisement and surveillance in buildings hovering over potential public spaces results in the possible extreme opposite of an open commons that reflect the local inhabitants and their concerns.

With the recent advances in communication and network technologies, and digitalization of everyday life, the physical and virtual worlds will increasingly merge, and create exciting new opportunities for radically rethinking the commons in the emerging interactive city. How can the dramatic changes heralded by the digitalization of the city be deviated into the recreation of public spheres and common identity ? What lessons can be learned from the depriving propertization of the digital commons on the Internet for the future development of the hybrid city ? This essay attempts to provide answers to these questions by tracing four specific arts/urban intervention projects at the turn of the millennium. We portray the case studies in the context of a vision of the interactive city in which the physical cityscape is superimposed with an invisible yet open digital layer, allowing inhabitants to recapture public spheres and urban facades back from corporate interests, and counter the currently dominant corporate trend of technology usage for advertisement and surveillance practices.

Berlin

From September 12, 2001 to February 23, 2002, for six months, the Chaos Computer Club (CCC), a notorious group of ethical hackers in Berlin, celebrated its 20th anniversary by taking over the façade of the famous Haus des Lehrers, a prominent office building near Alexanderplatz, turning the imposing building into a massive public interface for the city. One hundred forty-four independently controlled light bulbs were mounted behind the windows of the upper eight floors of the high-rise building to produce a gigantic monochrome matrix display. Using mobile phones (or from their

Berlin

Du 12 septembre 2001 au 23 février 2002, pendant six mois, le Chaos Computer Club (CCC), l'organisation renommée de hackers éthiques basée à Berlin, a fêté son 20e anniversaire en occupant la façade de la célèbre Haus des Lehrers, un des principaux immeubles se trouvant à proximité d'Alexanderplatz. Cet édifice imposant est ainsi devenu une immense interface publique pour la ville. 144 lampes, chacune contrôlée par ordinateur, ont été disposées derrière les fenêtres des huit derniers étages de l'immeuble afin de créer une gigantesque matrice monochrome. Avec leurs téléphones portables (ou de chez eux à partir de leur ordinateur), les habitants de la ville, les visiteurs ou les amis lointains, pouvaient programmer des animations et s'envoyer publiquement des messages sur cet écran urbain géant. Les messages typiques qui ont occupé la façade étaient des messages d'amour, déclarations publiques au sujet de croyances religieuses, affirmation d'identité de groupes minoritaires, protestations contre des événements politiques, version interactive du jeu d'arcade *Pong* auquel le public pouvait jouer en composant un numéro de téléphone pour contrôler les mouvements des raquettes numériques, et recréation de l'histoire de la nativité avec des anges et le petit Jésus. Baptisé *Blinkenlights* par ses fondateurs, le bâtiment est rapidement devenu pour les automobilistes et les passants une des grandes attractions nocturnes de Berlin. L'emplacement de ce haut immeuble situé à proximité d'Alexanderplatz, dans l'ancien Berlin-Est, permettait à cette architecture interactive de surplomber la ville et d'être visible depuis les quartiers de Berlin-Est, clin d'œil à la liberté d'expression[2].

La même année, à plus de 4 000 km vers l'Ouest, en Californie, s'est produit un événement d'un tout autre ordre, mais qui n'est pas sans lien avec ce projet. Le 23 septembre 2002, l'organisation Mozilla, basée à Mountain View au cœur de la Sillicon Valley, rend public son premier navigateur libre, baptisé *Mozilla Phoenix*. Inspiré du système de code libre Mozilla, le nom de code de ce logiciel était *Pescadero* (qui signifie pêcheur en espagnol), et a été officiellement enregistré sous le nom *Mozilla Phoenix 0.1*. L'idée de *Phoenix* était d'offrir une alternative au navigateur de Microsoft dominant sur le marché *Internet Explorer*, d'accélérer et de simplifier la navigation sur le web « sans toutes les saletés qui viennent avec ». Le modèle de développement était tout à l'opposé de celui d'*Internet Explorer* de Microsoft et de ce qui était alors le navigateur *Netscape* : complètement libre, détenu et contrôlé par le public, il rassemble des centaines de programmeurs du monde entier pour contribuer à son amélioration. Le lancement de *Phoenix 0.1* marqua le début d'une révolution dans le monde du logiciel : quelques années plus tard, le lancement de la première version pour le public, rebaptisée *Mozilla Firefox*, le 10 novembre 2004, bat un record : on dénombre 1 million de téléchargements en l'espace de dix jours, et plus de 5 millions après les deux pre-

computers at home), inhabitants of the city, visitors and remote friends, could program animations and publish messages to each other publicly on the vast urban screen. Typical messages that populated the façade included heartfelt love messages in the form of a pulsating heart, public declarations of religious beliefs, coming out statements of minority groups, protests against current political events, an interactive version of the classic arcade game "pong" that the public could play by dialing a specific number to control the up and down movements of the digital pong handles, and a recreation of the entire nativity story including angels and the baby Jesus. Dubbed *Blinkenlights* by the creators, the building quickly became a major nocturnal attraction for automobile drivers and passers-by in Berlin. The prominent location of the high-rise building near Alexanderplatz, in the former East section of Berlin, made the large interactive architecture hover over the cityscape and visible from faraway, deep into the neighborhoods of the former East Berlin parts, a blinking reminder of freedom of expression[2].

That same year, more than 3,000 miles West, in California, marked a topically different yet related kind of event. On September 23, 2002, the Mozilla organization, based in Mountain View, in the heart of Silicon Valley, made public its first open web-browser, dubbed *Mozilla Phoenix*. Based on the open-source Mozilla code, the software was code-named *Pescadero* (Spanish for fisherman), and officially registered as *Mozilla Phoenix 0.1*. The idea of *Phoenix* was to offer an alternative to the market dominating Microsoft web browser *Internet Explorer* and make browsing faster and leaner and reaching the web "without all the ugly stuff that comes with it." The development model was in stark contrast to that of Microsoft *Internet Explorer* and the by then winding *Netscape* browser (which originally off-spun the code) : completely open source, owned and controlled by the public, drawing hundreds of programmers from across the globe to contribute valuable code to its design. The release of *Phoenix 0.1* meant the beginning of an earthshaking software revolution : a few years later, the release of the first public version, by then renamed as Mozilla Firefox, on November 10, 2004, would draw a record-breaking 1 million downloads in 10 days, and over 5 million after two months. The seemingly unstormable bastion held by Microsoft's *Internet Explorer* was broken. What we witnessed in this recent Browser revolution was the consequence of an underlying philosophy of giving the public open access to source code, and control over the design.

The idea of intimately involving the public and giving participants control over the work is not new in art or architecture. A long trajectory of 20th century "interactive" art forms ranging from Marcel Duchamp's rotating disc, the Art and Technology Events in New York in the sixties, Fluxus, Nouveau Realisme, Improve Theatre, Chance Poetry, and recent interactive installations, share in common the integration of the viewer as

miers mois. La forteresse apparemment imprenable d'*Internet Explorer* tenue par Microsoft est prise. Cette nouvelle révolution dans le monde de la navigation est l'expression d'une philosophie implicite, celle de donner au public un libre accès aux logiciels et à ses codes, ainsi qu'un droit de regard sur leur conception.

L'idée d'impliquer le public et de donner à ses utilisateurs le contrôle sur l'œuvre n'est pas nouveau dans l'art et l'architecture. L'art interactif au long du XXe siècle, depuis les *Rotoreliefs* de Marcel Duchamp, des rencontres Art et Technologie à New York dans les années 1960, le mouvement fluxus, le nouveau réalisme, l'Improve Theatre, la Chance Poetry, aux installations interactives contemporaines, témoigne d'une volonté d'intégrer le spectateur à l'œuvre, et d'en faire un élément essentiel du dispositif sans lequel l'œuvre resterait incomplète. Dans sa célèbre communication de 1957 intitulée « Le processus créatif », Duchamp attire l'attention sur la nécessité fondamentale d'intégrer le spectateur à l'œuvre, sans quoi l'œuvre resterait inachevée : « Somme toute, l'artiste n'est pas seul à accomplir l'acte de création car le spectateur établit le contact de l'œuvre avec le monde extérieur en déchiffrant et en interprétant ses qualifications profondes et par là ajoute sa propre contribution au processus créatif. »[3] Les spectateurs d'œuvres interactives ne sont plus passifs : ils sont les co-producteurs et les co-signataires de l'œuvre. Ce type d'implication du public dans le programme se démarque radicalement des pratiques artistiques traditionnelles où l'Auteur avec un A majuscule, travaillant pour l'institution qui se dissimule derrière les produits culturels, impose le contenu et son expérience.

Le Computer Chaos Club de Berlin vise à la création d'une nouvelle façade ; plutôt que de représenter une image de marque, cette façade invite le citoyen à l'habiter. Le pouvoir expressif de la façade est inversé : il revient aux gens de la rue de l'exprimer, et non de se le voir imposé. Ce sont les citadins, les visiteurs et les passants qui décident de l'apparence extérieure du bâtiment et des messages à transmettre. Grâce à cette nouvelle liberté d'expression, le pouvoir du citadin s'en trouve renforcé.

Le projet *Blinkenlights* repose sur une esthétique simple et minimale. Le Computer Chaos Club s'est introduit dans l'installation électrique du bâtiment, a disposé une lampe derrière chaque fenêtre des huit derniers étages, et peint les fenêtres d'un blanc réfléchissant. La matrice monochrome de 18 x 8 produit une installation basse résolution permettant de visualiser les messages codés envoyés par *sms* ou par *e-mail*. De n'importe quel endroit et à n'importe quel moment, n'importe qui peut envoyer un message susceptible d'être transmis en public. Le fait de limiter cet immense écran à 18 x 8 pixels fait naître une expression iconique, minimaliste (et dans le jargon informatique, presque primale), empruntant son esthétique, comme l'indique le mot « Blinkenlights », à la lumière clignotante des curseurs sur les

an essential element in the art piece without whom the work would remain incomplete. In his famous exposé of 1957 entitled *The Creative Act,* Duchamp notes the fundamental necessity of the viewer to complete the piece : "All in all, the creative act is not performed by the artist alone. The spectator brings the work in contact with the external world by deciphering and interpreting its inner qualifications and thus adds his contribution to the creative act"[3]. No longer passive, viewers of interactive pieces, that followed and emphasized this very interactive aspect, co-produce and co-author the artifacts. This kind of involvement of the public in the program is a radical departure from the traditional art practice in which the Author (with a capital A) as an agent for the institution behind the cultural artifacts, dictates the content and experience of the products.

To create a façade for the everyday citizen to inhabit rather than as an external representation of a corporate identity is what the Computer Chaos Club in Berlin is about. The expressive power of the façade belongs to the people, the top-down decision process of what should be expressed is reversed. The appearance of the building and the messages to be conveyed are dictated by the urban dwellers, visitors and passers-by. The everyday citizen is empowered by this new freedom of expression.

Blinkenlights relies on a simple, minimal aesthetic. The Computer Chaos Club infiltrated the electrical circuits of the building and put one lamp behind each window in the top eight floors and painted the windows in reflective white. The monochrome matrix of 18 x 8 produces a low resolution display ready to receive the coded messages sent via SMS or e-mail. Thus, from anywhere at anytime anyone could send a message that would become a public manifestation. The limitation of the vast display to 18 x 8 pixels resulted in an iconic, minimalist (in computer terms almost primal) expression, borrowing its aesthetics, as the name *blinkenlights* suggests, from the front-panel diagnostic lights on the old mainframe computers of the seventies and eighties. The message became what was most important. Visible, because of its abstraction, from far away, the building attracted the pre-attentive conscience of drivers, joggers, walkers in the city. The message conveyed is simple, the language universal. There are no distracting colors, no forms, no typefaces and no calligraphy, just the message written in a coded fashion, perhaps in the tradition of ASCII art, or Morse code alphabet.

Unfortunately, and ironically, the minimalist and primal nature of the installation limited the very number of people the Computer Chaos Club was hoping to reach and empower. The interface to send a message was not user-friendly, in the typical what-you-see-is-what-you-get (WYSIWYG) style of today's commercial applications, some scripting was necessary, limiting the potential users to computer literates, social geeks. Because of this interface hurdle, it could be argued that the building was never completely open[4].

vieux écrans d'ordinateur des années 1970 et 1980. Seul le message importe. En raison de sa construction abstraite, le bâtiment est visible de très loin, attirant ainsi presque inconsciemment l'attention des automobilistes, des coureurs, et des passants. Le message qui est transmis est simple, son langage est universel. Pas de couleurs encombrantes, pas de formes, pas de polices de caractère ni calligraphie, mais simplement le message écrit sous forme codée, peut-être dans la tradition de l'art ASCII ou du Morse.

Malheureusement, et c'est là que se trouve l'ironie, la nature minimaliste de cette installation limita le nombre de personnes que le Computer Chaos Club espérait atteindre. Trop peu conviviale, l'interface nécessitait l'utilisation d'un script, ce qui a limité le nombre d'utilisateurs potentiels aux connaisseurs en informatique, aux accros de l'Internet. En raison de cet obstacle, nous pourrions questionner l'ouverture réelle de ce projet[4].

Rotterdam

La seconde intervention que nous décrivons maintenant, l'interface de l'installation *Body Movies* présentée sur la place Schouwburgplein à Rotterdam, est sans aucun doute plus accessible. N'importe qui dans la ville, enfants, skateurs, parents, grands-parents, touristes, peut facilement interagir avec l'installation par les gestes et les mouvements de son corps. Ici encore, le grand public s'approprie la façade, mais de manière moins intellectuelle.

Curieusement, cette intervention urbaine, mise au point par l'artiste Rafael Lozano-Hemmer résidant à Madrid, a eu lieu presque en même temps que l'intervention du Computer Chaos Club à Berlin. Le projet a débuté le 31 août 2001 dans le cadre du festival de la capitale européenne de la Culture 2001.

Mille deux cents portraits, photographiés dans les rues de Rotterdam, de Madrid, de Mexico et de Montréal, ont été projetés sur la façade de 200x30 mètres du cinéma Pathé, par des projecteurs contrôlables à distance, disposés sur les tours se trouvant de part et d'autre de la place Schouwburgplein. Les portraits n'étaient pas immédiatement visibles. Au sol, deux projecteurs de 7000 watts projetaient d'intenses rayons de lumière blanche sur le mur, effaçant les portraits. Ainsi éblouis par l'éclat aveuglant de cette lumière blanche, les portraits ne réapparaissaient que lorsque les passants obstruaient la lumière des projecteurs : les portraits étaient révélés par les ombres portées. Les promeneurs pouvaient jouer à restituer l'échelle des portraits en s'approchant ou en s'éloignant du bâtiment, faisant varier la taille de leur silhouette entre 2 et 25 mètres. L'existence simultanée de portraits et d'ombres projetés sur une façade urbaine produisait « l'inverse d'un théâtre de marionnettes et d'une représentation incarnée »[5].

Rotterdam

The interface in the *Body Movies* project on the Schouwburgplein Square in Rotterdam, our second case, is doubtlessly more fluid. Everyone in the city, children, skateboarders, parents, grand-parents, tourists, could easily interact with the building installation using their simple body movements and gestures. Here again the public takes over the façade but in a less cerebral manner.

Curiously, this urban intervention, master-minded by Madrid based artist Rafael Lozano-Hemmer, took place at almost the identically same time as the Computer Chaos Club's intervention in Berlin. The project opened on August 31, 2001 as part of the 2001 Cultural Capital of Europe Festival.

One thousand two hundred photo portraits taken on the streets of Rotterdam, Madrid, Mexico and Montreal, were projected onto the 200x30 meters façade of the Pathé Cinema using robotically controlled projectors located on towers around the Schouwburgplein Square. However, the portraits were not immediately visible. On the ground two 7,000 watt xenon spot lights shone intense rays of white light on the wall and washed out the portraits. The portraits, thus blotted out by the powerful white glare, would only re-appear when people walked on the square and cast a shadow on the wall to block the xenon light. The portraits would be revealed inside the shadows cast. People could walk on the square and playfully try to match the scale of the portraits by moving toward or away from the building, making their silhouettes measure between 2 to 25 meters high, depending on how far they were from the intense light sources. The simultaneous existence of projected portraits and shadow on the urban façade created a "play of reverse puppetry and embodied representation"[5].

A camera-based tracking system monitored the location of the each shadow in real time, and when a shadow matched an underlying portrait, a computer-vision interface triggered a subtle feedback sound. When the shadows matched all the portraits in a given scene, the interface issued an automatic command to fade the portraits into complete blackness, creating a short sense of suspense, before changing to the next set of portraits[6]. During the shadow play, while the portraits underneath were slowly uncovered, the public took over not only the aesthetic language of the vertical façade but occupied the whole horizontal plaza with the location of their bodies.

Body Movies relation to the specificity of the location and reference to the city is ambivalent. According to Rafael Lozano-Hemmer, the idea for the installation was inspired by local artist Samuel van Hoogstraaten's engraving *The Shadow Dance* which appeared in his book of engravings entitled

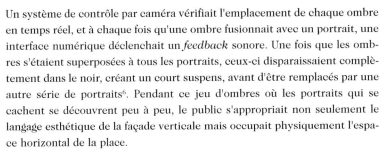

R. LOZANO-HEMMER, *Body Movies,*
Relational Architecture 6, (2001-200
Linz, Ars Electronica
Photo : Lozano-Hemmer

Un système de contrôle par caméra vérifiait l'emplacement de chaque ombre en temps réel, et à chaque fois qu'une ombre fusionnait avec un portrait, une interface numérique déclenchait un *feedback* sonore. Une fois que les ombres s'étaient superposées à tous les portraits, ceux-ci disparaissaient complètement dans le noir, créant un court suspens, avant d'être remplacés par une autre série de portraits[6]. Pendant ce jeu d'ombres où les portraits qui se cachent se découvrent peu à peu, le public s'appropriait non seulement le langage esthétique de la façade verticale mais occupait physiquement l'espace horizontal de la place.

La relation de *Body Movies* à un lieu spécifique et sa référence à la ville demeurent ambivalentes. Rafael Lozano-Hemmer explique que pour cette installation il s'est inspiré de la gravure de l'artiste hollandais Samuel van Hoogstraten intitulée « La danse des ombres » figurant dans son recueil de gravures intitulé *Inleiding tot de Hogeschool der Schilderkunst* et publié en Hollande en 1675. Cette gravure montre une source de lumière située au sol d'une estrade et les ombres noires des comédiens se découpant en silhouette mi-angélique mi-diabolique selon leur taille. Pour cette installation, Lozano-Hemmer s'est également inspiré des procédés optiques et des *Shadowgrams*, hologrammes réalisés à partir de l'ombre d'un sujet, des maîtres flamands du trompe l'œil et de l'anamorphose. Cependant, ces références contextuelles n'étaient qu'un point de départ pour l'installation. Ce qui importait davantage était que le public participe physiquement et entre en interaction avec les ombres. D'autre part, dans une interview pour V2 en 2002, Lozano-Hemmer a déclaré : « Cette installation n'est pas spécifiquement liée à un lieu. Presque toutes les cultures du monde disposent d'un vocabulaire et d'une tradition de théâtre d'ombres ou de mythologies sur les ombres très sophistiqués [...] Initialement, mon intention était d'utiliser des ombres artificielles pour susciter des interrogations sur l'incarnation et la

Inleiding tot de Hogeschool der Schilderkunst and was published in Holland in 1675. *Shadow Dance* depicted a source of light placed on the floor of the square and the dark shadows of actors taking on demonic or angelic characteristics depending on their size. Another source of inspiration were the optical devices and shadowgrams deployed by Dutch masters of Trompe l'Oeil and anamorphosis. Even though these local contextual references were important for the installation, they served only as a starting point. More important was the participation of the public and its bodily interaction with shadows. In an interview with V2 in 2002, Lozano-Hemmer said : "The piece is not location specific. Almost every culture in the world has a very sophisticated vocabulary and tradition of shadow plays or shadow mythologies. [...] my initial desire was to use artificial shadows to generate questions about embodiment and disembodiment, about spectacular representation, about the distance between bodies in public space..."[7]

Lozano-Hemmer intends *Body Movies* to be more than an entertaining urban installation. It is an anti-monument that does not glorify power nor represent any particular historical episode from an elitist point of view, but rather is an interactive performance piece orchestrated by the passers-by. It is "an alternative to the fetish of the site, the fetish of the representation of the power"[8]. As in his previous well-publicized installation, Vectorial Elevation on the Zócalo square in Mexico city, where 18 xenon lights produced immense light sculptures displayed in the sky, Lozano-Hemmer consciously subverts the connotation of the lights and their association with the searchlights of fascist regimes, used for the purpose of intimidation. The personal, interactive

B. VAN HOOGSTRATEN,
The Shadow Dance (1675).
in Inleiding tot de Hogeschool
der Schilderkunst (Rotterdam)

désincarnation, sur la représentation spectaculaire, sur la distance entre les corps dans l'espace public... »[7]

Lozano-Hemmer souhaite que *Body Movies* soit plus qu'une distraction urbaine. Cette installation se veut un anti-monument : ni emblème de pouvoir ni représentation d'un quelconque épisode historique perçue d'un point de vue élitiste. *Body Movies* est une performance interactive orchestrée par les passants. Elle est « une solution de rechange au fétichisme du site, au fétichisme de la représentation du pouvoir »[8]. Comme dans *Vectorial Elevation*, son installation la plus connue, présentée sur la place Zócalo à Mexico, où 18 projecteurs au xénon produisaient d'immenses sculptures lumineuses se déployant dans le ciel, Lozano-Hemmer subvertit volontairement la connotation de ces lumières associées aux faisceaux des régimes fascistes et utilisée à des fins d'intimidation. La participation personnelle et interactive des spectateurs avec leur corps transforme l'intimidation en intimité. *Body Movies* échappe à la monumentalité et à l'intimidation en étant personnalisée, fluide, changeante, constamment en mouvement.

Body Movies a pris fin le 23 septembre 2001 à Rotterdam et voyage depuis dans d'autres villes, à Madrid, Linz, Graz, Mexico, La Havane et Istanbul. Sur la place Schaudowbergplein, il reste peu de traces de cette installation aux ombres parasites. Le souvenir que *Body Movies* a laissé aux citoyens de Rotterdam est celui d'une entreprise anti-monumentale courageuse visant à redonner aux habitants une gigantesque façade urbaine. Dans cette perspective, le théâtre d'ombres improvisé par les citadins contrastait fortement avec les récits linéaires des films hollywoodiens projetés derrière la façade des salles du cinéma Pathé. Pourtant, à la différence du projet *Blinkenlights* du CCC à Berlin, l'intervention ne permettait pas aux habitants de s'exprimer, de transmettre des messages, ou de laisser des traces au-delà de leurs mouvements physiques sur la Grand-place. Leurs moyens d'expression étaient limités au dévoilement d'images pré-enregistrées obéissant à une procédure pré-programmée. La fascination causée par l'effet d'immédiateté que le mouvement du corps avait sur les ombres a néanmoins encouragé des interactions et des mises en scènes spontanées avec les ombres projetées sur le mur. Avec le recul, ce sont plutôt des actions collectives « intentionnelles » qui seraient nécessaires pour insuffler une énergie à la ville au-delà d'une place et d'un moment donné.

Londres

D'autres projets interactifs urbains ne cherchent pas à changer ou s'emparer d'une façade ou d'une place publique, mais donnent aux habitants un ensemble de nouveaux outils pour s'exprimer et exprimer leurs intérêts. Le projet *Riot Baton Count* (matraque avec affichage de score), mis au point par un

participation of the people at a body scale transforms intimidation into intimacy. *Body Movies* escapes any reading of monumentality and intimidation by being personal, fluid, always changing, in a constant flux.

Body Movies in Rotterdam closed on September 23rd, 2001 and subsequently traveled to other cities, including Madrid, Linz, Graz, Mexico City, Havana and Istanbul. On the Schaudowbergplein square, little traces remained of the performance with the spurious shadows. Critical urban citizens remember Body Movies as a brave anti-monumental attempt to give back a gigantic urban façade to the city, back to its inhabitants. In this vein, the shadow play, improvised by the everyday citizens, contrasted freshly with the linear narrative of the Hollywood movies shown behind the façade in the Pathé theatre. Yet, unlike CCC's *Blinkenlights* project in Berlin, the intervention did not allow for the city inhabitants to express themselves or communicate messages beyond the body play on the square, nor leave traces : citizens were limited in their expression to uncovering pre-canned images in a hard-programmed procedure. The fascination with the cause-and-effect immediacy between body movement and shadows, exerted by *Body Movies*, encouraged self-staging and random interpersonal interaction of shadows on the wall, rather than reflected collective actions, which, looking at it from a larger perspective, would be necessary to re-energize the city beyond a single square and a single moment.

London

A different class of interactive city projects did not seek to change or take over a façade or an urban square, but rather give the inhabitants a set of new tools to express themselves and their concerns. The *Riot Baton Count* project, created by RCA student Magnus Edensward in London in 2002, represents one of the more extreme examples in this direction. The *Riot Baton Count* project was conceived as an alternative tool for the London police to be used in its everyday duty. A tiny sensor, embedded in the baton, tracks in real time the number of times a policeman hits a protester with his baton during a demonstration, and displays the number on a small LED display on the baton. Simultaneously, the count is transmitted via a wireless network to a centralized scoreboard on the Internet. This minimal intervention transforms the baton, which at its essence is a trivial, primitive everyday object, into a rich source of information and data collection. The augmented baton turns the police activities into a competitive game, in which, viewed from a cynical perspective, the one who hits the most protesters wins the game. Similar to a computer game, daily high scores, personal scores and highest hitting records are tabulated and updated on a chart in real time.

What is remarkable about this project is the inversion of power that happens when the protesters get access to the information displaying the baton count. Suddenly the protesters are able to read the power distribution in the police

étudiant du RCA, Magnus Edensward, à Londres en 2002, est un exemple radical de cette orientation. Le projet *Riot Baton Count* a été conçu comme un nouvel équipement pour la police de Londres destiné à être utilisé pendant le service. Un minuscule capteur, intégré à la matraque, compte les coups des policiers sur les manifestants et affiche le résultat sur un petit écran lumineux sur la matraque. Ce comptage est simultanément communiqué par Internet sans fil sur un tableau d'affichage. Cette intervention minimale transforme la matraque, qui est par nature un objet primitif et trivial, en une source d'information et de données significatives. Cette *matraque augmentée* transforme les activités policières en jeu-concours cynique où, celui qui frappe le plus de manifestants remporte la partie. Comme dans un jeu vidéo, les meilleurs scores de la journée et les scores individuels sont enregistrés et actualisés en temps réel.

Ce projet met aussi en évidence l'inversion du rapport de force entre les policiers et les manifestants dès lors qu'ils ont accès aux informations qui s'affichent sur la matraque. Les manifestants peuvent repérer la répartition des forces au sein du cordon policier. Ainsi informés, les manifestants peuvent orchestrer et concentrer leurs actions autour des maillons plus faibles. S'ensuit alors un « ballet » urbain où les mouvements de la foule sont directement influencés par la lecture des résultats affichés sur les matraques numériques.

Ce type de projets interactifs en milieu urbain, très politiques, hypothétiques, et sans doute cyniques[9], entreprend de permettre aux citoyens de reprendre possession de la rue et de la ville, en leur donnant des pouvoirs supplémentaires pour s'opposer au système. Dans une ville gagnée par l'anonymat, les citoyens se distinguent par l'utilisation à leur profit des systèmes de surveillance. D'autres installations urbaines du même type s'attaquent au problème de la vidéo-surveillance utilisée pour contrôler les agissements des groupes et des individus[10]. Le projet *Riot Baton* renverse les effets de la surveillance, en utilisant les informations (le nombre de coups par matraque) au bénéfice de ceux qui sont poursuivis (les manifestants). Grâce à ces informations, l'individu qui escalade les barricades court moins de risques d'être frappé. Le manifestant cesse d'être celui qui est surveillé et battu ; c'est maintenant lui qui contrôle la situation. D'autres instruments de contrôle et de surveillance en milieu urbain peuvent être subvertis de manière analogue pour devenir des instruments qui renforcent le pouvoir du simple citoyen.

New York

Les *Flash Mobs* sont une nouvelle forme d'action en milieu urbain. Elles opèrent dans les villes et cherchent éventuellement à les transformer. Rendues possibles par la prolifération massive des réseaux de communication, des téléphones cellulaires et de l'Internet, les *Flash Mobs* forment des actions

M. EDENSWARD, —
Matraque numérique à Londres (2002).
Riot Police Baton in London (2002).

chain and discern where the highest and lowest hitters are. Thus informed, the protesters can easily orchestrate and concentrate their actions around where the weakest links are. An urban dance ensues where the formation and motions of the crowd are directly influenced by the reading of the scores produced by the augmented batons.

Such very political, perhaps cynical, and hypothetical[9] interactive city projects attempt to give the citizens the power to retake the street, the city, by giving them more power to hit against the system. In an increasingly anonymous city, citizens are valued by their intelligence to make sense of the system of surveillance and use the understanding to their advantage. Other similar urban projects in this vein tackle the problem of video camera surveillance used by the system to control the individual and the crowd's actions[10]. The *Riot Baton* project reverses the effects of surveillance, by utilizing the tracked information (the number of hits per specific bat) to the advantage of the tracked (the protesters). With this information, the individual can climb up the barricades with a diminished risk of getting hit. The protester thus turns from the one being surveyed and beaten to the one in control of the situation. Analogously, other instruments of control and surveillance in the city can be subverted into instruments of empowerment for the everyday citizen.

New York

Flash Mobs is a new form of urban intervention which operates in the city and potentially transforms the city. Made possible by the massive proliferation of telecommunication networks, mobile phones and the Internet, Flash Mobs are sporadic events that take place in precise physical locations in the city : unpredictable numbers of individuals form temporary, artificial crowds (Flash Mobs), triggered by a mass-distributed email or SMS message.

The first officially known Flash Mob happened in June 2003 in New York City. A person named "Bill" (at least this was his screen name), sent several emails to the people on "his" e-mail network list, in order to invite them to gather at a specific time at a particular place : the interior decoration and furniture section of the department store Macy's in Manhattan. The task was to ask the salespersons in that section about a "love rug" for a suburban home. More than one hundred people showed up when the time arrived. Like bees,

:
:

sporadiques et ponctuelles : un nombre imprévisible de personnes se rassemblent en groupes artificiels et éphémères, réunis grâce aux *e-mails* ou aux *sms*.

Le premier exemple officiellement reconnu de *Flash Mob* remonte à juin 2003 à New York. Une personne appelée «Bill» (du moins son identifiant) a envoyé des *e-mails* à toutes les personnes de son répertoire, les invitant à se retrouver à une certaine heure et dans un lieu précis (le rayon meubles et décoration du grand magasin Macy's à Manhattan) et à demander au vendeur du rayon un « tapis d'amour » pour une maison en banlieue. Plus de cent personnes se sont retrouvées à l'heure dite. Comme une nuée d'insectes, elles ont envahi le lieu, surpris le vendeur par leurs questions, puis se sont volatilisées comme par magie. Le point de rendez-vous était absurde, mais il montrait en même temps qu'un lieu de rencontre ne repose pas nécessairement sur des instruments spécifiquement urbains, mais plutôt sur la densité des personnes en un même lieu, et sur leur attitude.

Les *Flash Mobs* peuvent être utilisées à plusieurs fins. L'attroupement de Macy's semble arbitraire, comique, un *happening* sans raison. Quelques mois plus tard, une autre *Flash Mob* s'est produite dans un magasin de chaussures dans le quartier de Soho à New York. Des centaines de personnes ont envahi le magasin en se faisant passer pour des touristes du Maryland arrivés par le même car. Une autre *Flash Mob* a rassemblé plus de 200 personnes sur un balcon dans le hall du grand hôtel Hyatt à New York qui se sont mises à applaudir en même temps au grand étonnement des clients et du personnel de l'hôtel, avant de se disperser tout aussi soudainement. Selon le mystérieux Bill à l'origine de la *Flash Mob* du Macy's, « c'est du pur spectacle. Il est peut-être stupide, mais il est aussi, comme j'ai pu, à mon étonnement, m'en rendre compte, véritablement transgressif. C'est d'ailleurs en partie ce qui séduit. Les gens ont l'impression que tout est ordonné, c'est pour ça qu'ils aiment participer à quelque chose d'inattendu »[11].

En tant que forme artistique, les *Flash Mobs* ressemblent aux actions du mouvement fluxus et aux *happenings* des années 1960 qui jouaient avec l'absurde et la transgression de l'ordinaire. L'attrait esthétique que ce type d'événements peut exercer tient à sa fraîcheur, à sa liberté, à la force de ces mouvements collectifs, et du plaisir que procure le sentiment d'appartenance à une entité vous dépassant. D'un point de vue philosophique, les *Flash Mobs* empruntent certaines de leurs caractéristiques à la critique sociale de l'urbanisme et de l'architecture de la ville des psychogéographes de l'Internationale Situationniste dans les années 1960. Guy Debord, principal porte-parole de ce groupe, affirmait que la culture capitaliste et la culture populaire recyclaient une forme de spectacle authentique et, ce faisant, transformaient l'individu en consommateur passif. Il appelait à des « dérives », afin de rompre avec la routine et de créer des opportunités de reconfiguration de la ville[12].

they swarmed to the convened location, puzzled the unaware salespersons with their questions, and then, at a whim, disappeared. The meeting place used was absurd yet confirmed the fact that what makes a meeting place does not necessarily need to rely on specific urban instruments, but rather on the density of bodies convening in the same spot, their movements and their gestures.

Flash Mobs may be created for different purposes and agendas. The "Macy's" Flash Mob appears arbitrary, comical, a happening that transgresses any sense of reason. Another Flash Mob event, that followed a few months later, happened at a boutique shoe store in Soho New York, where a crowd of people invaded the store, pretending to be tourists from Maryland who arrived in the same bus. Yet another Flash Mob reunited more than 200 people on the balcony in the lobby of the Grand Hyatt in New York who in synchrony suddenly started to applaud to the amazement and bemusement of the hotel audience, before they disbanded in all directions. According to the mysterious Bill who initiated the Macy's Flash Mob, "it's a spectacle for spectacle's sake - which is silly, but is also, as I've discovered somewhat to my surprise, genuinely transgressive, which is part of its appeal, I think. People feel like there's nothing but order everywhere, and so they love to be a part of just one thing that nobody was expecting."[11]

As an art form, Flash Mobs resemble the events of the Fluxus movement and the happenings in the sixties which played on and with the absurd and transgression of the ordinary. The aesthetic appeal of these events derives from their freshness, freedom and force of collective bodies, and from the joy of being part of a larger thing. Philosophically, Flash Mobs borrow elements from the psychogeographers of Situationist International (SI) who, also in the sixties, proposed a social critique of urban planning and city architecture. Guy Debord, the group's main spokesperson, argued that capitalist and pop culture recycled authentic experience as spectacle and by doing so turned the individual into passive consumers, and suggested drift actions (*dérives*) to break with ingrained patterns of routine and open up new possibilities for remapping the city[12].

Flash Mobs can rapidly turn from innocent and silly events into political and social propaganda, along the situationists' lines. For example, in Boston, a

D'événements innocents et ridicules, les *Flash Mobs* peuvent rapidement devenir une forme de propagande politique et sociale, dans la veine situationniste. A Boston par exemple, des Afro-Américains organisés en *Flash Mob* ont fait irruption un soir dans plusieurs bars habituellement fréquentés par des blancs d'origine caucasienne. Howard Rheingold, auteur de l'ouvrage *Smart Mobs* (foules intelligentes), attire l'attention sur le danger potentiel de ces mobilisations à caractère politique : « Jusqu'ici, ces distractions ont été inoffensives - c'est une façon innocente de faire l'expérience d'une nouvelle forme d'action collective rendue possible grâce à la technologie. Mais c'est précisément cette technique qui a été utilisée pour renverser le régime d'Estrada aux Philippines et influencer les derniers résultats de l'élection du président Roh en Corée. »[13]

Il est encore difficile de savoir si les *Flash Mobs* sont un simple phénomène de mode ou si, à long terme, elles auront un impact sur l'architecture de la ville. Ce qui est fascinant dans cette appropriation sauvage de certains lieux urbains, que ce soit une rue, un magasin, ou un escalier mécanique, est le rapport qui existe entre la dimension physique des *Flash Mobs* dans la ville et la nature virtuelle des activités dans le monde du cyberespace. L'échange d'*e-mails* et de messages sms n'est plus confiné au monde virtuel : les participants concrétisent ces mobilisations éclair et forment une nouvelle entité au sein même de la ville. Les *Flash Mobs* sont la manifestation des envois groupés (les *cc:s*) de nos *e-mails* et des alias des forums virtuels.

Les *Flash Mobs* constituent de nouvelles formes d'espace public qui ne se définissent plus par une place, une façade, une grande avenue piétonne ou une fontaine, mais par le taux d'occupation temporaire d'un lieu. Ces espaces publics ne se matérialisent pas par l'architecture traditionnelle des lieux publics, pourtant ils apparaissent dans les lieux qui représentent les scènes de l'interaction sociale et des affaires publiques contemporaines : les halls d'hôtel, les lieux de rendez-vous, les magasins où les adolescents viennent traîner l'après-midi, les escalators où ceux qui descendent regardent passer ceux qui montent. En ce sens, non seulement les *Flash Mobs* nous permettent de découvrir de nouveaux lieux de rencontre urbains, mais elles nous apprennent aussi à accepter ces endroits tels qu'ils sont et à les appréhender sous un nouveau jour.

Conclusion

Comment une ville devient-elle une ville libre et interactive ? De quels moyens dispose-t-on pour que les habitants se réapproprient la ville ? Aujourd'hui, la technologie a infiltré nos villes, nos routes et nos magasins : des caméras de surveillance ont été installées à tous les coins de rue, dans les magasins et les bureaux, des capteurs ouvrent automatiquement les portes des magasins, des fibres optiques ont été posées sous nos rues, et l'espace est

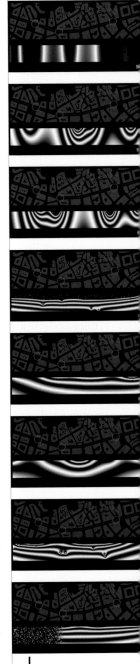

GRAMAZIO & KOHLER,
Xmas Generator (2005).
© 2005 Gramazio & Kohler.

local Flash Mob of African-American people invaded and took over several bars one evening that were usually only frequented by white people of Caucasian descent. Howard Rheingold, author of the book *Smart Mobs*, points to the potential danger of politically motivated Flash Mobs : "So far it is harmless fun - a harmless way to experiment with a new form of technology-enabled collective action. But the same technique was used to bring down the Estrada regime in the Philippines and to tip the Korean election toward the ultimate winner, president Roh."[13]

It is difficult to predict if Flash Mobs are just a transient phenomenon or will actually have a deeper impact on the architecture of the city in the long run. What is fascinating in this wild possession-taking of elements of the city, be it a street, a store, or an escalator, is the link that exists between the flesh-and-blood corporeality of the Flash Mobs in the physical city and the virtual nature of activities in the disembodied world of cyberspace. The exchange of e-mails and SMS messages is no longer "cyber only" : the participants become tangible in the Flash Mobs events, and form with their strong physical presence, a new entity in the city. Flash Mobs are the physical embodiment of the cc:s in our emails and the screen names in our chat rooms.

Flash Mobs constitute a new kind of public spheres of tomorrow, public spheres not defined by a place, a façade, a wide walkway or a fountain, but by the momentaneous density of occupation. These public spheres do not

parcouru par les ondes du réseau sans fil. Du point de vue de l'urbanisme, rares sont les projets qui déploient ces technologies pour donner du pouvoir aux citadins. Le citoyen est trop souvent l'utilisateur passif en bout de chaîne qui regarde passivement les publicités qui clignotent sur de grands panneaux.

Les quatre projets que nous avons étudiés ont un point commun : ils inversent l'usage traditionnel de la technologie, faisant du citoyen non plus un consommateur passif mais un producteur actif de l'animation dans la ville. Sans les individus qui les créent, les alimentent, et les enrichissent, que ce soit en envoyant des messages sms à la façade de la Haus des Lehrers à Berlin ou en participant à une *Flash Mob* à New York, ces études de cas n'existeraient pas. Les individus sont au cœur de chacune de ces manifestations. Ces projets parlent d'eux et de ce qu'ils décident de faire avec les technologies. La ville, ses façades et ses places, est devenue une immense infrastructure où on peut agir, vivre et évoluer.

Quel est alors le rôle des urbanistes ? Le potentiel offert par la ville libre et interactive ne peut être ignoré, et l'urbaniste ne doit pas y rester indifférent, particulièrement à une époque où les villes du monde entier sont vouées au changement : les villes américaines perdent leur raison d'être, les villes européennes cherchent une nouvelle identité, les villes chinoises se développent trop rapidement pour pouvoir être intégrées. Dans quel domaine la conception des villes libres peut-elle donner du pouvoir à l'individu ? Jusqu'à quel point ce pouvoir est-il souhaitable ? Quel impact voulons-nous donner à l'architecture réelle de la ville ? Comment gérer les nouvelles frontières entre l'espace public et l'espace privé ? Quel langage adopter pour concevoir l'esthétique de l'interactivité dans la ville ?

Notes

1. L. LESSIG, *The Future of Ideas: The Fate of the Commons in a Connected World*, New York, Vintage, 2003.
2. Dans l'article intitulé « King Pong arrive à Berlin » publié en décembre 2002 par la BBC sur l'intérêt international que suscite cette façade « médiagénique » dédiée à la culture pop, la BBC mentionne un cas extrême : l'immense installation a attiré l'attention de la pop-star australienne Kylie Minogue qui l'a fait figurer dans le clip de sa chanson *Can't Get You Out Of My Head*.
3. M. DUCHAMP, « Le processus créatif » (1957), in *Ecrits*, Paris, Editions de L'Echoppe, 1987.
4. De plus, le Computer Chaos Club avait gardé le contrôle de paramètres modifiables, à savoir la conception matérielle (par exemple la couleur des lampes, la luminosité) et le réglage du temps (temps d'affichage du message, moment où le message est affiché, ordre des messages).
5. Propos de l'artiste à une conférence donnée le 13 octobre 2003 à la société des Arts Technologiques (SAT) de Montréal au Canada, dans le cadre du festival international Nouveaux Cinémas Nouveaux Médias de Montréal (FCMM).
6. Le fonctionnement intime de l'installation était révélé au public. Cet accès au grand public contribuant à démystifier la technologie sous-jacente, faisait partie intégrante du projet. Une projection vidéo sur la place de Rotterdam dévoilait l'interface informatique, et s'accompagnait de cette explication, écrite en néerlandais et en anglais :

Muriel Waldvogel

Muriel Waldvogel est architecte et spécialiste de la perception sensorielle dans le domaine numérique. Elle enseigne un cours sur les systèmes interactifs et leur esthétique au département d'arts visuels de l'Université de Harvard.

Jeffrey Huang

Jeffrey Huang est professeur associé d'architecture de la Graduate School of Design de l'Université de Harvard. Ses recherches portent sur l'articulation des dimensions physiques de l'architecture avec les structures de l'information.

En partenariat, J. Huang et M. Waldvogel dirigent Convergeo, installé à Concorde, Massachusetts. Convergeo explore et développe des formes d'architectures qui combinent l'espace physique et les technologies interactives.

materialize themselves in the traditional architectural places we typically associate with the public realm, yet they happen in places that represent our contemporary stages for social interaction and public life : the hotel foyers where encounters are made, the department stores where teenagers hang out in the afternoon, the escalators where passengers going up face passengers coming down. In that sense, Flash Mobs not only let us discover the new, alternative places for public life and social encounters in the city, but also teach us to accept these places as they are and see them in a different light.

Conclusion

How does a city become an open interactive city ? What are the means by which inhabitants of a city can re-appropriate the city ? Today technology has infiltrated our cities, roads and stores. It is everywhere: security cameras around the corners, in store and offices, sensors and actuators that automatically open the doors of department stores, the fiberoptical lines underneath our streets, and the wireless network in the air. From an urban design point of view, rare are the projects that deploy these powerful technologies to empower and activate the inhabitants of the city. Too often the citizen is turned into a passive end user and viewer of signs and ad boards blinking down from large billboards.

The four case studies we have described have in common that they reverse the usual deployment of technology and turn the citizen from a passive consumer into an active producer of city life. These case studies would not exist without the individuals that create them, nourish them, complete them, be it by sending SMS messages to the façade of the Haus des Lehrers in Berlin or by participating in a Flash Mob in New York. Everyday citizens are at the heart of each of the case studies. The projects are about them, and what they decide to do with the empowering technology. The city, its facades and squares, has become a large infrastructure on which they can perform, live, evolve.

What is to be done for urban designers ? The potential that the interactive and open city offer cannot be ignored, the urban designer must not remain indifferent. This is particularly important in a time when cities around the globe are bound to change; when American cities are losing their reason to exist, when European cities seek to redefine their identities, when Chinese cities develop faster than anyone has possibly the time to assimilate. Questions that must be addressed include: where can we empower the individual through the design of open cities ? To what degree do we want the individuals to be empowered ? What is the desired impact on the physical architecture of the city ? How shall we negotiate the new boundaries between public and private realms ? What are the proper language to aesthetize the new openness and interactivity in the city ?

Muriel Waldvogel is an architect and a specialist on the senses of perception as they relate to the digital realm. She teaches Digital Expression and Physical Computing at the Department of Visual Studies at Harvard University.

Jeffrey Huang is Associate Professor of Architecture at the Harvard University Graduate School of Design. His research explores the vision of combining physical architecture and information structures to support integrated offline and online processes for business and everyday social activities.

In partnership, Huang and Waldvogel head the firm Convergeo, based in Concord, Massachusetts. Convergeo investigates and develops new architectures, by combining physical space and interactive technologies.

« L'installation est contrôlée par trois systèmes en réseau : un serveur vidéo, un système de contrôle vidéo, et un appareil de contrôle automatique commandé par des signaux MIDI. Le serveur vidéo est équipé d'un boîtier Linux qui alimente des images vidéo sur un PC par Ethernet, 20 fois par seconde. La caméra, équipée d'un grand-angle, est pointée vers la façade du bâtiment Pathé. Un logiciel spécifiquement programmé en langage Delphi, analyse la capture vidéo des contours des ombres. Le système de vision numérique détermine si les ombres se superposent aux portraits dans la scène projetée. Quand un portrait est révélé, son point central devient blanc et reste activé pendant quelques secondes. Un feedback sonore se déclenche pour informer les participants sur la place ».

7. A. ADRIAANSENS et J. BROUWER, « Alien Relationships with Public Space », Interview avec R. LOZANO-HEMMER, in *TransUrbanism*, Rotterdam, V2_Publishing/NAI Publishers, 2002.

8. R . LOZANO-HEMMER dans une interview avec P. Lozada. Voir http://www.lozano-hemmer.com

9. Des prototypes de cette matraque ont été mis au point, mais la police de Londres ne les a jamais testés dans une vraie émeute.

10. Voir par exemple le projet de cartographie critique de C. Csikszentmihályi et de T. Hirsch élaboré au MIT Media Lab. Ce dispositif met au point des outils d'information géographique pour que les activistes urbains puissent contrôler la prolifération des caméras de surveillance (CCTV) de l'espace public et définir des itinéraires pour les contourner.

11. Extrait de « Flash Mobs: a New Social Phenomenon? » (Les *Flash Mobs* : un phénomène social nouveau ?), News in *Science*, 30 juillet 2003

12. G. DEBORD, *La Société du spectacle*, Paris, Buchet-Chastel Éditeur, 1967.

13. H. RHEINGOLD dans une interview avec CNN intitulée « Flash Mob Craze Spreads » (La mode des *Flash Mobs* gagne du terrain), 3 août 2003. Voir H. RHEINGOLD, *Smart Mobs : The Next Social Revolution*, Cambridge MA, Perseus Publishing, 2002.

Traduction de l'Anglais de Sophie Renaut.

Notes

1. L. LESSIG, *The Future of Ideas: The Fate of the Commons in a Connected World*, New York, Vintage, 2003.

2. A more extreme case is reported by BBC in an article broadcasted entitled "King Pong reaches Berlin", which reported on the international interest of the mediagenic façade for pop culture: "The huge display caught the interest of antipodean pop star Kylie Minogue who featured it in the video for her song *Can't Get You Out Of My Head* in December 2002.

3. M. DUCHAMP, "Le processus créatif" (1957), in English : "The Creative Act", in M. SANOUILLET, E. PETERSON (Eds.), *The Writings of M. Duchamp*, New York, Oxford University Press, 1973, pp.138-140.

4. Furthermore, the Computer Chaos Club still controlled the parameters that could be modified, the hardware design (e.g. color of lightbulb, luminosity, etc) and the timing. It established the parameter for how long the message would be displayed, when, the order, and so fourth.

5. Statement made by the artist during a conference given on October 13th , 2003 at the Society for Arts and Technology (SAT), Montréal, Canada; as part of the Montreal International Festival New Cinema and New Media (FCMM).

6. The inner workings of the installation were revealed to the public, as providing public access and the demystification of the underlying technology was a crucial part of the project. A video projection on the square showed the computer interface, beside a printed explanation in Dutch and English, which read like this: "Three networked computers control the installation: a camera server, a video tracker, and a robotic controller cued by MIDI signals. The camera server is a self-contained Linux box that feeds video images to a PC over Ethernet 20 times per second. The camera has a wide-angle lens and it is pointed at the facade of the Pathé building. Custom-made software programmed in Delphi analyses the video detecting the edges of the shadows. The computer vision system determines if the shadows are covering portraits in the current scene. When a portrait is revealed, its hotspot turns white and remains activated for a few seconds. A wave file sound is also triggered to give feedback to participants in the square."

7. A. ADRIAANSENS, J. BROUWER, "Alien Relationships with Public Space", Interview with R. LOZANO-HEMMER, in *TransUrbanism*, Rotterdam, V2_Publishing/NAI Publishers, 2002.

8. R. LOZANO-HEMMER in an Interview with P. Lozada. See http://www.lozano-hemmer.com

9. Working prototypes of the baton were built, however, the London police never tested them in a real demonstration.

10. See for example C. Csikszentmihályi, T. Hirsch's Critical Cartography project at the MIT Media Lab which develops mapping tools for urban activists to monitor the proliferation of closed-circuit television (CCTV) cameras surveilling public space and calculate maps to by-pass them.

11. From "Flash Mobs: a New Social Phenomenon ?", *News in Science*, July 30th 2003.

12. G. DEBORD, *La société du spectacle*, Paris, Buchet-Chastel Éditeur, 1967, English: *The Society of the Spectacle*, trans. D.Nicholson-Smith, Zone Books, 1995.

13. H. RHEINGOLD in an interview with CNN entitled "Flash Mob Craze Spreads", August 3rd, 2003. See H. RHEINGOLD, *Smart Mobs : The Next Social Revolution*, Cambridge MA, Perseus Publishing, 2002.

Urbanisme Open Source
Deux Positions

Open Source Urbanism
Two Positions

Philippe Morel, Ted Ngai
EZCT, UNI

« *Comme la ville, un logiciel est un amalgame d'innombrables composants indépendants dont les interactions exactes sont construites par expérience plutôt que composées scientifiquement.* »
M. Mankins

*L'objet de cette discussion est de définir comment des processus de développement inspirés de l'*Open Source *pourraient modifier la conception des villes mais d'abord j'aimerais demander : Qu'est-ce que l'*Open Source *? Derrière cette expression se trouvent de nombreux types de projets mais aussi des modes de collaboration différents qui évoluent encore aujourd'hui. D'autre part, il semble que des modèles de collaboration à la fois très centralisés ou au contraire très décentralisés cohabitent sous cette expression.*
*Quels modes de l'*Open Source *semblent pertinents pour notre discussion ?*

TED NGAI

L'*Open Source* (OS) recouvre plusieurs phénomènes. On peut le présenter comme une réponse à la situation du capitalisme tardif. L'*OS* est une réaction à la privatisation par les entreprises du code et des connaissances de l'informatique, au début des années 1980, avec comme conséquence la disparition de la notion de domaine publique dans le monde des logiciels. Cependant, cette situation n'était pas spécifique au monde de l'industrie de logiciels, mais inhérente à toutes les entreprises créatives ; ils ont ouverts la boîte de Pandore. C'est la manière avec laquelle les multinationales, les studios de musique et plus particulièrement les entreprises d'éditions ont structuré la gestion et le transfert des droits d'auteur qui a engendré cette situation. Les créatifs, comme les programmeurs, les musiciens, les designers, les artistes… sont achetés par leurs entreprises par les droits d'auteur.

:
:

"Like the city itself, software is an amalgam of numerous independent and complex parts whose exact inter-relationships are more experientially constructed than scientifically composed."
M.MANKINS

As the general purpose of this discussion is to talk about open source *processes for the design of cities, I would like to ask first : What is* Open Source *? Behind a single expression lies numerous types of projects but also different modes of collaboration that are still evolving. Moreover, it seems that both very centralized and totally decentralized models of collaboration coexist under the* Open Source *expression.*

What Open Source *modes seem relevant to our discussion ?*

TED NGAI

Opensource (OS) is and can be many things. A tricky way to answer the question is that opensource was a response to the situation that had arisen from the milieu of late-capitalism. It had to do with software companies privatizing codes and knowledge back in early 80s, and as a consequence, effectively eliminated the notion of public domain in the software world. However, this situation was not limited to the software industry, but inherent in all creative enterprises; they just opened the can of worms. It was how multi-national corporations, music studios and publishing companies in particular, have paved the infrastructure for the transference of ownership of copyright that created the situation. Content producers like programmers, musicians, designers, artist etc, are bought out by companies they work for through their copyright ownership. The situation has created such an imbalance that the only territory remained untouched was the individual-land, where the underdog content producers are working privately and individually to

La situation a créé un tel déséquilibre, que le seul territoire laissé intact était le domaine privé, où les créateurs opprimés pouvaient encore travailler pour leur compte et produire des créations bien souvent passées inaperçues. C'est dans ce contexte que l'*OS* trouve son sens.

Au cœur de l'*OS*, il n'y a qu'un seul document qui permet aux créateurs individuels de modifier les régles du jeux. Un jeu dont les caractéristiques légales étaient telles qu'aucun individu travaillant seul ne pouvait plus y participer. La législation traditionnelle des droits d'auteur empêche quiconque d'utiliser, de copier, de distribuer et de modifier quoi que ce soit qu'il n'ait pas produit lui-même. A l'origine, cette législation a été introduite pour encourager et protéger la créativité et l'innovation. Cependant, le problème survient quand les auteurs cèdent leurs droits : la motivation et la protection vont tout simplement de pair. De nos jours, les musiciens ne font que très rarement des profits sur les droits de leur albums, ils dépendent de leurs concerts. De la même manière, les programmeurs et designers gagnent leur salaire en fonction du nombre d'heures travaillées plutôt qu'en fonction de la valeur de leurs idées. A la fin du XXᵉ siècle, toute l'industrie de la création, constamment sujette aux attaques du capitalisme tardif, est réduite à des services.

Le document de l'*OS*, initialement formalisé par Richard Stallman avec la *GNU (General Public License)*, utilise les lois du droit d'auteur avec ingéniosité pour empêcher la privatisation des droits d'auteur par un tiers et pour faciliter la propagation libre des logiciels ainsi que leurs modifications. Cette technique sera plus tard appelée *copyleft*. C'est un changement fondamental car il dénoue les liens étroits qui existent entre les idées, le travail (que ce soit un produit ou un poème) et le profit. Cette trinité a toujours protégé notre économie. La production d'huile ou la production de musique, la possession d'un brevet de forage ou des droits d'une chanson signifie la possibilité de faire des profits depuis les débuts du capitalisme. Que se passera-t-il si cette règle du capitalisme évolue ? Qu'adviendra t-il de la structure de notre économie si nos idées sont données gracieusement, en imposant que quiconque les utilise en fasse de même ?

Vous entrez dans le meilleur des mondes des *Creative Commons* (*CC*), créé par Lawrence Lessig, dont le principe est le transfert du *copyleft* vers d'autres disciplines comme la musique, la vidéo, la production d'images ou la littérature et dont les multiples versions s'adressent à la diversité des créateurs, des industries et des pays. Plusieurs travaux ont découlé de l'introduction du concept *CC*, il a incité toute une génération d'entrepreneurs à chercher les moyens de faire des profits à partir d'idées gratuites. Bien que l'impact véritable des *CC* reste encore à mesurer, il y a énormément d'information sur Internet qui illustre leurs répercussions immédiates.

A partir des documents légaux de l'*OS* ou des *CC*, il est difficile de déduire

create contents that often went unnoticed. And this is where opensource became significant.

At the core of *OS* is a single document that allows individual content producers to change the rules of the game, a game that used to involve so many legal issues that no content producers working individually could possibly play. Conventional copyright law prevents anyone from using, copying, distributing, and modifying contents s/he did not produce, it was introduced originally to motivate and protect creativity and innovation. However, the problem comes when authors surrender their copyright ownership to a third party, the motivation and protection simply goes along with it. Musicians nowadays rarely make any profit from royalties from their albums but rely on live concerts; programmers and designers alike earn their salary based on how many hours they have worked rather than how big their ideas are. The whole creative enterprise at the end of the 20th century, suffering constant attacks from late-capitalism, is reduced to mere services.

The *OS* document, which first takes form as the GNU General Public License initiated by Richard Stallman, ingeniously uses the copyright law to prevent privatization of codes by the third parties and to propagate free distribution and free modification by other users. The technique is later termed copyleft. It is a fundamental shift because it separates the tightly guarded relationship between idea, work (can be a product or a poem), and profit. This trinity of economy has always safeguarded our economy. Anything from oil production to music production, owning the knowledge to drill or owning the right to the song had also meant profit ever since the early days of capitalism. The question is, once this rule of the capitalistic game is changed, what will happen ? What will happen to our economic structure when you donate your ideas for free, and demand that anyone who uses it will have to in turn make his/her idea free ?

Enter the brave new world of *Creative Commons* (*CC*), created by Lawrence Lessig, which essentially applies similar copyleft techniques to other industries like music, video, image production, and literature, with multiple versions catering to various content producers, industries and countries. Many derivative works have surfaced since the introduction of the *CC* concept, and it has inspired a whole generation of entrepreneurs to figure out how profit can be made with these free ideas. Though the true impact is yet to be measured, there are tons of materials online that will illustrate its immediate repercussion.

Under this legal reference to *OS* or *CC*, it is difficult to speculate the manifestation it has with architecture and urban design without first identifying a problem relating to copyright issues. It would have to be another essay to investigate the inherent problems lying within architecture and urbanism. However, it should be noted that the structure of *OS* and *CC* should be discussed separately from its effects. The successful creation of an active communal forum that contributed directly to the success of projects like Linux and Emacs etc should not be confused

des conséquences pour l'architecture et la planification urbaine sans identifier au préalable un problème de *copyright*. Il faudrait un autre article pour enquêter sur ces problèmes dans les domaines de l'architecture et de l'urbanisme. Cependant, il faut noter que la structure de l'*OS* et des *CC* doivent être envisagées séparement de leurs effets. Le succès et l'activité des forums qui ont contribués directement à la réussite de projets comme Linux et Emacs, ne doivent pas être confondus avec les problèmes légaux que l'*OS* et les *CC* cherchent à résoudre. *OS* et *CC* ont identifié un problème contemporain qui se rapporte à la création individuelle. Si nous essayons de créer un forum artificiel qui reproduise les mêmes effets sans identifier les problèmes, il sera voué à l'échec.

Comment les approches de l'OS pourraient elles modifier la coopération pour la conception architecturale et urbaine ?

Toute profession implique une collaboration permanente. On peut dire par convention qu'il y a deux structures fondamentales dans une organisation : la structure interne et la structure externe. La collaboration interne structure l'équipe qui est constituée des décideurs et des principaux intéressés. La collaboration externe c'est l'infrastructure que l'équipe établit pour étendre ses ressources à d'autres filières, pour augmenter sa valeur. La plupart des organisations font cette distinction très clairement. Ce que le modèle *OS* propose, c'est une nouvelle condition dans laquelle la distinction d'ordre spatial entre l'intérieur et l'extérieur n'existe plus. Cette distinction est remplacée par l'intensité des activités orientées par la connaissance et le respect.

La structure de la collaboration soutenue par la connaissance, crée une hiérarchie inhabituelle définie par les éloges et l'estime, de manière similaire à une cérémonie indienne potlach. Les tribus affirment leur statut par leurs offrandes. Les tribus vont offrir des festins et cadeaux à d'autres tribus pour faire la démonstration de leurs forces et de leur prospérité. C'est ainsi que la stabilité de la région est maintenue. Alors qu'aucun programmeur impliqué dans l'*OS* ne gagne ni argent, ni récompense, ni reconnaissance, c'est la liberté et l'autosatisfaction qui rendent ces projets attractifs.

Dans le monde de l'architecture, nous rencontrons un scénario similaire avec la culture des concours. Chaque année, des milliers d'architectes du monde entier soumettent leurs idées sur l'amélioration de la condition humaine et participent à des centaines de concours. Architectes et designers font souvent équipe à l'occasion de ces projets pour travailler sur des thèmes très spécifiques sans rémunération. C'est ce même sentiment de liberté et d'autosatisfaction avec un soupçon d'espoir de remporter le concours qui les conduit à participer. Cependant, contrairement aux programmeurs, une collaboration réussie entre les architectes est rare. A travers une anecdote historique, je souhaite établir les différences entre la collaboration du modèle de l'*OS* et celle de l'architecture.

with the legal problems both *OS* and *CC* tried to resolve. Both the Opensource and the *Creative Commons* identified a contemporary problem that appeals to creative individuals. That is what sustains those forums. If we just try to create an artificial forum that replicate the effect and not identify the problem, it would be destined to failure.

How Open Source *approaches could change cooperation in design ?*

Collaboration takes place everyday in every profession. Conventionally, we can speack of it as having two basic structures, internal and external, for an organization. Internal collaboration is the structuring of a core team who are the prime decision-makers and stakeholders. External collaboration is the infrastructure the core team establishes to extend their resources into other expert fields to gain higher values. Most organizations make this distinction very clearly. What the *Open Source* model offers is a new condition in which the spatial difference between this interior and exterior no longer exist. Instead, the differential in spatiality is created by the intensity of activities driven by knowledge and respect.

This knowledge-driven collaborative structure creates an unusual kind of hierarchy, one that is sustained by kudos and reputations. It is quite similar to a Native American Indian ceremony called Potlatch in which tribes gain their social status by giving. Tribes would offer other tribes feasts and presents to illustrate their strength and prosperity, thus maintaining stability over the region. Since no programmer involving in the opensource software ever gets any monetary reward, merit, freedom to create and self-satisfaction is what drives this type of projects.

In the world of architecture, we also see a very similar scenario with the culture of competitions. Every year, tens of thousands of architects from around the world submit their ideas to the betterment of humanity to one of a few hundred competitions that go year round. Architects or designers often team up temporarily to charrette for very specific architectural or urban issues for no monetary reward. It is the same fulfillment of freedom and self-satisfaction with a faint hope to win that drive us to continue the effort. However, unlike programmers, success stories about the collaborations among architects are rare. And through an example in the history of architecture I want to establish the differences in collaboration between the Opensource model and the architectural model.

The most notorious example in the last century that might help us raise some questions is the United Nations Building in New York City. Wallace Harrison, who was the U.N. director of planning and also a close friend of the Rockefeller family, who donated the East River site for the U.N. Building, hand picked 20 top architects from around the world representing 10 nations to collaborate on the project.

Le bâtiment des Nations Unies à New York est un des exemples de collaboration les plus connus du siècle dernier, et nous aidera à poser quelques unes des questions. Wallace Harrison, alors directeur de l'urbanisme des Nations Unies, et ami très proche de la famille Rockefeller qui légua le site d'East River pour le bâtiment des Nations Unies, sélectionna 20 architectes parmi les meilleurs représentants de 10 nations du monde, pour collaborer sur ce projet. La liste inclut des noms familiers comme Le Corbusier, Oscar Niemeyer, Louis Skidmore, Gordon Bunshaft et Hugh Ferriss. Sans entrer dans les détails, l'effort fut désastreux. Tous les architectes voulaient se voir confier la tour de bureaux, exceptés les architectes américains qui avaient déjà eu l'occasion de construire des gratte-ciels. Lors des réunions, Le Corbusier, alors connu du monde entier et auteur de dix-huit ouvrages, conspua toutes les propositions afin d'assoir son autorité. De très fortes tensions entre les membres en résultèrent. Wallace Harrison est finalement intervenu pour exiger le vote de tous les membres au sujet de chacune des propositions. Le résultat fut un compromis de ce qui aurait pu être un projet bien meilleur. Ce processus est devenu l'exemple classique de ce que l'on désigne maintenant comme la conception collaborative (design by committee).

La conception collaborative décrit une situation où tous les membres d'une équipe sont également forts ou faibles, conduisant ainsi à la paralysie par leur incapacité à prendre des décisions. C'est un problème spécifique qui n'existe pas dans le modèle de l'OS, et je pense que cela est lié en grande partie au fait qu'on peut plus facilement évaluer l'exécution d'un programme que la qualité d'un espace. La valeur performative est toujours mesurée en fonction d'un ensemble d'axiomes que l'architecture doit encore développer. Malgré les efforts de nombreux architectes comme Christopher Alexander et des « nouveaux urbanistes », par exemple Peter Calthrope, pour établir des méthodes systématiques d'évaluation de l'espace, ces tentatives sont toujours critiquables pour leur approche pseudo-scientifique fondée sur les idéologies occidentales.

En bref, le modèle collaboratif que nous voyons dans l'OS, structuré par la reconnaissance et le respect, n'est pas étranger aux architectes. Ce processus a lieu pour chaque projet pendant la phase d'esquisse souvent appelée *charrette*. Cependant, par manque d'objectivité, la collaboration pour la conception fonctionne mieux de manière verticale, c'est-à-dire qu'il doit y avoir une hiérarchie où quelqu'un peut prendre la décision finale. Tandis que dans le modèle OS, une structure horizontale est possible et même souhaitable puisque des avis contraires peuvent être évalués et comparés relativement facilement. Ainsi, il est tout à fait inimaginable de rassembler Rem Koolhaas, Herzog et de Meuron et David Childs de SOM et de s'attendre à ce qu'ils développent un projet cohérent, alors qu'il est plus probable, malgré leurs oppositions, d'obtenir des résultats constructifs si nous laissons Bill Gates, Linus Torvalds et Richard Stallman dans la même pièce.

The list included familiar names like Le Corbusier, Oscar Niemeyer, Louis Skidmore, Gordon Bunshaft and Hugh Ferriss. Without getting too much into detail, the effort was a disastrous one. Every architect wanted to design the office building except the Americans because no one else had ever done a tower before. And Le Corbusier was already by then world-famous and had already written eighteen books, ripped every proposal apart at each meeting trying to establish his position as the leading one of the group. Causing fierce fights among the members every time, Wallace Harrison finally stepped in and had the members vote for each others' proposal. The end result was a compromised version of what might have been a much greater scheme. And this process is a classic example of what came to be known as design by committee.

Design by committee is a term that describes a situation when all members of the team are equally strong or equally weak, leading to a paralyzing effect due to their inability to make decision. This is a particular problem that does not happen in the opensource model, and I think in large part it is due to the fact that one can measure the performance of a script much easier than measuring the performance of space. The performative value is always measured against a set of axioms that architecture has yet to develop maturely. Sustainable architects including Christopher Alexander and New Urbanist such as Peter Calthorpe have tried to establish a rigorous method to measure and evaluate the quality of space but always result in criticisms for their pseudo-scientific approach that is often grounded in western ideologies.

In short, the collaborative model we see in *open source*, one that is based upon knowledge and respect, is not at all foreign to architects. This process takes place in every design project during the preliminary phase which we call charrette. However, because of the lack of objectivity, collaboration in design projects works better in a vertical fashion, meaning there often need to be a hierarchy of command where someone can make the final call. Whereas in the *open source* model, a horizontal structure is possible and even desirable since opposing opinions can be tested and measured relatively easily. Thus, though it's quite unimaginable to put Rem Koolhaas, Herzog & de Meuron, and David Childs of SOM together and expect them to develop a cohesive scheme, it is quite probable to see constructive results if we throw Bill Gates, Linus Torvalds, and Richard Stallman in the same room.

How could Open Source *methodologies inform the ways we design cities and think about their development and transformation ?*

This last question seems quite odd because it's got the order wrong! It is the *open source* development that should learn from urban developments and not the reverse. The open forum / idea exchanging platform has existed in cities for millennium before this cultural / social paradigm has finally infected the technological paradigm. The concept of public space such as a

:
:

Comment l'OS pourrait-il informer la manière dont nous concevons les villes et dont nous pensons à leur développement et à leur transformation ?

Cette dernière question semble étrange parce qu'elle est formulée à l'envers. C'est le développement *OS* qui doit tirer des leçons du développement des villes et non pas l'inverse. L'idée d'une plateforme d'échange, d'une place publique ouverte existe dans les villes depuis des millénaires, bien avant que ce paradigme culturel et social ait contaminé le paradigme technologique. Le concept de l'espace public, comme par exemple la place du marché, où les idées et leurs documentations ou encore les objets sont échangés, est peut être un des premiers exemples de forum où se propagent les idées et où elles peuvent être imitées et améliorées. Le problème auquel nous faisons face est dû à la protection par brevet qui découpe mécaniquement les concepts en unités clairement identifiables. Comme l'argent, le temps, le réseau, ou tout autres types d'unités qui essayent de décrire quelque chose d'évanescent, ils ont des impacts sociaux et culturels directs. Avec les entités globales qui gagnent de plus en plus de pouvoir politique et de responsabilités « publiques », tous les créateurs individuels se tiennent sur la ligne de front du champ de bataille de la privatisation du domaine public.

Les problèmes auxquels nous faisons face dans les villes ne sont pas très différents de ceux des logiciels. Dans des villes comme Los Angeles où l'étendue urbaine domine le paysage, les parcs publics sont graduellement remplacés par des parkings. Les développements récents dans les centres commerciaux indiquent que les investisseurs tentent d'injecter une dimension publique dans des espaces qui conjuguent les activités commerciales, de divertissement et de détente… Cette invasion délétère modifie la perception de l'espace public. Ce problème trouve son origine dans le fait que la plupart des parcs publics sont devenus l'habitat des sans-abri et des drogués. Et tandis que ces espaces perdent leur responsabilité sociale, le secteur privé les traite comme des objets de spéculation : jardins suspendus des immeubles de grande hauteur, vastes espaces « publics » devant les gratte-ciels qui donnent droit aux promoteurs de construire des immeubles encore plus hauts, la Promenade Universal City Walk à Los Angeles ou les Roppongi Hills à Tokyo. Ce sont desormais des espaces où vie urbaine et activités commerciales se confondent, des exemples de perversion de la perception du domaine public par des espaces « publics » dont la propriété est, en fait, privée. Grâce à Richard Stallman et sa Fondation du Logiciel Libre, l'*OS* défend le sens original du public.

De la fin des années 1970 jusqu'au début des années 1980, Bill Gates est devenu le spéculateur principal du domaine du logiciel. Il a créé un des premiers espaces public-privés du monde virtuel, l'espace ambigu des systèmes d'exploitation, et a spéculé grâce à lui. L'intérêt de *DOS* à ses débuts était de permettre à d'autres de privatiser l'espace « public » qu'il a créé. Des appli-

market place where ideas and their documentations, objects, are exchanged is perhaps one of the earliest examples where ideas are propagated and can be copied and improved. The problem we face now lies within the idea of patenting which is a mechanical process that mechanizes concepts into clearly identifiable units. Like money, time, grid, or any other types of units that try to describe something evanescent, they all have a direct social and cultural impact. The idea of patenting, like most other forms of mechanical units, is a double-edged sword that both protects and prevents prosperity by creating a separation between the public and private sphere. With global entities gaining more and more political power and "public" responsibilities, all creative individuals are standing in the front line of a battle field where the war of rapid privatization of "open" territory is fought.

The problems we are facing in cities are not so different from the ones computer programmers are encountering. In cities like Los Angeles where urban sprawling is dominating the landscape, public parks are slowly being replaced by parking lots - an invasion of public space by private entities. A recent trend in shopping malls developments indicate that developers are converging to inject a sense of public-ness in private spaces where entertainment, shopping, and recreation are intricately mixed, and this idea is gaining popularity and is slowly dominating all scales of real estate development. This deadly invasion is altering the consciousness of what public space is. This problem is rooted in the fact that most public parks have become shelters for homeless people and drug addicts. And while these spaces are becoming more of and social liability, the private sector is treating them as a commodity. Skyparks in high-rise buildings, large open "public" area in front of skyscrapers that will give developers zoning credit to build even higher, large real estate developments, like the Universal City Walk in Los Angeles or the Roppongi Hills in Tokyo where city life and commercial activities become indistinguishable, are all examples of how privately owned public space is completely changing the public's perception of public-ness.

In the opensource struggle, this sense of public-ness had to be fought for by Richard Stallman with his Free Software Foundation. In the late 70s to early 80s, Bill Gates became the first real estate developer of the programming landscape. He created one of the first privately owned public spaces in the virtual world, which is the ambiguous space of operating systems, and commodified it. The attraction of *DOS* in its early days is its ability to allow others to privatize the "public" space it created, or literally enabling other applications developed by other programmers to run in its operating system. Meanwhile, Richard Stallman saw this password protected privatization of the limitless virtual space as a violation of his public-rights and thus created the Free Software Foundation to establish and maintain the sense of public-ness. This foundational establishment will eventually help launch Linux, which will create another spatial model of publicly owned public spaces

cations développées par d'autres programmeurs étaient capables de fonctionner dans le système d'exploitation *DOS*. Pendant ce temps, Richard Stallman a vu cette privatisation de l'espace du virtuel comme une violation des droits publics et, pour cette raison, a créé la Fondation du Logiciel Libre pour rétablir et entretenir le sens du domaine public. Cette fondation a aidé, par la suite, à lancer Linux, qui créera un autre modèle d'espaces publics dont la propriété est publique. Ces logiciels peuvent aussi être privatisés et nous aident à aller au-delà de la dichotomie classique du privé/public vers un espace plus ambigu encore propice à la création.

Au contraire du modèle de Microsoft, grâce auquel Bill Gates est devenu l'homme le plus riche du monde par la privatisation du territoire des PC, Linux a prospéré sur la propriété publique (la licence GNU a fait de son code source un domaine public), entretenu par le public (grâce au réseau des utilisateurs de BBS dans le monde). La stratégie de Microsoft pour son système d'exploitation est analogue à celle de n'importe quel grand investissement d'infrastructure pour lequel la responsabilité envers le public est illimitée, mais qui prend parfois une dimension marchande. Le fait qu'Internet Explorer et Outlook Express étaient gratuits et intégrés au système d'exploitation, objets de son procès anti-monopole, a révélé sa stratégie de distribution gratuite d'applications pour créer un faux sens du public dont l'objectif est d'étendre le marché du système d'exploitation. Linus Torvalds, au contraire, a agit complètement dans le domaine public. Depuis l'écriture, la distribution, les tests, jusqu'à la modification des codes, chaque étape est un processus ouvert où chacun peut spéculer ou participer. C'est un parc urbain, ou, comme Eric Raymond le décrit, un bazar. Si nous poursuivons cette logique, l'*OS* serait la possibilité d'un espace, où Linus Torvalds pourrait être décrit comme organisateur d'événement et fournisseur d'une plate-forme où des centaines, des milliers de vendeurs peuvent venir et faire leurs affaires.

Si nous devions identifier l'impact du développement *Open Source* sur la conception urbaine, il s'agirait de réinventer activement l'espace public pour le futur proche parce que celui-ci glisse rapidement vers la sphère privée et, plus inquiétant encore parce que notre perception de l'espace public se détériore.

Traduction de l'Anglais par Valérie Châtelet.

Ted Ngai

Ted Ngai est un des fondateurs d'UNI, agence d'architecture qui explore des pratiques alternatives et leurs relations avec les nouvelles technologies et les nouvelles économies. Il étudie les failles de l'industrie du bâtiment américaine, dominée à toutes les échelles par les promoteurs et les entrepreneurs. Il cherche à définir de nouveaux territoires où l'architecte puisse expérimenter de nouveaux standards grâce à l'utilisation des nouvelles technologies et de montages financiers pour lesquels les distinctions conventionnelles entre le client / l'architecte / l'entrepreneur s'effacent. Il est diplômé du Southern California Institute of Architecture et de la Graduate School of Design de l'Université de Harvard.

Ted Ngai is a founding partner of UNI, an architectural practice that explores alternative modes of practices and their relations to new technologies and new economies. He has been investigating the loopholes in America's housing industry which is entirely dominated by developers and contractors across the scales from XS to XXXL. He tries to find a new territory and define a battle ground where the architect can experiment and define new standards by utilizing new technologies and poking into various financial devices to the conventional relationship between client / architect / contractor is entirely blurred. He received his Master of Architecture from the Harvard Graduate School of Design and Bachelor of Architecture from Southern California Institute of Architecture.

which can be privatized, and will help us move beyond the classic dichotomy of private vs. public to a more ambiguous yet auspicious space.

To the contrary of the Microsoft model, in which Bill Gates became the biggest landlord through the privatization of the PC territory, Linux thrived on public properties (the GNU license made the codes public properties) that were also sustained by the public (through the network of BBS users around the globe). Microsoft's strategy towards its OS is analogous to any large scale real estate development where public responsibilities are expendable but can sometimes be seen as commodity. The fact that Internet Explorer and Outlook Express were free and integrated with the OS, which was central to its antitrust lawsuit, revealed their strategy of distributing free yet privately owned applications to create a sense of false public-ness that would eventually increase the OS a large user base. Linus Torvalds, however, operated completely within the public realm. From writing, distributing, reviewing, to modifying the codes, every step is an open process everyone can speculate or participate. It is an urban park, or as Eric Raymond described, a bazaar. If we extend that logic, then *Open Source* would be the permit that provides the market its space, and where Linus Torvalds can be portrayed as the event organizer and platform provider where hundreds or thousands of vendors can come in and out to make their trades.

If we must identify the impact *Open Source* development has over urban design, it would seem that our role as designers will have to actively re-invent what public space will be in the near the future because it is rapidly disappearing into the private sphere and, more frighteningly, our consciousness of it is deteriorating.

PHILIPPE MOREL

« Il semble, en fait, que nous participons de nos jours à la standardisation plus radicale et plus profonde que l'on n'ait jamais expérimentée dans l'histoire du capitalisme. Le fait est que nous participons à un monde de production fait de communications et de réseaux sociaux, de services interactifs et de langages communs standardisés. Notre réalité économique et sociale est moins définie par les objets matériels qui sont faits et consommés que par les services et les relations coproduits. Produire de façon croissante signifie construire la coopération et des espaces communs de communication.»
A. Negri, M.Hardt[1]

«I've worked for IBM in Linux for more than six years, and it has become big business for us », said IBM Linux Technology Center vice president Dan Frye, who sat on a panel discussing how *Open Source* software has gone from fad to phenomenon to fact of life in business. «It's a fundamental part of IBM's business. We're not into Linux and *Open Source* because it's cool. It's nice that it's cool, but it's good business. We're making billions. »
D. Frye[2]

Je vais aborder la question de l'*Open Source* (*OS*) et de l'urbanisme sous un angle personnel et différent de celui implicitement présent dans les questions posées à Ted Ngai. Ce que ces dernières laissent entrevoir, il me semble, est la possibilité d'appliquer des stratégies *OS* dans le domaine de l'urbanisme. Je voudrais montrer que la question n'est pas tant celle d'une possibilité abstraite d'application mais celle de l'usage de cette possibilité. Mais auparavant, demandons nous ce qu'est l'*OS*.

Comme l'a noté Ted, l'*OS* fut d'abord une réponse aux lois croissantes sur les copyrights liés aux logiciels. Ensuite l'« idéologie » de l'*OS* fut appliquée dans d'autres domaines, musique, vidéo, littérature, etc., avec les mentions *Creative Commons* (*CC*). Dans la plupart des cas, l'*OS* et les *CC* sont donc perçus comme des modèles économiques alternatifs d'échange de savoirs, d'échange de toute forme de données. Il me semble quant à moi que cette conception reste trop idéaliste. Je ne nie pas les caractéristiques qui définissent et qui étaient la base de l'*OS* et des *CC* - ce sont simplement des faits - ce qui m'intéresse en revanche, c'est le rôle joué par l'*OS* et les *CC* dans l'économie globale actuelle. Ainsi je ne définis pas l'*OS* uniquement comme une réponse opposée par un certain nombre d'acteurs au capitalisme tardif, mais aussi comme une réponse du capitalisme tardif à lui-même, car quel que soit le rôle joué et l'anonymat qui accompagne un développeur au sein d'un projet *OS*, en aucun cas celui-ci est en dehors de l'économie contemporaine. Un développeur ou un artiste, pas plus qu'un scientifique travaillant à l'élaboration de tel produit, tel nouveau médicament, n'est en dehors de l'économie. Si en 1945 pour le projet Manhattan il était déjà « demandé à chacun d'agir comme des techniciens, chacun en charge d'un petit morceau d'une grande expérience »[3], ce n'est que plus vrai aujourd'hui dans une civilisation entièrement scientifique. Cette expérience globale, l'*OS* me semble en être l'expression la plus visible et concrète.

PHILIPPE MOREL

"It seems to us, in fact, that today we participate in a more radical and profound commonality than has ever been experienced in the history of capitalism. The fact is that we participate in a productive world made up of communication and social networks, interactive services and common languages. Our economic and social reality is defined less by the material objects that are made and consumed than by co-produced services and relationships. Producing increasingly means constructing cooperation and communicative commonalities."
A. Negri, M. Hardt[1]

"I've worked for IBM in Linux for more than six years, and it has become big business for us," said IBM Linux Technology Center vice president Dan Frye, who sat on a panel discussing how *open source* software has gone from fad to phenomenon to fact of life in business. "It's a fundamental part of IBM's business. We're not into Linux and *open source* because it's cool. It's nice that it's cool, but it's good business. We're making billions."
D. Frye[2]

I am going to approach the issue of *Open Source* (*OS*) and town planning from a different, more personal angle that the one implied in the questions. What these questions give us a glimpse of, I feel, is the possibility of applying *open source* strategies to the field of urban planning. I would like to demonstrate that the issue is not so much one of a possible abstract application, but of how that possibility is used. Before doing that, however, let us ask ourselves what *Open Source* is.

As Ted has noted, *OS* was initially a response to the increase in software copyright laws. Then *OS* "ideology" was applied in other fields, such as music, video, literature etc., making reference to *Creative Commons* (*CC*). In most cases, therefore, *OS* and *CC* are viewed as alternative economic models for the exchange of knowledge, the exchange of all forms of data. Personally, I feel that this approach remains too idealistic. I am not denying the defining features that make up the foundations of *OS* and *CC* – these are simply facts. What does interest me, though, is the role that *OS* and *CC* play in the current global economy. Thus, I am not defining *OS* purely as a response by a certain number of players to late capitalism, but also as response by late capitalism to itself, since whatever role is played by a developer within an *OS* project, and whatever his level of anonymity, that developer is never outside the modern economy. A developer or an artist is not outside the economy, no more so than a scientist working on creating this new product or that new drug. Whilst the 1945 Manhattan project was already "asking that everyone act as technicians, each person being in charge of a small part of a large experiment"[3], this cannot be more true than it is nowadays in an entirely scientific civilisation. To me, *OS* seems to be the most visible and concrete expression of this global experiment.

There is, therefore, an economy of knowledge that extends to universities, to the smallest conference and the smallest exhibition, and which forms an integral part of advanced capitalism. A vision that places licence vendors on one side and those who live only for Linux on the other seems false to me. As with the "destiny of capital", which is "to lead, through its process of

Il y a donc une économie du savoir qui implique jusqu'aux universités, jusqu'à la moindre conférence, jusqu'à la moindre exposition, et qui est une partie intégrante du capitalisme avancé. Une vision qui placerait d'un côté des
vendeurs de licence et de l'autre ceux qui ne vivent que pour Linux me paraît
fausse. Comme pour le « destin du capital » qui serait « de conduire, par son
procès d'accumulation, à la ruine des sociétés », « cette dialectique est bien
religieuse dans l'espoir ou la crainte qu'elle promet »[4]. Il n'y a donc pas pour
moi d'économie parallèle. Il n'existe qu'une économie et l'ensemble de ce qui
existe aujourd'hui en fait partie. Je définis donc l'*OS* aujourd'hui comme une
réponse du capitalisme adressée à lui-même, face à un besoin constant d'ex-
ternalité dans la production. Si on considère l'économie actuelle comme une
économie cognitive, la propriété intellectuelle à la base de l'*OS* n'est pas uniquement la force de cette économie mais aussi sa faiblesse. L'enjeu n'est
donc plus pour une compagnie d'établir la propriété intellectuelle comme
règle absolue, mais d'établir des modulations. Alors qu'une règle stricte obli-
gerait cette même compagnie à payer chaque création, quitte bien sûr à
répercuter l'investissement sur le prix de vente, une règle modulable lui permet 1) de se concentrer sur sa spécialité[5] ; 2) de considérer toute création
qui concerne le langage - le code lié à l'*OS* étant perçu comme pur langage -
comme une matière première, comme quelque chose de donné. Ainsi l'*OS*
permet de répercuter l'ensemble des coûts de développement de logiciels ou
autre, l'ensemble des investissements dans ces mêmes logiciels sur une
abstraction productive : autant de milliers ou centaines de milliers de développeurs anonymes, la disparition de l'auteur tant recherchée par l'art étant
alors on ne peut plus effective. L'*OS* apparaît par rapport aux coûts de production habituels comme un nouveau modèle économique global. Il permet
à toute compagnie de passer d'un modèle courant qui consiste à investir,
même peu, dans la production - modèle qui est par exemple celui des studios
de cinéma - à un modèle qui, à proprement, parler ne produit plus - le modèle des chaînes d'information en continu pour qui la matière première est
donnée. Voici ce que disait Karl Kraus du journalisme et qui définit très bien
ce dernier type de média : « Les faits qui produisent les nouvelles et les nouvelles coupables des faits ».
Par rapport à ce modèle médiatique qui est le modèle du « Spectacle », que
l'on a dépassé depuis longtemps, l'*OS* représente un palier supplémentaire
franchi dans l'ordre d'une économie du langage. Le langage n'est plus uniquement la langue naturelle ou maternelle, mais bien le langage artificiel
constitué de l'ensemble des langages formels. Introduire l'*OS* dans le traitement de ces langages formels revient à y sauvegarder ou y insérer le caractère ouvert présent dans le langage naturel. Cette sauvegarde est d'ailleurs
réussie, les langages formels deviennent de véritables langues naturelles par
un processus de « naturalisation des langages formels ». En revanche, faire
découler de l'ouverture de tout langage un autre modèle économique est
idéaliste, voire « religieux » comme nous l'avons vu plus haut, dans la mesure où il n'existe pas, dans les faits, le moindre lien logique qui nous permet-

accumulation, to the ruin of societies", "this dialectic is very religious in the hope or the fear that it promises"[4]. For me, therefore, there is no parallel economy. There is only one economy and everything that exists now is part of it. I would therefore define *OS* nowadays as a response by capitalism to itself, faced as it is with the constant need for outsourcing in production. If we consider the current economy as a cognitive economy, the intellectual property at the basis of *OS* does not just form the strength of this economy, but also its weakness. Therefore the challenge for a company is no longer to establish intellectual property as an absolute rule, but to establish variations. Whereas a strict rule would oblige that same company to pay for each creation, since the investment would of course be reflected in the sale price, a variable rule would enable it : 1) to focus on its speciality ("Open Technology allows developers to focus on the parts of their solution that add the greatest value and customers to pay for real value"[5]), and 2) to view all creations concerning language – the *OS* code being considered a pure language – as raw material, as a given. Thus, *OS* means that all the development costs relating to software or other elements, as well as all the investments made in this software, can be passed on to a production abstraction, namely so many thousands or hundreds of thousands of anonymous developers. The disappearance of the author that is so sought after by the arts could not be any more effective than this. Therefore with regard to normal production costs, *OS* appears as a new global economic model. It enables all companies to move from the current model that involves investing, however little, in production – a model used by cinema studios, for example – to a model that, strictly speaking, no longer produces – i.e. the model used by continuous News Channels for whom the raw material is free. This is what K. Kraus said about journalism, which defines the latter type of media very well : "Facts produce the news and the guilty news produce new facts". With regard to this media model, the model of the "Spectacle", which we overtook a long time ago, *OS* represents an extra level that has been attained in the economy of language. Language is no longer simply a matter of natural languages or mother tongues, but an artificial language made up of all formal languages. The introduction of *OS* to the processing of these formal languages comes down to protecting within or adding to them the openness that is present in natural language. This process of protection has, moreover, been a success, formal languages are becoming veritable natural languages through the process of "naturalisation of formal language". By contrast, as we saw earlier it is idealistic, and even "religious", to expect a new economic model to arise from the opening up of all language, insofar as there is not the slightest evidence of a logical link that would enable us to validate this premise. Moreover, with regard to the language of the media, G. Debord never laid claim to such a link. He anticipated *OS*, *GNU* and *CC* by adding the following note at the beginning of each issue of Internationale Situationniste review : "Any text published in the *Internationale Situanniste* may be freely reproduced, translated or adapted, even when the source is not mentioned".

:
:

te de valider cette déduction. D'ailleurs un tel lien n'a jamais, lorsqu'il s'agissait du langage des médias, été revendiqué même par Guy Debord qui anticipait sur l'*OS*, le *GNU* et les *CC* en faisant apposer au début que chaque numéro de l'*IS* la mention « Tous les textes publiés dans *Internationale Situationniste* peuvent être librement reproduits, traduits ou adaptés même sans indication d'origine ».

Mais revenons au langage et écoutons ce que dit Giorgio Agamben du Spectacle de ce même Debord : « En quel sens, à l'époque du triomphe accompli du spectacle, la pensée peut-elle recueillir aujourd'hui l'héritage de Debord ? Puisqu'il est clair que le spectacle est le langage, le caractère communicatif ou l'être linguistique même de l'homme. Ceci signifie que l'analyse marxienne doit être intégrée au sens où le capitalisme (ou quel que soit le nom que l'on veuille donner au procès qui domine aujourd'hui l'histoire mondiale) ne concernait pas seulement l'expropriation de l'activité productive, mais aussi et surtout l'aliénation du langage même, de la nature linguistique et communicative de l'homme [...] Mais ceci signifie aussi, que, dans le spectacle, c'est notre propre nature linguistique qui s'avance vers nous renversée. »[6] Ce qui apparaît depuis quelques années est en fait l'extension du Spectacle à l'ensemble du langage (langages naturels + langages formels) si bien que le Spectacle au sens habituel n'est qu'une infime partie d'une économie plus avancée du langage, cette économie ayant d'ailleurs écarté l'idée d'un contrôle ou d'une domination par des groupes précis de personne sur la « masse ».

Mais laissons la « domination » et revenons au langage lui-même. Les situationnistes avaient perçu le rôle des langages formels en tant que tels, c'est-à-dire, comme partie d'une conception plus large des langages : « on est en droit de considérer la musique électronique comme un essai, évidemment ambigu et limité, de renverser le rapport de domination en détournant les machines au profit du langage. Mais l'opposition est plus générale, bien plus radicale. Elle dénonce toute « communication » unilatérale, dans l'art ancien comme dans l'informationnisme moderne. Elle appelle à une communication qui ruine tout pouvoir séparé »[7]. Nous percevons bien ici l'*OS* comme allant dans cette dernière direction. L'*OS* vise d'abord à faire sortir les langages et toute construction langagière du domaine privé (tel langage propriétaire de base de données, etc.) pour les faire entrer dans la sphère générale du Langage. Mais cette direction est aussi celle choisie par le capitalisme avancé pour faire de tout langage et de toute création médiatisée par le langage ce que nous avons vu plus haut, une matière première. Cette nouvelle matière première, le code, se devant d'ailleurs d'être standardisée afin de pouvoir s'insérer dans le flux continu des échanges. Le code est une nature, et j'insiste sur cette conception des langages logico-mathématiques comme nature et non comme artefacts, car ce n'est pas la nature qui a disparu mais l'artificiel qui n'a jamais existé (nous pourrions affirmer ceci d'un point de vue inverse, en disant que c'est la nature qui n'a jamais existé, et que tout a tou-

Let us return to language, however, and listen to what Giorgio Agamben has to say about Debord's Spectacle : "In what sense, in the age of the triumph of the spectacle, can current thought represent the legacy of Debord ? Because it is clear that the spectacle is man's language, his communicative nature or even his very linguistic existence. This signifies that the Marxist analysis should be incorporated in the sense that capitalism (or whatever name you want to give to the process that now dominates world history) was not just about the expropriation of productive activity, but also and above about all the alienation of language itself, of man's linguistic and communicative nature […]. However this also signifies that, in the Spectacle, our own linguistic nature is advancing towards us, upside down"[6]. What has been emerging for the past few years is actually the extension of the Spectacle to all language (i.e. natural languages and formal languages), to such an extent that the Spectacle in its usual sense is merely a tiny part of a more advanced language economy, this economy having moreover shifted the idea of control or domination by specific groups of people onto the "masses". However, let us leave "domination" and come back to language itself. The situationnists saw the role of formal languages as just that, formal languages, i.e. as part of a wider concept of languages : "[…] electronic music could be seen as an attempt (obviously limited and ambiguous) to reverse the domination by detourning machines to the benefit of language. But there is a much more general and radical opposition that is denouncing all unilateral "communication," in the old form of art as well as in the modern form of informationism. It calls for a communication that undermines all separate power"[7]. We can easily see here how *OS* is moving in this latter direction. Initially, *OS* aims to extract languages and all language-related construction from the private domain (such as the proprietary language used in databases, etc.) and to move them into the general sphere of Language. However, this direction is also the one chosen by advanced capitalism to turn all language, and all creations that have been given a high media profile through language, into something we saw earlier, a raw material. Moreover, this new raw material, the code, must become standardised so that it can fit into the continuous flow of exchanges. The code is a landscape, and I am emphasising this concept of logic-mathematical languages as nature rather than as artefact, since it is not a question of nature having disappeared, but of something artificial that has never existed. We should remember here Georges Braque's response when "somebody said to him before a still life 'but this lighting does not exist in nature. – What about me then, don't I come from nature ?"[8].

The disappearance of the ownership of formal languages in general (the ownership of language is in itself destined for failure, so there is no need to be concerned about this possibility) does not signify the disappearance of all forms of ownership, but rather the updating of the problem of ownership via the problem of the use of words, or the use of code. "Contrary to what intel-

jours été médiatisé par le savoir ou le langage. C'est également vrai, mais cela nous renseigne beaucoup moins ici sur ce que j'appelle le processus de naturalisation des langages formels, processus lié à l'*OS*). Nous devrions parfois nous souvenir de cette remarque de Georges Braque répondant, lorsqu'« on lui disait devant une nature morte « mais cet éclairage n'est pas dans la nature ». - Et moi alors, je ne suis pas de la nature ?»[8]

La disparition de la propriété des langages formels en général (la propriété du langage est en elle-même vouée à l'échec, il n'y a donc pas lieu de s'inquiéter de cette possibilité) ne signifie pas la disparition de toute forme de propriété, mais une réactualisation du problème de propriété à travers le problème de l'usage des mots, ou de l'usage du code. « Contrairement à ce qu'estiment les gens d'esprit, les mots ne jouent pas. Ils ne font pas l'amour, comme le croyait Breton, sauf en rêve. Les mots travaillent, pour le compte de l'organisation dominante de la vie. Et cependant, ils ne sont pas robotisés ; pour le malheur des théoriciens de l'information, les mots ne sont pas eux-mêmes informatifs »[9]. Effectivement les mots travaillent, seulement aujourd'hui ils sont robotisés, informatifs et ne travaillent pas si précisément pour le compte d'une « organisation dominante ». Quoi qu'il en soit cela ne nous empêche pas de valider ce « sérieux du Humpty-Dumpty de Lewis Carroll qui estime que toute la question, pour décider de l'emploi des mots, c'est de 'savoir qui sera le maître, un point c'est tout »[10]. La question de l'usage des jeux de langage formel issu de l'*OS* est donc la même : qui sera le maître ?

Nous venons d'aborder quelques éléments à propos du langage qui, je l'espère, auront permis de repasser de la conception de l'*OS* comme idéologie dans l'art ou dans la politique alternative (un idéalisme lié à un fait) à l'*OS* comme technologie et économie[11]. En tant que technologie *OS* est donc neutre par nature. De même qu'il n'y a plus à proprement parler de domaine militaire mais une puissance technologique globale, telle qu'elle existe par exemple aux Etats-Unis, associée à des utilisations temporairement civiles et temporairement militaires, il n'y a qu'une technologie *OS* associée à des usages temporairement commerciaux et temporairement « non commerciaux » - des usages de recherche, d'expérimentation, des usages liés à notre « volonté de savoir », etc. Quant à savoir ce que serait, en fonction de cela, un urbanisme *Open Source*, il me faut bien avouer que je n'ai pas de réponse définitive, même s'il me fallait quoi qu'il arrive utiliser un autre mot qu'urbanisme qui fait référence à une science de la planification qui n'existe plus depuis longtemps. Ce que l'on peut affirmer sans risque, c'est le caractère partiellement invisible d'un tel urbanisme. Si nous définissons l'*UOS* (Urbanisme *Open Source*) par analogie, alors l'urbanisme (j'utiliserai le terme « extension » à la place d'urbanisme) est déjà *OS* depuis longtemps, depuis la fin des projets étatiques et des grands travaux liés à la reconstruction. Il y a encore ça et là des formes de dirigisme (en Chine) mais elles importent peu ici car elles ne représentent aucune tendance d'avenir. Aujourd'hui, chacun participe à sa manière, souvent involontairement, à une extension non planifiée,

ligent people think, words do not play. They do not make love, as Breton believed, except in dreams." Words work, for the predominant organisation of life. And yet, they are not automated; unfortunately for information theorists, words themselves are not informative"[9]. Words do actually work, but nowadays they are automated, informative and do not work so specifically for a "predominant organisation". Whatever the case may be, this does not prevent us from ratifying "Lewis Carroll's solemn Humpty Dumpty, who believes that to determine the use of words, the whole question is about 'knowing which is to be master - that's all"[10]. The issue of the use of the formal language sets that have emerged from OS is therefore the same : which is to be master ?

We have just looked at a few elements regarding language which, I hope, will have enabled us to move away from the concept of OS as ideology (i.e. idealism linked to facts) to OS as technology and economy[11]. As a form of technology, OS is neutral by nature. Just as there is, strictly speaking, no longer a military field but a global technological power, such as that in the United States, which is used temporarily for civilian purposes and temporarily for military ones there is only one OS technology used temporarily for commercial purposes and temporarily for "non-commercial" ones – such as research, experimentation, the "quest for knowledge" etc. As for knowing what *open source* town planning in these terms would be like, I must admit that I have no definite answer, even though whatever happens I would have to use a word other than town planning, referring to a kind of planning science that has not existed for a long time. One thing we can be positive about, without any risk, is the partially invisible nature of such "town planning". If we define *open source urbanism* (*OSU*) by analogy, then town planning (I am going to use the term "extension" instead of town planning) has already been open source for a long time, since the end of state-controlled projects and major construction works in a reconstruction context. Forms of state intervention still exist here and there, in China for example, but they are not very important here because they do not represent any trend for the future. Nowadays, everyone is involved in their own way, often involuntarily, with a kind of extension that is unplanned, prolific and open. We cannot go back to the old way. Mies van der Rohe was already noting this correctly in 1955 : "There are no cities, in fact, anymore. It goes on like a forest. That is the reason why we cannot have the old cities anymore; that is gone forever, planned cities and so on. We should think about the means that we have to live in a jungle, and maybe we do well with that"[12]. Although *OSE (Open Source Extension)* is not defined by an analogy but in accordance with the genuine integration of OS technologies, this extension is, once again, right in front of our eyes.

Let's just think about smart mobs, about the freely accessible databases or the geographic information systems that influence the way in which everything that is built today is deployed in space. There is an economy linked to

proliférante et ouverte. On ne peut pas revenir là-dessus. Mies van der Rohe le notait déjà avec raison en 1955 : « Il n'y a plus, en fait, de villes. C'est comme une forêt. C'est la raison pour laquelle nous ne pouvons plus avoir les villes anciennes ; les villes planifiées et ainsi de suite, c'est terminé pour toujours. Nous devons penser aux moyens que nous avons de vivre dans une jungle, et peut-être que nous vivons très bien avec cette idée »[12]. Si l'*EOS* (Extension *Open Source*) n'est pas définie par analogie mais en fonction d'une intégration réelle de technologies *OS*, cette extension est, là encore, déjà sous nos yeux. Pensons simplement aux Smart Mobs, aux bases de données ou aux systèmes d'information géographique en libre accès qui influent sur la manière dont tout ce qui se construit aujourd'hui se déploie dans l'espace. Il y a une économie liée à l'extension spatiale, économie de plus en plus abstraite puisque nous ne sommes même plus au point où « le Spectacle est le capital à un tel degré d'accumulation qu'il devient image »[13] mais à l'époque où le Spectacle n'est qu'une petite part de l'économie, y compris précisément celle des images traduites en images numériques. Toute économie a donc déjà atteint l'abstraction de la description algorithmique. L'*EOS* est donc liée aux technologies *OS* dès lors qu'elle a affaire aux réseaux, à la télé-médecine, au télé-enseignement, à la livraison à domicile de sperme pour des familles mono-parentales et self-reproductrices, aux possibilités de décentraliser l'usine en une multitude de travaux à la maison (*SoHo - Small office Home office*), aux possibilités de stocker sur le réseau avec le P2P et de distribuer le calcul avec le *Grid Computing*. Dans tout cela, il y a de l'*OS*, des morceaux de codes, des données libres de droit, des fragments de savoir qui se mettent bout à bout pour former une production cohérente. L'*EOS* est ici ce qui intègre les nouveaux paradigmes liés aux réseaux, aux codes, etc. L'extension n'est que ce qui accompagne et permet le « tournant computationnel » et linguistique du capitalisme tardif. En cela, l'*EOS* n'est que partiellement fidèle à certaines prédictions faites par des architectes du type d'Andrea Branzi sur l'urbanisation contemporaine. Fidèle parce qu'il voyait par exemple dans le supermarché la préfiguration de la « structure privée d'images » évoquée[14] et à la fois infidèle puisque ce même supermarché ne survivra pas au paradigme qu'il a lui-même représenté et introduit, paradigme de production/consommation aujourd'hui beaucoup mieux exprimé dans la maison. C'est la maison qui intègre ce que le supermarché du théoricien et architecte italien (y compris sa propre version de la ville/supermarché) ne pouvait pas intégrer, à savoir la science et la technologie. Le supermarché correspondait à la civilisation décrite par Branzi, qui n'aurait pas été une « civilisation de la technologie et de la science, mais des échanges et du commerce »[15]. Comme machine de consommation de produits, le supermarché fonctionnait encore, mais comme machine de consommation d'expérience et de production ininterrompue de subjectivités nouvelles, il est archaïque et inconsistant. L'*EOS* est donc principalement une extension de l'habitat, une extension infinie de la maison amenée à couvrir la terre entière. L'*EOS* est une alliance entre une extension spatiale sans limite et une intégration

spatial extension, an economy that is becoming more and more abstract since we are no longer even at the point where "the spectacle is capital to such a degree of accumulation that it becomes an image"[13] but in a period where the Spectacle is just a small part of the economy, including precisely that part involving the conversion of images into digital images. All economies have therefore achieved algorithmic abstraction. *OSE* is therefore connected to *OS* technology as soon as it becomes involved with networks, telemedecine, e-learning programs, the home delivery of sperm for one-parent and self-reproducing families, the possibility of decentralising the factory into a multitude of home-based jobs (SoHo - Small office Home office), and the possibility of storing things on the network with P2P and distributing calculations with Grid Computing. In all of this there is open source, bits of code, legally unrestricted data, fragments of knowledge all joining together to form a coherent production. In this sense, *OSE* is what integrates new paradigms linked to networks, codes and so on. Extension is merely something that goes with and enables the "computational turn" and "linguistic (re)-turn" of late capitalism. In this regard, *OSE* is only partially faithful to some of the predictions made by architects like Andrea Branzi about contemporary town planning. Faithful because Branzi saw, in the supermarket, the first signs of the "image-deprived structure" they described[14], and at the same time unfaithful because that same supermarket will not outlive the paradigm that it has itself represented and introduced, namely the paradigm of production/consumption that is now much better expressed in the home. It is the home that is integrating what the Italian theoretician and architect's supermarket (including his own version of it) could not, namely *science and technology*. The supermarket used to correspond to civilisation as described by Branzi, which would not have been a "civilisation based on technology and science, but on exchange and commerce"[15]. As a machine for product consumption, the supermarket was still functioning, but as a machine for the consumption of experience and the uninterrupted production of new subjective experiences, it was archaic and inconsistent. *OSE* is, therefore, mainly an extension of the habitat, an infinite extension of the home that could eventually cover the entire world. *OSE* is an alliance between unlimited spatial extension and scientific integration (i.e. the integration of knowledge and technology into a productive abstraction). The study of this extension, therefore, comes down not to examining the application of language-based criteria to town planning as it is traditionally perceived (e.g. applying the *OS* model to town planning as language-based models used to be applied to consumer objects), but to looking at how material reality enters into the abstract economy of language. As for whether *OSE* should incorporate a more concrete and visible "participatory" dimension, it seems pointless to me; I feel it would bring *OSE* closer to something it is not, namely an all-encompassing alternative sociological model from the years between 1960 and 1970.

scientifique (intégration des savoirs et des technologies dans une abstraction productive). Etudier cette extension revient donc non pas à étudier l'application de ce qui appartient au langage à l'urbanisme traditionnellement perçu (appliquer le modèle OS à l'urbanisme comme auparavant des modèles langagiers aux objets de la consommation) mais à voir comment une réalité matérielle entre dans l'économie abstraite du langage. Quant à savoir si l'*EOS* doit intégrer une dimension « participative » plus concrète et plus visible, il me semble que c'est inutile et que cela rapprocherait l'*EOS* de ce qu'elle n'est pas : un modèle sociologique alternatif et englobant des années 1960-70. Nous avons déjà la possibilité quasi-absolue, en participant à notre propre construction, de devenir de toutes pièces des individus nouveaux.

Gottfried Benn en 1930, prophétisait : « une nouvelle histoire commence, l'histoire de l'avenir, ce sera l'histoire de la campagne mendelisée et de la nature synthétique», «il n'est pas douteux qu'en cet instant chacun de nous participe personnellement par son corps à cette prolifération démesurée de la chair humaine, à cette avance dans l'espace de notre vieux protoplasme ».

Notes

1. A. NEGRI, M. HARDT, *Empire*, Paris, Éd. Exils, 2000.
2. D. FRYE, « From *Open Source* Software to Open Technology: How a Phenomenon is turning into an Exciting New Industry », InnoTech Conference, 9 mars 2005
3. J. LYMAN, « Conference discusses why «everybody needs an *Open Source* strategy », *IT Investor's Journal*, 10 mars 2005; J.E. MOORE, *Memorandum, correspondance du Committee for Medical Research*, U.S. National Archives, 9 mai 1945.
4. J F. LYOTARD, *Economie Libidinale*, Paris, Editions de Minuit, 1974, p. 272.
5. Voir http://pdx.innotechconference.com/content/?sectionId=6&pageId=27#OpenSource
6. G. AGAMBEN, « Gloses marginales aux Commentaires sur la société du spectacle », *Multitudes, Futur Antérieur 2*, été 1990. Ce texte est une préface à l'édition italienne de *Commentaires sur la société du spectacle* de G. DEBORD.
7. «All the King's Men», *Internationale Situationniste*, n°8, 1963.
8. J. PAULHAN, *Braque le patron*, Paris, Gallimard, 1952. Comme l'ont noté A. NEGRI et M. HARDT (op.cit.) : « aujourd'hui, nous avons affaire à des matières premières et à des denrées fabriquées par des machines ».
9. « All the King's Men », op.cit (6)
10. Idem.
11. C'est parce qu'*OS* est un fait technologique et économique qu'une idéologie peut s'y ajouter au sein d'usages pernicieux et stratégiques.
12. J.PETER, « Interview with Mies van der Rohe », in P. LAMBERT (Ed.), *Mies in America*, Harry N. Abrams Inc., 2001, pp. 14-15.
13. G. DEBORD, *La Société du spectacle*, Paris, Buchet-Chastel Éditeur, 1967, §34.
14. ARCHIZOOM, « Città, catena di montaggio del sociale, Ideologia e teoria della metropoli », *Casabella*, n° 350-351, 1970.
15. ARCHIZOOM, « Architectonicamente », *Casabella*, n° 334, 1969.

Philippe Morel

Fondateur d'EZCT Architecture & Design Research, professeur assistant à l'Ecole Nationale Supérieure d'Architecture Paris-Malaquais, il écrit régulièrement sur les conséquences du phénomène technologique et du « disurbanisme » global (*Living in the Ice Age*, mémoire de fin d'étude, 2001-2002). Il a récemment participé aux colloques *Loopholes* (Harvard GSD, 2005), Script (Firenze, 2005), *The Architecture of Possibility* (Mori Art Museum, Tokyo, 2005), *GameSetMatchII* (TU Delft, 2006) et il est intervenu à Columbia GSAPP et au MIT Department of Architecture (*Few Remarks on Epistemology and Computational Architecture*, March 2006).

We already have the semi-absolute possibility of becoming totally new individuals, by participating in our own construction.

In 1930 Gottfried Benn predicted that "a new story is beginning, the story of the future, this will be the story of Mendelised countryside and synthetic nature", "there is no doubt that at this moment each one of us is personally participating with our bodies in this interminable proliferation of human flesh, this advance into space of our old protoplasm".

Founder of EZCT Architecture & Design Research, Adjunct Assistant Professor at the Ecole Nationale Supérieure d'Architecture Paris-Malaquais, he wrote extensively about the consequences of technological phenomena on global disurbanism (*Living in the Ice Age*, an analysis of contemporary capitalism and the associated biomedical domestic economy, master thesis, 2001-2002). He recently lectured at Loopholes (Harvard GSD, 2005), Script (Firenze, 2005), The Architecture of Possibility (Mori Art Museum, Tokyo, 2005), GameSetMatchII (TU Delft, 2006) and at Columbia GSAPP and MIT Department of Architecture (*Few Remarks on Epistemology and Computational Architecture*, March 2006).

Notes

1. A. NEGRI, M. HARDT, *Empire*, Paris, Éd. Exils, 2000.
2. D. FRYE, "From *Open Source* Software to Open Technology : How a Phenomenon is turning into an Exciting New Industry", InnoTech Conference, March 9th 2005.
3. J. LYMAN, "Conference discusses why "everybody needs an *Open Source* strategy"", *IT Investor's Journal*, March 10th, 2005. J.E. MOORE, Memorandum, correspondance of the Committee for Medical Research, U.S. National Archives, May 9th, 1945.
4. J F. LYOTARD, *Economie Libidinale*, Paris, Editions de Minuit, 1974, p. 272.
5. http://pdx.innotechconference.com/content/?sectionId=6&pageId=27#OpenSource
6. G. AGAMBEN, "Marginal notes to the Comments on the Society of the Spectacle", *Multitudes*, Futur Antérieur 2, summer 1990. This text is a preface to the Italian edition of Comments on the *Society of the Spectacle* by G. DEBORD.
7. "All the King's Men", *Internationale Situationniste*, n°8, 1963.
8. J. PAULHAN, *Braque le patron*, Paris, Gallimard, 1952. As A. NEGRI and M. HARDT noted (op.cit.) : "now we find ourselves confronted with machine-made raw materials and foodstuffs".
9. "All the King's Men", cit. (6).
10. Idem.
11. It is because *OS* is a technological and economic fact that an ideology can be added to in the form of uses that are harmful and strategic.
12. J. PETER, "Interview with Mies van der Rohe", in P. LAMBERT (Ed.), *Mies in America*, Harry N. Abrams Inc., 2001, pp. 14-15.
13. G. DEBORD, *La Société du spectacle*, Paris, Buchet-Chastel Éditeur, 1967, §34.
14. ARCHIZOOM, "Città, catena di montaggio del sociale, Ideologia e teoria della metropoli", *Casabella*, n° 350-351, 1970.
15. ARCHIZOOM, "Architectonicamente", *Casabella*, n° 334, 1969.

Translation from French by Emma Chambers.

O. Eliasson
Pedestrian vibes study (2004).
16 photogravures
© Centre Pompidou,
Musée d'art moderne , Paris.

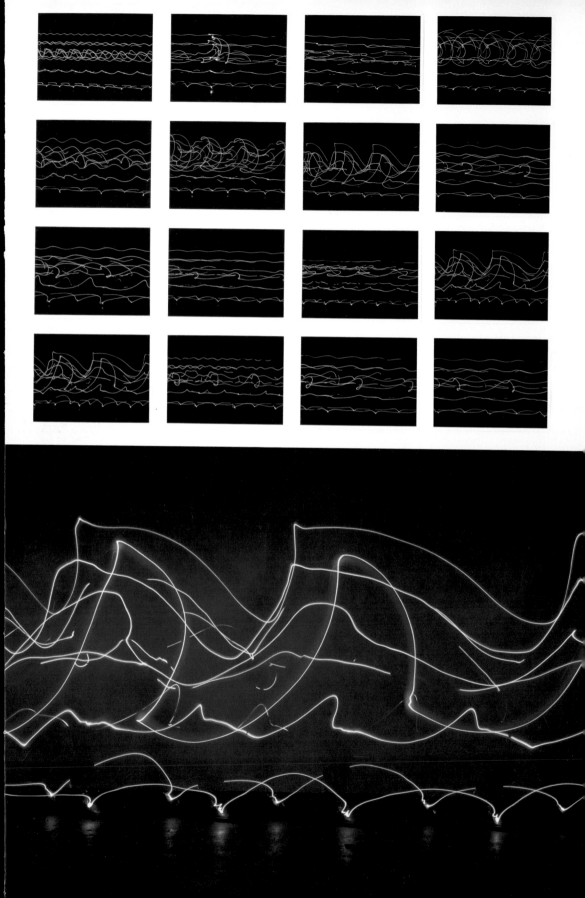

anomalie digital_arts, n° 6 : Interactive Cities

Published by Anomos | Éditions Hyx

Sous la direction de | *Issue Editor*
Valérie Châtelet

Coordination
Rachida Bouaiss, Alia Dinally

Directeur artistique | *Artistic Director*
Laurent Pinon, Benoît Matrion

Directeur de publication | *Executive Editor*
Emanuele Quinz

Administration
Cécile Brazilier

Traductions | *Translations*
Emma Chambers, Valérie Châtelet, Emilie Gourdet, Hillary Goidell, Sophie Renaut

Images : © tous droits réservés | *All right reserved.*

Ont participé à ce numéro | *Participated to this issue*
Daniel Berry, Valérie Châtelet, David Gerber, Jeffrey Huang, Philippe Morel, Ted Ngai, Laurent Perrin, Denise Pumain, Carlo Ratti, Dominique Rouillard, Gerhard Schmitt, Muriel Waldvogel.

Anomos remercie | *thanks*

les auteurs, les traducteurs, Emmanuel Cyriaque et les Éditions Hyx, Laurent Pinon, Emile Abinal, Roberto Quinz et Anomos Italia, Christian Delécluse, Julia & John Frazer, Hillary Goidell, Kristine Malden, Monique Gross, Philippe Lê, Frederique Krupa, Jennifer Dunlop, Forrest Fulton, Anja Klepikov, Tove Wallsten, Maud Châtelet, Pascal Flammer, Véronique Lecerf, Patrick Dujardin, Sophie Fauvet, Bradley Samuels, Debra Samuels, Nader Voussoughian, Jie-Eun Hwang, Lev Manovich, Manuel DeLanda, Susanna Lotz, Antoine Picon, Bart Lootsma, Steffen Waltz, Odilo Schoch, Cristiano Ceccato, Luca Marchetti, Chris Csikszentmihalyi, Jeremy Wood, Jethro Hon, Fabio Gramazio & Mathias Kohler, James Lowder, Paul Jamtgaard, Udo Garritzmann, Yasmine Abbas, Lukas Feireiss, Mona Sérageldin, Charles Tashima, Carlos Cardenas, Pau Sola-de Morales, Spiro Pollalis, Paul Cote, Martine Bour, Erika Bol, Aziza Chaouni, Bertrand Segers, Matthieu Kavyrchine, Benoît Durandin, Bing Zhu, Matt Liao, Rodolpho Ramina, Makoto Sei Watanabe, Flavia Sparacino, Udo Noll, Eva Tsouni, Fabrizio Gallanti, A12, Ian+, Ted Carpenter, Yves Tixier, Kostas Terzidis, Nasrine Séraji, Anne Douvin, Antoine Grumbach, Delphine Orcel, Pamela Jensen-Seidel, Ute Schneider, Alex Lehnerer, Oliver Fritz, Christophe Schindler, Kees Christiaanse, Eva Castro, François Roche, Yasuto Nakanishi, Kaas Oosterhuis, Rafael Lozano-Hemmer, Xin Xia, Regina Sonnabend, Sheldon Brown, Ana Dzokic, Franco Torriani, Mario Campanella, Zaha Hadid, Patrick Schumacher, Spiekermann & Wegener Stadt-und Regionalforschung, Marcos Novak, Dominique Châtelet, Martin M. Graham, Axel Kilian, Dryce Benâllal, Dominique Tixier, Jean-Paul Blais, Anne Laporte, Jacotte Bobroff, Philippe Casanova, Marie-Madelaine Le Marc, Pierre Chanial, Fabienne Paul, et Emanuele Quinz.

Avec l'aide du CNL Centre National du Livre

1 rue du taureau. F - 45000 Orléans
Tél. : 0033 (0)2 38 42 03 26
Fax : 0033 (0)2 38 42 03 25
e-mail : contact@editions-hyx.com
www.editions-hyx.com

Dépot légal : février 2007

Achevé d'imprimer en février 2007
sur les presses de IMP Blanchard
6, avenue Descartes 92350 Le Plessis-Robinson